DROOMVLUCHT

Ria van der Ven-Rijken

Droomvlucht

ISBN 90-242-8756-1
NUR 344

Omslagillustratie: Gerda van Gijzel
Omslagbelettering: Van Soelen, Zwaag
ISSN 0923-134X

1

Een triomfantelijke glimlach gleed langs haar mond, terwijl ze met enige verwondering keek naar de afzender op de envelop, die ze zojuist had ontvangen.

Haar handen trilden ineens en haar ademhaling versnelde zich van pure opwinding.

Judith draaide de envelop om en keek naar haar eigen naam die met dikke letters op de voorkant stond.

Het klopte! Judith Lankhaar, stond er, p/a Camping 'De Vogelkooi', en daaronder haar tijdelijke adres in de gemeente Lingewaal.

Boven aan de envelop zag ze uiterst links de naam van haar eigen stacaravan gekrabbeld staan die ze de laatste maanden vrijwel permanent bewoonde, 'De Koolmees'.

Het was duidelijk te zien dat Bertus Koks van de receptie die naam daar had neergeschreven, ze herkende zijn onregelmatige handschrift.

„Er is post voor je, vogeltje," had hij haar toegeroepen toen ze met haar auto het terrein van de camping opreed, en het gebouw van de receptie wilde passeren.

Blijkbaar had hij op haar staan wachten, want hij wist dat ze doorgaans rond half zeven arriveerde. Nadat ze het raampje wat verder had opengedraaid wierp hij haar de brief toe, zoals hij dat wel vaker deed. Deze manier van post bezorgen bespaarde hem namelijk een flinke wandeling naar haar stacaravan, die wat achteraf op het terrein stond.

Judith bedankte hem en stak als groet haar hand op.

„Nou, tot de volgende keer maar weer, vogeltje!" riep Bertus haar plagend na, zwaaide en verdween vervolgens achter zijn bureau. Judith had haar auto snel naar het parkeerterrein van de camping gereden en op haar vaste plekje geparkeerd.

En nu, in de kleine woonkamer van haar stacaravan, scheurde ze de envelop die afkomstig was van het modellenbureau 'Beautyful Lady', voorzichtig open.

Haar ogen vlogen over de regels, terwijl een warme blos naar haar wangen steeg.

Ze hadden haar portfolio, gelukkig goed ontvangen en complimenteerden haar met de veelzijdigheid van de schitterende foto's. Ze nodigden haar vriendelijk, maar ook enigszins dringend uit om toch vooral deel te nemen aan een casting, die georganiseerd werd door Modehuis Lolita.

De directie van 'Beautyful Lady' zou zorgen voor de aanwezigheid van hun allerbeste mannequins op dit moment, en blijkbaar hoorde zij, Judith Lankhaar, daar vanaf vandaag ook bij. Het was de bedoeling van Modehuis Lolita, dat er zes van de beste modellen uitgekozen zouden worden om tijdens het komende seizoen door heel Nederland diverse modeshows te lopen. Uiteraard waren er voor de casting ook modellen van andere modellenbureaus uitgenodigd en Judith proefde direct de keiharde competitie tussen de regels door. 'Beautyful Lady' suggereerde onomwonden de allerbeste modellen in huis te hebben voor de aanstaande modeshows.

Ze legde de brief op tafel en bracht haar handen naar haar warm geworden gezicht. „Fantastisch..." fluisterde ze hees. „Eindelijk een kans... eindelijk!"

Ze nam de brief weer in haar handen en vol ongeloof vlogen haar ogen opnieuw over de regels. Dit bericht, daar droomde ze al een jaar van!

Ze had haar portfolio tijdens het afgelopen jaar al meerdere malen opgestuurd naar diverse modellenbureaus en elke keer opnieuw had ze de dikke envelop weer terug ontvangen met de teleurstellende woorden: Geachte juffrouw Lankhaar, Het spijt ons u te moeten mededelen... Zes weken geleden had ze een gloednieuwe fotoreportage laten maken door een knul die in de krant adverteerde dat hij de beste plaatselijke fotograaf was en ze had voor deze gelegenheid haar mooiste kleding aangetrokken. Maar dat ze met het resultaat meteen succes zou boeken, had ze niet eens durven hopen. De jonge fotograaf had meer lef gehad dan de vorige fotograaf, want op alle foto's had ze er niet alleen bruisend, maar ook uitdagend en erg charmant uitgezien.

Het prijskaartje dat aan de fotoreportage hing loog er trouwens niet om. Judith had een paar keer flink moeten slikken. Tja, als ze écht iets wilde bereiken in de modellenwereld moest ze eerst flink investeren.

Maar het was de moeite én het geld meer dan waard geweest. Met deze fotoreportage kreeg ze nu dan ook eindelijk de langverwachte kans om zich als model te bewijzen, en ze wilde er alles voor doen om bij de zes besten te horen, zodat een glansrijke carrière als mannequin werkelijkheid kon worden.

Nadat het gelukzalige bericht min of meer tot haar was doorgedrongen pakte ze haar agenda, die naast de telefoon lag.

Met de brief op het randje van de tafel bladerde ze haastig naar de datum waarop de casting plaats zou vinden. Twintig augustus, dat was om precies te zijn over vijf weken, net na haar vakantie. En het grote feest van opa en oma, op welke datum was dat ook alweer?

Tot haar grote ontsteltenis zag Judith in haar agenda op de bladzijde van twintig augustus met grote letters staan: vijftigjarig trouwfeest van opa en oma Graafsma.

„Nee hè!" kwam het hartgrondig over haar lippen. „Dat kan niet, daar kan ik dan niet bij zijn." Koortsachtig keek ze van haar agenda naar de brief.

Tja, er viel niets aan te veranderen, in de brief stond duidelijk dat de casting op twintig augustus plaats zou vinden en opa en oma waren uitgerekend op díe dag vijftig jaar getrouwd.

Haar familie, met name haar moeder, had inmiddels alles in het werk gesteld om er een feestelijke dag van te maken en ze was er zeker van dat ze de woede van haar ouders over zich heen zou krijgen als ze juist op die dag verstek liet gaan.

Dat was ook wel begrijpelijk. Maar de casting... haar grote kans mocht ze in geen geval voorbij laten gaan. Terwijl ze de afspraak voor de casting in haar agenda noteerde, gloorde er ineens een klein beetje hoop. De feestelijkheden op het vijftigjarige trouwfeest van haar grootouders begonnen immers 's middags al om twee uur, terwijl ze 's avonds pas om zeven uur bij Modehuis Lolita verwacht werd. Judith haalde opgelucht adem. Gelukkig! Het dineetje met opa en oma en de andere familieleden dat in de avonduren gepland stond zou ze dan wel moeten missen, maar het middagprogramma kon ze gewoon bijwonen. Het feest zou dus niet helemaal aan haar neus voorbijgaan.

Nou, dat was in ieder geval een hele opluchting en wat betreft haar afwezigheid 's avonds: daar moesten haar ouders en grootouders maar begrip voor hebben. Per slot van rekening ging het op die dag toch ook om háár carrière, háár toekomst.

Judith deed haar agenda dicht en schoof het boekje naar de telefoon, waar het altijd lag. De brief las ze daarna nog eens door, ze kon er maar niet genoeg van krijgen.

Even later opende ze in haar kleine slaapkamer de kledingkast die letterlijk uitpuilde van de kleding. Ze was dol op alles wat met mode en kleding te maken had en het allermooiste kledingsetje nam ze dan ook uit de kast en hield dat tegen haar lichaam gedrukt. Aan de binnenkant van de kastdeur was een passpiegel bevestigd en verrukt keek ze naar haar eigen spiegelbeeld. Ze had een mooi gezicht met twee zachtblauwe ogen en een goed geproportioneerd figuur.

Ze draaide zich om en nam nog enkele andere poses aan, het sluike lichtbruine haar dat tot op haar schouders viel accentueerde de bevallige schouders, haar lange rechte rug en de slanke goedgevormde benen.

De uitstraling, de lengte en maten van haar smalle lichaam waren geknipt voor het werk als mannequin, dat had schoonheidsspecialiste Barbara Hovers haar het afgelopen jaar regelmatig op het hart gedrukt. En Judith had zich steeds opnieuw opgetrokken aan die woorden, zeker op momenten dat een modellenbureau haar portfolio weer eens had teruggestuurd, met zo'n naar afwijzend briefje erbij.

Maar deze keer móest het lukken, zo'n kans kreeg ze misschien wel nooit meer. Met een voldaan gevoel, alsof de wereld inmiddels aan haar voeten lag, hing ze het kledingsetje weer terug in de kast en deed de deur dicht.

Een uur later, nadat ze een boterham had gegeten en een kopje thee had gedronken, nam Judith het besluit om haar ouders meteen op de hoogte te brengen van het geweldige nieuws. Dan kon ze hun ook meteen vertellen dat zij 's avonds niet aan het familiediner deel kon nemen.

Na tien minuten rijden van de camping parkeerde ze haar auto voor het ouderlijk huis en bij aankomst miste ze tot haar grote teleurstelling meteen de auto van haar vader, die niet op de oprit geparkeerd stond. Ze zwaaide afwezig naar Ans Boons, de buurvrouw die achter haar eigen venster stond en vriendelijk haar hand opstak.

Judith keek door het woonkamerraam naar binnen, misschien dat haar moeder wel thuis was, want het gebeurde wel vaker dat vader nog laat moest werken. Hij was afdelingschef in een woonwarenhuis en had het er soms erg druk mee. Of misschien was Fred er, haar oudere broer. Er kwam echter geen reactie op de bel.

Door een opening in de vitrage zag Judith dat de kamer er stil en verlaten bij lag. Op een stoelleuning zag ze de twee slaperige poezen van haar moeder liggen, Wolletje en Pluis.

Judith tikte tegen het raam, twee donkere dromerige kopjes keken een ogenblik verstoord op en sloten daarna hun oogjes weer. Verder bleef het stil in huis.

Twijfelend bleef Judith een ogenblik staan, ze had wel een sleutel bij zich, dus als ze wilde kon ze even afwachten. Misschien dat haar ouders niet al te lang weg zouden blijven. Ze stak de sleutel in het voordeurslot en draaide het open.

Onder aan de trap keek ze omhoog. „Mam, bent u boven?" riep ze voor alle zekerheid, maar er kwam geen antwoord. Langzaam liep Judith tree voor tree naar boven en opende de deur van haar eigen slaapkamer.

Haar bed en al het andere stond er nog precies zo als enkele maanden geleden. Als het najaar straks zijn intrede weer zou doen en de nachten kouder werden, was ze van plan om weer terug te keren naar haar eigen kamer.

Dat had ze in het voorjaar afgesproken met haar ouders toen ze hun toestemming vroeg om de caravan tijdelijk te bewonen.

Vader had hun oude stacaravan 'De Koolmees' eigenlijk willen verkopen omdat ze er als gezin al twee jaar geen gebruik meer van hadden gemaakt. Het bedrag dat hij jaarlijks aan de eigenaar van de camping moest betalen was immers weggegooid geld als toch niemand er kwam.

Maar Judith had moeite gehad met vaders plan, ze hield van het plekje op de camping waar ze vroeger, toen ze nog een kind was, bijna elk weekend met het gezin naartoe gingen. Op haar aandringen had hij de verkoop uitgesteld, en haar zijn toestemming gegeven om 'De Koolmees' tijdelijk te bewonen.

Een zacht geronk haalde Judith uit haar gedachten en ze draaide zich om naar het raam dat uitkeek over de grote ommuurde tuin achter het huis. Tot haar verbazing zag ze Fred achter de grasmaaier lopen, zijn gezicht zag er warm en bezweet uit. Hij had zijn tweedehands autootje natuurlijk in de garage gezet, daarom was het haar niet opgevallen dat hij thuis was. Met een snelle beweging opende Judith het slaapkamerraam.

„Fred... Freddie... Joehoe..." Ze zwaaide toen hij opkeek en haar uit het raam zag hangen. Hij lachte verrast.

Hij liet de grasmaaier direct staan, en liep tot onder haar slaapkamerraam.

„Juutje, wat een verrassing!"

„Waar zijn pa en ma, Fred? Komen ze erg laat thuis, vanavond?"

Fred wierp een blik op zijn horloge en haalde aarzelend zijn schouders op.

„Nou, ik verwacht ze niet al te laat thuis. Ze zijn met opa en oma Graafsma even naar het café-restaurant gegaan waar het vijftigjarig trouwfeest wordt gevierd. Je weet wel... 'De Lingerust'. Er moesten nog wat kleine details worden geregeld."

„O… dan wacht ik nog even. Zullen we samen wat drinken, Fred? Of heb je het te druk?"

Judith zag dat Fred het enorme gazon al voor een groot deel had gemaaid, maar er bleef nog een bewerkelijk stuk over dat hij nog onder handen moest nemen, een gedeelte vlak bij de tuinmuur. Er stonden op die plaats enkele fruitbomen dicht naast elkaar in de grond, en daar moest hij zorgvuldig omheen maaien. Een secuur werkje.

„Dat komt goed uit!" antwoordde Fred en veegde met een zakdoek over zijn bezwete voorhoofd. „Pffft, ik heb er dorst van gekregen."

„Wil je koffie of iets fris?" informeerde Judith voordat ze het slaapkamerraam dichttrok.

„Nee, een koud pilsje graag."

Judith liep naar beneden, aaide in de woonkamer de slapende poezen over hun kopjes en nam een flesje bier uit de koelkast. Ze schonk voor zichzelf een glas appelsap in.

Fred zat al op een tuinstoel te wachten en duwde het flesje bier meteen tegen zijn mond.

„Dat smaakt!" zuchtte hij, na enkele flinke slokken te hebben genomen. „'t Is een behoorlijk karwei om dat gazon netjes te houden, zus."

„Dat geloof ik graag, maar ja… het is nu eenmaal vaders liefhebberij en óók die van jou. Dat doe je dus met plezier."

Freds aanstekelijke lach galmde door de tuin.

„Dat doe ik ook, alhoewel ik blij ben dat je me heel even komt storen. Wat brengt jou vanavond thuis, Judith? Wordt het misschien een beetje te eenzaam op de camping?"

Judith trok verbaasd haar wenkbrauwen op. „Nee joh, ik heb het er prima naar m'n zin. En met de eenzaamheid valt het reuze mee, het is juist druk op de camping want de schoolvakanties zijn begonnen. Het wemelt er van de kinderen." Ze keek hem even nadenkend aan. Ze was erg benieuwd naar zijn reactie op het bericht dat zij had ontvangen. Ze hoopte dat hij blij voor haar zou zijn, en dat hij haar enthousiasme wilde delen. Ze hoopte dat eigenlijk tegen beter weten in, want Fred had beslist geen gevoel voor mode of voor andere mooie dingen. Hij studeerde aan de universiteit in Tilburg en leidde verder in haar ogen een verschrikkelijk saai leven.

„Ik maak een grote kans om het komende jaar als mannequin enkele modeshows te lopen, Fred. Eindelijk is het zover, ik ben uitgenodigd voor een casting."

Er gleed een bedenkelijk trekje om Freds mond en hij keek haar met grote ongelovige ogen aan. „Uitgenodigd voor een casting? Heb je dat malle idee dan nog steeds in je hoofd zitten? Judith toch... Blijf alsjeblieft met beide benen op de grond staan. Dat is toch helemaal niets voor jou!"

„O, jawel hoor," antwoordde Judith. „Mannequin zijn en elke keer de allernieuwste mode presenteren, lijkt me het móóiste beroep dat er is. Misschien dat ik in de nabije toekomst m'n baantje bij de supermarkt wel op kan zeggen."

Fred schudde meewarig zijn hoofd.

„Tja, het is jouw leven, Juut, maar met een goede beroepsopleiding bereik je waarschijnlijk veel meer in het leven. Jammer, dat je dat nog steeds niet inziet."

„Hè, nu praat je net als mama, die kan ook altijd zo zeuren over opleidingen." Judith dronk van haar appelsap en zette het glas weer neer. Ze kon zich nog goed herinneren dat haar ouders vorig jaar fel protesteerden toen ze tegen hun verwachting in een volledige baan bij de supermarkt accepteerde, in plaats van zich aan te melden bij de pabo.

„Het is altijd mijn droom geweest om mannequin te worden, Fred. Dat weet je toch? Nu krijg ik eindelijk een kans, en die grijp ik dan ook aan met allebei m'n handen. Ik zal er alles aan doen om..."

„Ik weet wel dat het een droom van je is, Judith. Maar heel veel andere meisjes hebben die droom ook," onderbrak Fred haar betoog. „En weet je, dromen staan doorgaans ver van de werkelijkheid af, hoor."

„Dat kan wel zo zijn, maar niet elk meisje is geschikt voor mannequin. En ík heb mezelf voorgenomen om de állerbeste te worden."

Fred zette het flesje bier weer aan zijn mond en dronk het allerlaatste restje op, daarna stond hij weer op. „En wanneer moet je naar die eh... hoe heet het ook alweer... die casting?"

Judith haalde eens diep adem. „Twintig augustus, 's avonds om zeven uur." Het antwoord kwam er scherper uit dan ze had gewild.

Fred trok zijn wenkbrauwen omhoog en floot zachtjes tussen zijn tanden.

„Dan is het feest! Opa en oma zijn op die dag vijftig jaar getrouwd, dat weet je toch nog wel?" Judith knikte, ze wist ineens niets meer te zeggen en zocht koortsachtig naar de juiste woorden.

„Aha... je bent van plan om, ondanks het feest, toch mee te doen aan die casting, begrijp ik?" Fred streek door zijn donkere haar. Zijn gezicht zag er niet meer zo verhit uit, maar zijn ogen keken haar plagend aan, alsof hij haar betrapt had op iets stiekems.

Judith knikte opnieuw.

„En dát wilde je pa en ma vanavond graag vertellen?" ging hij verder.

„Dat klopt. Ik kan helaas niet aanwezig zijn bij het diner, Fred en dat vind ik erg spijtig, maar mijn toekomst is ook belangrijk."

Fred haalde zijn schouders op. „Tja, het is natuurlijk je eigen beslissing. Maar ik verwacht dat pa en ma daar niet erg gelukkig mee zijn. Vijftig jaar is een gedenkwaardige dag, Juutje. Een gouden jubileum! Elk kleinkind hoort daarbij te zijn."

Judith zuchtte diep, ze proefde de teleurstelling in Freds woorden en dat was nog maar het begin. Haar ouders zouden vast en zeker ook erg teleurgesteld zijn, maar ze peinsde er niet over om haar deelname aan die casting te annuleren.

„Ik ga verder met m'n werk in de tuin, anders komt die klus vanavond niet klaar." Fred glimlachte en gaf haar een knipoog. „Denk er nog maar eens rustig over na, zusje. Neem alsjeblieft geen overhaast besluit."

Hij draaide zich om en slenterde over het gazon terug naar de grasmaaier.

Maar Judith had haar besluit al genomen, ze hoefde nergens meer over na te denken.

Terwijl ze haar lege glas en Freds lege flesje weer naar de keuken bracht hoorde ze dat de voordeur werd geopend.

Er klonken stemmen in de gang, en even later stond ze oog in oog met haar ouders, Agnes en Ruud Lankhaar.

Ze had niet gedacht dat ze zich plotseling zo zenuwachtig zou voelen, haar hart bonsde in haar keel.

„Dag Judith, wat fijn dat je thuis bent! Toen we de straat inreden zagen we je auto al staan. Ga toch lekker zitten, kind. Dan vertel ik je meteen waar we vandaan komen. Papa en ik zijn zojuist even met opa en oma Graafsma naar café-restaurant 'De Lingerust' geweest..." rebbelde haar moeder er meteen op los, terwijl Judith al haar moed bijeenraapte om zich te verontschuldigen voor het diner op die feestelijke avond.

2

Een eind buiten alle stedelijke drukte lag café-restaurant 'De Lingerust'. Aan de voorkant liep langs de smalle autoweg een fietspad, waarlangs dagelijks heel wat fietsers voorbij peddelden. Aan weerszijden van het horecacomplex graasden tientallen schapen en aan de achterzijde stroomde de rivier de Linge.

Op het moment dat Judith haar ouders thuis verwachtte, keek Agnes Lankhaar, de dochter van Pieter en Anke Graafsma vanuit de auto met samengeknepen ogen naar het sfeervolle terras en de vrolijke rood-wit gestreepte markiezen, waaronder enkele mensen een kopje koffie of iets fris nuttigden. Grote bloembakken met rode en witte geraniums fleurden het geheel vrolijk op.

Het was hoogzomer, de zon scheen nog fel, wind was er nauwelijks en het café-restaurant straalde in de vroege avond één en al rust uit. Het was met recht een rustpunt voor allen die hier op de fiets of met de auto voorbijkwamen. Ja, zo te zien hadden haar ouders een goede keuze gemaakt.

Ruud parkeerde zijn auto op de ruime parkeerplaats aan de andere kant van de smalle autoweg en stapte uit.

Agnes volgde zijn voorbeeld. Het tevreden geblaat van enkele schapen was vrijwel het enige geluid dat ze hoorde in deze mooie weidse omgeving. Na even wachten reed een andere auto het parkeerterrein op. Het was de auto van haar ouders.

Pieter Graafsma stapte kwiek uit zijn auto, en hielp vervolgens zijn vrouw Anke met uitstappen. Agnes glimlachte. „Dag vader… moeder," ze kuste de rimpelige wangen van haar moeder en beroerde de wang van haar vader een ogenblik. „Wij zijn nog geen vijf minuten geleden gearriveerd."

Ruud stak vriendelijk zijn hand op. „Alles goed?" informeerde hij belangstellend.

„Fijn, dat jullie even konden komen," zei vader zorgelijk en knikte hen dankbaar toe. „Er moet ook zoveel geregeld worden voor de twintigste augustus!"

„Ach pa, dat spreekt toch vanzelf," antwoordde Agnes.

Vanmorgen al heel vroeg had ze haar vader aan de telefoon gehad. Hij was een beetje uit zijn doen geweest, zijn stem had zorgelijk geklonken want hij was uitgenodigd door de eigenaar van 'De Lingerust'. De zaal voor het feest hadden haar ouders al wel een halfjaar geleden besproken, maar de receptie en het diner waren nog niet met de eigenaar doorgesproken en die vond dat het nu zo zoetjes aan tijd was geworden om alles tot in detail te regelen. Dat was begrijpelijk.

Achter haar ouders aan liep Agnes naast Ruud, ze staken de weg over. Het viel ook niet mee om op die leeftijd alles nog zelf te regelen, vader was al zevenenzeventig jaar oud, en moeder vijfenzeventig. Ze waren gezegend met vier kinderen, drie dochters en een zoon en inmiddels waren er ook al tien kleinkinderen en twee achterkleinkinderen.

Het was niet zo dat haar ouders niet meer in staat waren om zelf dergelijke feestelijkheden te organiseren, het was meer de rompslomp eromheen. Mirjam, de vrouw van haar broer Rien, was vegetariër. Stans, haar oudste zus, was diabeet, en zo waren er nog enkele andere bijzonderheden waarmee haar ouders beslist rekening moesten houden.

Omdat haar zussen en enige broer allemaal verder woonden, had vader haar telefonisch benaderd. Zij woonde niet zover van hen vandaan, slechts een klein kwartiertje rijden met de auto. Of zij – Agnes – en ook Ruud, in het begin van de avond er even bij wilden zijn als het menu met de eigenaar zou worden besproken.

„Ik wil geen fouten maken, Agnes. Stel je voor dat de ober straks een biefstuk op het bord van Mirjam deponeert, dan hebben we de poppen aan het dansen." Agnes had meteen toegezegd dat Ruud en zij er zouden zijn, ze was dankbaar dat haar beide ouders nog leefden en over enkele weken hun vijftigjarig huwelijksfeest mochten vieren. Ruud had al heel wat jaren geen ouders meer, dat was een gemis.

„Het is hier wel een uitstekende gelegenheid voor een feest, vader," zei ze, en er lag enige bewondering in haar stem voor de keuze van haar ouders.

„Dat vonden je moeder en ik ook meteen. Een goede kennis attendeerde ons op deze horecagelegenheid. Ze verhuren hier diverse zalen voor het vieren van bruiloften, recepties en jubilea, maar bovenal: ze leveren hier topkwaliteit voor een vriendelijke prijs," antwoordde Pieter Graafsma zakelijk. „En daar gaat het per slot van rekening om."

Agnes keek Ruud even aan en ze zag een glimlach om zijn mond spelen. Haar vader was nu eenmaal erg zuinig van aard en liet dat te pas en te onpas merken. Hij hield van vriendelijke prijsjes, of hij nu een kostuum moest kopen of een pak koffie. Hij was tot aan zijn pensioen boekhouder geweest en had altijd op de zakelijke inkomsten en uitgaven van zijn werkgever moeten letten. Dat had hij steeds met een zeer nauwkeurige precisie gedaan.

En vandaag de dag was het niet anders, hij hield nog steeds met heel veel toewijding al zijn inkomsten en uitgaven nauwlettend in de gaten.

„Als het mooi weer is op de twintigste augustus kunnen we misschien wel buiten dineren, vader," opperde Anke Graafsma enthousiast. Ze keek naar de gezelligheid op het terras. Daar zaten nu ook enkele mensen te eten.

„Nee moeder, we hebben toch al een zaaltje gehuurd?" antwoordde Pieter met enige verontwaardiging in zijn stem. „Als we het terras ook nog moeten huren kan er mijns inziens van een vriendelijk prijsje geen sprake meer zijn. En wat dacht je van de weersomstandigheden? Het kan evengoed regenen op die dag, hoor. Nee, we dineren gewoon in dat zaaltje."

Anke keek enigszins teleurgesteld, maar accepteerde direct de mening van haar man omdat ze dat haar hele huwelijksleven al had gedaan.

Binnen werden ze ontvangen door meneer Zijlstra, die al op hen zat te wachten. Hij liet hun de besproken zaal zien en Pieter knikte goedkeurend.

Agnes keek haar ogen uit naar de stijlvolle nostalgische inrichting. Aan de zijkant was een sfeervolle bar en vanuit de ramen keek ze uit over de rivier waarin enkele eenden voorbijzwommen.

Op uitnodiging van meneer Zijlstra gingen ze rondom een tafel zitten, een aardige bediende serveerde een kop koffie en een glas fris, als service van de zaak. Vervolgens legde de man de papieren op tafel, het diner en de receptie kwamen meteen ter sprake.

„Wilt u dat we gesorteerd gebak presenteren tijdens de receptie, of gaat uw voorkeur uit naar appelgebak voor alle bezoekers?" vroeg meneer Zijlstra. „En wat dacht u van een hartig hapje, meneer Graafsma? Een bitterballetje of een toastje met vis voor de liefhebbers misschien? U kunt het zo gek niet bedenken, of wij zorgen ervoor."

Alles werd besproken. Voor het diner tijdens de avonduren bestelden Pieter en Anke een aantrekkelijk keuzemenu, waarbij ook de lijst met genodigden er nog eens op na werd gezien. Agnes corrigeerde haar vader een enkele keer. „Nee vader, Jan heeft nog steeds een vetvrij dieet, hoor! Maar Bert niet meer, die mag momenteel weer alles eten." Meneer Zijlstra schreef alles op en met de achterkleinkinderen werd ook rekening gehouden. Voor hen werd een kindermenu met patat en kroket samengesteld.

Voordat ze weggingen keek Agnes nog eens door de zaal. Ze zag nu al uit naar de twintigste augustus waarop ze alle familieleden weer zou ontmoeten. Haar zussen en broer zag ze wel vrij regelmatig, maar de meeste neven en nichten had ze al zo lang niet meer gezien! En dat weerzien zou natuurlijk ook heel leuk zijn voor Fred en Judith, haar eigen kinderen.

Haar gedachten dwaalden af naar Fred, haar oudste zoon van drieëntwintig jaar, die aan de universiteit in Tilburg studeerde en meester in de rechten wilde worden. Wat waren Ruud en zij trots op die knaap!

Fred zou het vast en zeker heel ver schoppen in de maatschappij, daar twijfelde ze geen ogenblik aan. Zijn wens was om in de toekomst zelfs een eigen advocatenkantoor op te richten. Ja, Fred was een zoon om mee te pronken en dat deden Ruud en zij dan ook regelmatig. Ze staken het niet onder stoelen of banken dat hun zoon student was en dat er voor hem een prima toekomst in het verschiet lag.

Het was een voorrecht om zo'n begaafd kind te hebben, dat besefte ze pas goed sinds het laatste jaar. Vanaf het moment dat Judith, haar dochter van twintig, vorig jaar achter de kassa van een supermarkt was gekropen na het behalen van haar havodiploma, had ze dat klaar en duidelijk ingezien.

Judith had haar plannen om het onderwijs in te gaan van de ene op de andere dag gewijzigd, ondanks het feit dat ze een goed stel hersens had. En daar had zij – Agnes – tot op de dag van vandaag nog moeite mee. Judith kon minstens zo goed leren als Fred!

Maar Judith had ondanks al hun bezwaren en tegenwerpingen totaal niets meer van een beroepsopleiding in het onderwijs willen weten.

In het begin hadden Ruud en zij nog gedacht dat Judith zich wel zou bedenken, maar dat was niet gebeurd. Judith had het vanaf het begin redelijk goed naar haar zin gehad in de supermarkt, het salaris dat ze daar verdiende maakte haar al snel onafhankelijk. En dat was nu juist wat ze graag wilde.

Van het verdiende geld kocht ze in het begin niets anders dan hypermoderne kleding. Later schafte ze zich met behulp van een persoonlijke lening bij de bank een leuke auto aan en in het voorjaar wilde ze een tijdje in hun luxe stacaravan logeren om op eigen benen te leren staan. Die logeerpartij duurde nu al enkele maanden.

Ruud had zijn plannen om de stacaravan te verkopen bij nader inzien voor onbepaalde tijd opgeschort. Straks, in het najaar, verwachtte ze Judith weer thuis. Dan zou het te koud worden om in de stacaravan te wonen, want het kleine kacheltje dat er stond was beslist niet in staat om de boel goed te verwarmen.

De afgelopen periode was voor hen allemaal wel een tijd van bezinning geworden, en uiteindelijk hadden Ruud en zij zich bij Judiths keuze neergelegd, al was dat wat haar betrof zeker niet van harte geweest.

Jammer, dat zo'n kind haar kansen zomaar voorbij liet gaan en haar capaciteiten niet verder wilde benutten en ontplooien. En dan had ze ook nog die overdreven belangstelling voor mode! Agnes haalde een zakdoek uit haar tas, en wreef het zweet van haar voorhoofd.

Wat maakte ze zich vaak zorgen om Judith. Onlangs liet het kind zich nog ontvallen dat ze zelfs op zoek was naar een baan in de modewereld! Waar haalde ze die domme fantasie toch vandaan?

„Gaat het?" Agnes keek in het bezorgde gezicht van Ruud.

„De warmte… het overviel me opeens," antwoordde ze.

„Je leek anders mijlenver weg met je gedachten. Je ouders staan al een tijdje buiten te wachten met meneer Zijlstra!" Haastig liep ze met Ruud naar buiten, ze had er niets van gemerkt dat de anderen de zaal al hadden verlaten. Ze piekerde de laatste tijd veel te veel, en altijd was Judith het onderwerp. Over Fred hadden Ruud en zij zich nog nooit bezorgd gemaakt. Waarom had Judith ook niet wat meer van Freds karakter? Zijn eerzucht en zijn doorzettingsvermogen bijvoorbeeld! Dan kon ze net zo trots zijn op haar dochter als op hem.

„Wij zullen er van onze kant alles aan doen om twintig augustus tot een geslaagde dag te maken, meneer en mevrouw Graafsma." Meneer Zijlstra schudde beleefd hun handen.

Ruud en Agnes zeiden ook gedag en met z'n vieren wandelden ze terug naar de auto.

„Wat een opluchting dat alles nu tot in de puntjes geregeld is." Anke sprak de woorden uit in een diepe zucht, ze keek haar man daarbij met warmte in haar ogen aan.

„Zo is het, vrouwtje. We kunnen nu tenminste uitkijken naar een geheel verzorgde feestdag, ik hoop dat het een dag wordt om nooit meer te vergeten," antwoordde Pieter tevreden.

„Ik zie er nu al naar uit dat de hele familie weer bij elkaar komt," vulde Agnes aan, waarop de anderen instemmend knikten.

„Ze komen gelukkig allemaal. Onze kinderen, kleinkinderen,

achterkleinkinderen, en andere familieleden. Het zal op die dag meteen een gezellige familiereünie worden!" Ankes stem had enthousiast geklonken bij dat vooruitzicht.

Nadat ze afscheid van elkaar hadden genomen, met de belofte dat ze aanstaande zondagmiddag na de wekelijkse kerkgang bij haar ouders op bezoek zou komen, keek Agnes bij het wegrijden nog eens naar het café-restaurant.

Familiereünie, had moeder gezegd. Ja, ze had gelijk. Het vijftigjarig huwelijksfeest van haar ouders zou tevens een familiereünie worden.

Toen ze de straat inreden waar ze woonden zag Agnes het al meteen. „Kijk, Ruud! Judiths auto staat voor ons huis. Wat gezellig dat ze er nu is, dan kunnen we haar ook meteen alles vertellen over het komende feest."

„Dan help ik nog even een uurtje in de tuin," antwoordde Ruud. „Fred zal nog wel bezig zijn met het gazon, en dan neem ik die twee borders voor mijn rekening."

Agnes glimlachte. Ruud en Fred hadden dezelfde hobby. Ze hielden beiden van tuinieren, de tuin zag er dan ook altijd perfect uit. Ze stapten uit en openden de voordeur.

Wolletje en Pluis renden meteen verongelijkt weg uit de woonkamer, ze werden plotseling gestoord in hun rust toen Agnes haar dochter bij binnenkomst uitbundig begroette.

„Dag meisje, gaat alles goed met je?" vroeg Ruud, toen hij langs Judith naar de keuken liep, waar hij zijn schoenen verwisselde voor oudere exemplaren die hij altijd tijdens het tuinieren droeg. „Er zijn toch geen problemen met 'De Koolmees', hoop ik?" vroeg hij met een gefronst voorhoofd voordat hij naar buiten liep.

Judith schudde lachend haar hoofd. „Nee hoor, alles is in orde."

Agnes liep naar de keuken, nadat ze Judith haast letterlijk in een stoel had gedrukt. Ze vulde gehaast het koffiezetapparaat met water, want ze wilde Judith zo snel mogelijk op de hoogte brengen van het ophanden zijnde huwelijksfeest.

Ruud verdween naar de tuin en Agnes schonk even later voor Judith en zichzelf een kopje koffie in. Ze presenteerde Judith een lekkere koek, die dat aarzelend weigerde.

„Dank je, mam. Ik heb nog niet zo lang geleden gegeten."

Agnes keek naar de rimpel in Judiths voorhoofd, ging zitten en hapte zelf in een koek.

„Zojuist vertelde ik je dat we even met opa en oma naar café-restaurant 'De Lingerust' zijn geweest..." begon Agnes enthousiast te vertellen. „Daar wordt namelijk het feest gehouden, je weet wel, een grote receptie en 's avonds het familiediner. Nu Judith, ik kan je wel vertellen dat het een fantastische dag gaat worden. Opa en oma hebben diverse lekkere hapjes besteld als traktatie tijdens de receptie, en het menu 's avonds... dat verklap ik niet, hoor. Maar alles is tot in de puntjes geregeld. O Juut, je hebt inmiddels toch al wel een vrije dag aangevraagd op je werk?"

„Ja hoor, ik ben twintig augustus vrij, maar..."

„Ik wil je ook nog iets vertellen van het café-restaurant 'De Lingerust'," ging Agnes onverstoorbaar verder, „want dat is bij uitstek een prima horecagelegenheid voor het vieren van dergelijke feesten. Opa had die tip een tijdje geleden van een kennis gekregen. Ik was er zelf ook nog niet eerder geweest, maar van binnen is alles nostalgisch gemeubileerd en buiten is er een sfeervol romantisch terras. Er hangen prachtige rood-wit gekleurde markiezen, en links en rechts staan diverse fleurige bloembakken. Maar afijn, het feest wordt binnen gevierd in een grote ruimte, waar ook plaats genoeg is voor het voorlezen van onze gedichten en het uitvoeren van de toneelstukjes. We doen dat allemaal tussen de gangen van het diner door. Opa en oma zullen héél erg verrast zijn! En dan nóg wat..."

De ogen van Agnes twinkelden van pure opwinding, haar wangen zagen rood.

„Het wordt die avond een heuse familiereünie, Judith! Kinderen, kleinkinderen, achterkleinkinderen, ooms en tantes, neven en nichten... ze worden allemaal verwacht. Ik weet zeker dat het een schitterend feest wordt. Een feest dat we zeker niet snel zullen vergeten." Agnes zag dat Judith knikte, met haar handen in haar tas frutselde en een envelop te voorschijn haalde.

„Ik eh... ik vind het heel moeilijk om u dit te vertellen, mam," hoorde ze Judith zachtjes zeggen. „Maar ik ben op de avond van twintig augustus verhinderd. Ik kan tijdens het familiediner helaas niet aanwezig zijn."

Er volgde een doodse stilte, de klok aan de muur tikte de seconden hoorbaar weg. Het gezicht van Agnes verstarde.

„Wat zeg je?" De betekenis van Judiths woorden drong langzaam tot haar door. „Maar Judith... dat meen je toch niet, kind? Opa en oma zijn op die dag vijftig jaar getrouwd! Besef je wel wat dat betekent? Nee meisje, je zult voor dit jubileum die andere afspraak moeten verzetten. Er wordt op je aanwezigheid gerekend met het diner!"

Agnes nam automatisch de envelop aan die Judith haar aanreikte. „Leest u eerst die brief maar eens, het gaat over mijn toekomst, mam. Ik kán die afspraak echt niet verzetten, ik krijg nú een kans en die grijp ik met beide handen aan. Heus, ik vind het ook erg vervelend dat ik juist op die avond weg moet."

Alle kleur was plotseling uit Agnes' gezicht verdwenen, haar lippen vormden een smalle streep en haar handen haalden de brief te voorschijn. Judith moest wel een hele goede reden hebben. Haar ogen vlogen over de regels en een gevoel van bittere teleurstelling borrelde langzaam omhoog.

Dat háár kind voor zo'n belachelijke uitnodiging het feest van haar ouders wilde missen, kon er bij Agnes niet in.

„Judith, dit stelt toch helemaal niets voor, meisje. Ik kan je nu al wel vertellen dat je er totaal niets mee bereikt. Jij bent niet het type voor de modewereld, je maakt een grote fout door dromen te dromen die niet voor jou zijn weggelegd."

„Ik wíl het, mama. Ik wíl die kans niet voorbij laten gaan."

„Judith, je vader en ik hebben je vorig jaar nog volop kansen gegeven, zodat je na de pabo het onderwijs in zou kunnen gaan. Maar dát wilde je niet. En nu... voor zo'n stomme casting..." Agnes keek boos en gekwetst, hield de brief omhoog en wapperde er nonchalant mee door de lucht. „Wat een teleurstelling voor opa en oma! Besef je dat wel?"

Judith knikte. „Het spijt me en dat meen ik oprecht..."

„Sorry, kind, ik kan het niet geloven! Ik vind dat je een verkeerde keuze maakt." Agnes wierp de brief over de salontafel heen terug naar Judith, die hem nog juist op kon vangen.

Ze keek naar de vastbesloten uitdrukking die op het gezicht van haar dochter lag en wist meteen dat niets haar op andere gedachten zou kunnen brengen, want als Judith iets wilde, dan gebeurde het ook.

Met een diepe zucht liet Agnes zich terugzakken in haar stoel, terwijl de koffie onaangeroerd koud stond te worden op de salontafel.

De avond was nog wel zó veelbelovend begonnen, ze was zo blij geweest met het ophanden zijnde gouden huwelijksfeest van haar ouders en nu... nu zorgde Judith er doodleuk voor dat er over die feestelijke dag een nare schaduw viel.

Judith, het enige kleinkind dat niet op het feest van haar grootouders wilde komen omdat ze een modeshow belangrijker vond!

Nee, Agnes kon het niet bevatten, de teleurstelling woog zwaar.

„Tijdens de receptie ben ik er toch wel, mam!" Judith duwde de brief weer in de envelop en vervolgens in haar handtas. Ze keek naar Agnes met een blik die smeekte om begrip.

Maar Agnes negeerde die blik. Het feit dat alle andere kleinkinderen wel aanwezig zouden zijn tijdens de receptie én het diner, terwijl haar dochter andere onbelangrijke zaken voorrang gaf, maakte haar boos. Ze kón het op dit moment niet opbrengen om Judith tegemoet te komen.

„Dat is maar een schrale troost, Judith. Ik verwacht wel dat je dit bericht op een geschikt moment zelf aan je grootouders gaat vertellen."

Dat wilde Judith wel doen, ze beloofde het zelfs. Daarna stond ze meteen op en kondigde haar vertrek aan.

Ze had het vanavond nog erg druk, verzon ze en met een naar gevoel van ontgoocheling en teleurstelling zag Agnes haar eigengereide dochter even later wegrijden.

3

Robin Arendonk keek met zijn opmerkzame blik naar de twintig meisjes, die in een lange rij achter elkaar stonden opgesteld.

Hij had ze tijdens dit laatste lesuur voor de lunchpauze behoorlijk lichamelijk afgemat door ze allerlei grondoefeningen te laten uitvoeren en een kwartier lang te laten hardlopen.

Het waren eerstejaars leerlingen, brugpiepers zoals ze plagend in de wandelgangen van de school werden genoemd. Ze hadden zojuist hun eerste gymles van hem gehad.

Met een strak gezicht observeerde hij de rij, zag het zweet op hun voorhoofden parelen en de daarbij behorende hijgende ademhaling. Daarna gaf hij hun, met een tevreden gevoel in zijn binnenste, opdracht om zich in looppas naar de kleedkamers te begeven.

De rij kwam onmiddellijk in beweging en verdween achter de deur van de dameskleedkamer die achter de laatste leerling hard in het slot viel.

Hij bleef nog even staan, hoorde het geroezemoes vanachter de deur, hoge stemgeluiden en spontaan gelach.

Dat waren dan de meisjes van klas 1B, een leuk stel en bereid om hard te werken, dat had hij na de eerste tien minuten al direct in de gaten gehad.

Ze waren heel anders dan de meiden van klas 1A, daar zou hij tijdens het komende lesjaar dat vandaag, op maandag twintig augustus, in alle vroegte om acht uur was begonnen, heel wat meer moeite mee krijgen.

Robin wreef met zijn vingers door zijn kortgeknipte blonde haar en keek de gymzaal rond; het felle zonlicht scheen in bundels stralen door de hoge ramen naar binnen en hij zag talloze stofdeeltjes door de ruimte zweven.

Maar verder zag de zaal er keurig opgeruimd uit. Zijn collega, Tijs de Bever, had voor vanmiddag de andere eerstejaars leerlingen op zijn agenda staan. Robins uren voor vandaag zaten er alweer op.

Hij zwaaide een badhanddoek nonchalant over zijn schouder, liep naar de kleedkamers voor heren, nam een douche en pakte daar zijn sporttas op.

Nadat hij de gymzaal zorgvuldig had afgesloten liep hij op zijn sportschoenen zacht fluitend door de gangen naar de lerarenkamer, waar andere leerkrachten zich al hadden verzameld voor de gezamenlijke lunch. De meesten kende hij nog van voorgaande jaren, in een hoekje ontwaarde hij echter twee voor hem nog onbekende personen.

Hij stelde zich direct voor aan zijn nieuwe collega's voor de vakken geschiedenis en Nederlands en vertelde dat hij al drie jaar als gymleraar aan deze school was verbonden.

Daarna groette hij nog enkele andere leerkrachten die hij vanmorgen voor aanvang van het eerste lesuur had gemist. Ze wisselden de allerlaatste nieuwtjes uit over de achter hen liggende vakantieperiode, aten brood, dronken koffie en slaakten een diepe zucht toen de snerpende zoemer drie kwartier later liet weten dat het volgende lesuur was aangebroken. De eerste middagpauze van het nieuwe schooljaar was omgevlogen!

Robin stond glimlachend op om naar huis te gaan, terwijl zijn collega's aanstalten maakten om naar het lokaal te gaan waar ze volgens het nieuwe lesrooster werden verwacht.

„Tot morgen maar weer," groette Robin vrolijk, nam zijn sporttas op en liep even later het schoolterrein af naar zijn geparkeerde auto. Dit komende schooljaar was hij elke maandagmiddag roostervrij, de andere dagen van de week werkte hij van 's morgens acht tot 's middags half vijf. Hij had het getroffen met deze school, hij werkte er met enorm veel plezier.

Robin draaide zijn auto van het parkeerterein af en reed naar de snelweg.

Over twintig minuten hoopte hij thuis te zijn, maar de drukte op de snelweg viel hem tegen en toen hij tot vlak bij zijn woonplaats was genaderd kon hij plotseling niet verder doorrijden vanwege een file. Een halfuur later reed hij de Trompetstraat in waar hij sinds drie jaar een woning huurde van de woningstichting.

Het was een leuk knus huisje in een rij van zes, waar hij zich heerlijk op z'n gemak voelde.

Hij stuurde zijn auto behendig langs de stoep en parkeerde voor het huis van de buren omdat het parkeergedeelte voor zijn huis al bezet was door een kleine felrode sportwagen met open dak. Hij floot vol bewondering zachtjes tussen zijn tanden. Dat was niet mis, zo'n mooie auto! Heel even bleef hij bij de spiksplinternieuwe auto staan en keek met een steelse blik naar de lederen bekleding van de stoelen en het hypermoderne dashboard.

Om zóiets moois te mogen bezitten…

Maar nee, een auto zoals deze sportwagen zou hij zich waarschijnlijk nooit kunnen veroorloven, dat was nu eenmaal niet weggelegd voor een eenvoudige gymleraar zoals hij.

Robin draaide zich van de mooie auto af, graaide met zijn hand in zijn broekzak en haalde zijn voordeursleutel te voorschijn.

Op het moment dat hij de sleutel in het slot wilde steken zwaaide plotseling zijn voordeur open. „Ha, die Robin…"

Hij voelde twee armen om zijn nek, twee vochtige kussen op zijn wang en keek in een lachend gezicht. „Denise…" stamelde hij enigszins geschrokken, „ik had je hier niet verwacht, meisje." En nadat hij bekomen was van de eerste schrik wurmde hij zich voorzichtig los uit haar armen. „Hadden we iets afgesproken? Of ben ik iets vergeten?"

„Verrassing!" jubelde haar stem in zijn oor. „O Robin, lieverd, ik móest je even zien."

Hij duwde haar een eindje van zich af, hield met zijn handen haar armen vast, keek in haar stralende ogen en naar de zwarte krullen die haar knappe gezichtje omlijstten.

Dit was ze dan, Denise van Oosterbeek, zijn verloofde sinds enkele maanden. Toen had ze ook een voordeursleutel van zijn huis weten te bemachtigen, maar hij moest eerlijk toegeven dat hij het eigenlijk helemaal niet leuk vond dat ze hem vandaag op deze manier verraste. Zo onverwacht! Het kwam hem eigenlijk ook niet uit, hij had wat administratief werk van school meegenomen, een lijst met nieuwe gegevens die hij vanmiddag wilde verwerken.

„Ben je niet blij me te zien, Robin?" vroeg ze verontwaardigd, alsof ze zijn gedachten kon lezen.

„Jawel, maar ik ben gewoon… verrast," zuchtte Robin. „Kom, we gaan naar binnen."

„Nee, nee, schatje, nog niet! Ik wist dat je vandaag je vrije middag had en daarom ben ik hier speciaal naartoe gekomen om je mijn nieuwe aanwinst zo snel mogelijk te laten zien." Denise stak haar hand uit naar de kleine felrode sportauto, die Robin even tevoren nog had bewonderd.

„Je bedoelt…"

Denise knikte enthousiast, haar glanzende krullen sprongen speels met elke beweging mee. „Jazeker, en… wat vind je ervan?"

„Is dit je nieuwe auto, Denise? Maar ik wist helemaal niet dat je een nieuwe auto had gekocht?" Er lag een klank van complete verbijstering in zijn stem en Robin keek verbaasd van de prachtige auto naar zijn Denise, die straalde van blijdschap.

Dat deze auto aan Denise behoorde had hij in de verste verte niet voor mogelijk gehouden.

„Dat wist ik ook niet, lieve Robin. Maar je kent mijn vader, die vindt het af en toe leuk om mij te verrassen. Deze auto heeft hij me cadeau gegeven voor mijn verjaardag over drie maanden. Nou, wat vind je ervan?" herhaalde ze haar vraag met klem.

Robin klemde zijn kaken op elkaar, zijn lippen vormden een smalle streep en op zijn voorhoofd verschenen zorgelijke rimpels.

„Robin... wat kijk je nu weer raar!" Over het blije gezichtje van Denise gleed een schaduw en ze trok hem mee tot vlak voor de felrode sportauto. „Kijk eens... ben je dan niet blij voor mij? Of ben je soms een beetje jaloers?" pruilde ze.

Robin trok zijn arm los uit haar greep. „Nee, Denise, ik ben niet jaloers op je. Dit is een schitterend karretje, ik kan er niets anders van zeggen. Maar... een cadeautje voor je verjaardag? Daar schrik ik wel even van, hoor. Ik kan je namelijk niet verwennen met dergelijke dure verjaardagscadeaus. En ik zal dat in de toekomst waarschijnlijk ook nooit kunnen."

Robin probeerde een verlammend gevoel van onmacht voor de zoveelste keer naast zich neer te leggen.

Denise wimpelde zijn antwoord echter lachend weg. „Dat hoeft toch ook niet, mallerd! Voel jezelf nu maar niet schuldig of zoiets. Ik heb nu eenmaal een steenrijke vader, die zijn dochter graag in die rijkdom wil laten delen. Of mag dat soms niet?"

Robin knikte en grinnikte als een boer met kiespijn. Denise sommeerde hem vervolgens in haar nieuwe auto te stappen, ze rammelde met het bosje autosleutels voor zijn neus. „Ga maar eens een eindje rijden, je zult versteld staan van de wegligging en niet te vergeten: zijn snelheid."

Robin nam de autosleutels automatisch van haar aan. „Oké, dat laat ik me geen tweede keer zeggen. Ga je ook mee?" Denise schudde haar hoofd, drukte een kus op zijn mond en beloofde onderwijl voor een pot koffie te gaan zorgen.

Robin startte de kleine auto, Denise zwaaide hem na tot hij de bocht naar de eerstvolgende straat nam en uit haar gezichtsveld verdween.

Langzaam reed hij naar de buitenwijk van zijn woonplaats. Hij moest toegeven dat hij nog nooit eerder in zo'n schitterende sportwagen had gereden. Het wagentje zoefde even later met een flinke vaart over de snelweg waar hij veel bekijks had van andere automobilisten die hij allemaal zonder enige moeite passeerde.

Denise zou vast en zeker ook heel wat bekijks hebben achter het stuur, daar twijfelde hij geen moment aan. Een knappe jongedame in zo'n mooie auto zag immers niemand over het hoofd.

Bij de eerstvolgende afslag reed Robin de auto langs de diverse appel- en perenboomgaarden terug naar zijn woonplaats. Denise zou de koffie inmiddels al wel klaar hebben staan, dacht hij met een blik op zijn horloge. Hij was al een halfuur onderweg in haar snelle sportauto. Een cadeautje van papa Van Oosterbeek!

Robin zuchtte diep.

Hij snakte plotseling naar een flinke oppepper die het verlammende gevoel van onmacht in zijn binnenste wist uit te schakelen, hij hoopte maar dat Denise de koffie deze keer extra sterk had gezet.

Zijn gedachten gleden terug naar het moment dat hij haar had leren kennen, het was liefde op het eerste gezicht geweest. Tijdens een sportdag van school, alweer anderhalf jaar geleden, had hij haar ontmoet. Ze stond aan de kant en moedigde het zusje van een vriendin aan die er even later de oorzaak van werd dat zijn ploeg uiteindelijk verloor.

Die wedstrijd had hij dan wel jammerlijk verloren, maar Denise wist hij enkele dagen later zonder al te veel moeite voor zich te winnen. Ze was een vrolijk, enthousiast en knap meisje, zo'n meisje waar hij nu zijn leven lang al van had gedroomd: Denise van Oosterbeek, met lang zwart krulhaar tot halverwege haar rug en donkerbruine ogen. Zij was al even verliefd op hem geweest.

Het had niet lang geduurd voordat hij weer enigszins ontnuchterd met beide benen op de grond stond, want na twee weken was hij er achter gekomen dat zijn Denise, voor wie hij inmiddels wel door het vuur wilde gaan, de enige dochter was van een steenrijke weduwnaar. Een zakenman die aan de top stond van een groot bedrijf met diverse dochterondernemingen in het buitenland. Vanaf dat moment waren er allerlei problemen aan de horizon van zijn geluk verschenen. Het waren overigens problemen geweest die híj alleen maar scheen te zien. Denise zag ze kennelijk niet, daar leefde ze veel te zorgeloos voor.

Robins eerste kennismaking met de grote topman Frank van Oosterbeek, de vader van Denise, was al vanaf het begin een fiasco geweest.

De man had hem direct laten merken dat hij zijn beroep, gymleraar voor leerlingen van het middelbaar onderwijs, wel erg minderwaardig vond.

Frank hield meer van zakelijke persoonlijkheden die een baan hadden in een of andere winstgevende sector, want daar werd je tenminste afgerekend op je prestatie. School zag hij min of meer als een leuk tijdverdrijf in een non-profit instelling. Leerkrachten, en zeker gymleraren, waren niet uit op het maken van winst, en in de ogen van Frank van Oosterbeek had Robin daarom ook een beroep met bijzonder weinig toekomstperspectief.

Vanaf het allereerste begin had Robin zich dan ook afgezet tegen de vader van Denise. De man had hem zijn gevoel voor eigenwaarde willen ontnemen, en hem aangetast in zijn eergevoel omdat hij zijn beroep als gymleerkracht juist met erg veel plezier en toewijding uitoefende.

De verstandhouding was sinds die dag koel en afstandelijk gebleven, hoewel Frank hem later, vlak voor zijn verloving met Denise, een dringend voorstel had gedaan om een baan in het familiebedrijf te accepteren.

„Als je je leven verder wilt delen met mijn dochter, zul je ten minste in de gelegenheid moeten zijn om haar een goed en onbezorgd leventje te bieden, want dat is ze nu eenmaal gewend. En ik betaal je natuurlijk een voortreffelijk salaris, zodat het jullie in de toekomst werkelijk aan niets zal ontbreken." Maar Robin had ervoor bedankt, hoewel het genoemde salaris ervoor zorgde dat het hem even duizelde.

Maar hij was vooralsnog niet van plan om zijn onafhankelijkheid op te geven en zijn verdere leven naar de pijpen van Frank van Oosterbeek te dansen.

Denise had zich niet druk gemaakt over haar vaders aanbod dat Robin zonder enige twijfel en bedenktijd weigerde. „Ik hou van je, Robin Arendonk. Je bent een goede gymleraar en ik ben trots op je."

Robin reed langzaam de Trompetstraat in. De woorden van Denise hadden hem destijds goedgedaan, zij accepteerde hem tenminste zoals hij was, en dat vond hij het allerbelangrijkste. Toch had Robin zich vanaf hun verloving herhaaldelijk stilzwijgend gestoord aan de verhouding tussen Denise en haar vader. Ze werd regelmatig door hem verwend met de aanschaf van extreem dure merkkleding, leuke reisjes en andere rijkeluisuitspattingen. De rode sportwagen die hij nu netjes voor zijn huis parkeerde was er één van.

En Denise, die vond het allemaal wel prima. Ze genoot van haar leventje zonder werk of verdere verplichtingen, en ook van alle dure cadeaus, terwijl Robin zich met de dag machtelozer voelde.

Zou Denise het leven met een eenvoudige gymleraar zoals hij

was wel aankunnen, als ze straks getrouwd waren? Hij twijfelde daar soms sterk aan.

Robin stapte uit de auto en opende de voordeur. De koffiegeur kwam hem in de gang al tegemoet. Zijn twijfelachtige gevoelens verdwenen meteen als sneeuw voor de zon toen Denise hem liefdevol omhelsde. „En... wat vind je van de auto, Robin?" vroeg ze zachtjes in zijn oor.

„Fantastisch, meisje, het is een schitterend karretje. Maar nu lust ik wel een kopje koffie."

Denise liet hem los en liep meteen door naar zijn kleine keuken waar ze de kopjes met suiker en melk al klaar had gezet.

Nadat ze de beide kopjes gevuld had met koffie keek ze vanonder haar wimpers met een geheimzinnige blik in haar donkere ogen naar Robin. „Papa heeft nóg een heel groot cadeau voor me in petto, lieverd."

Robin trok zijn wenkbrauwen een ogenblik verbaasd omhoog, een gevoel van onbehagen nam opnieuw bezit van hem.

„Het is een huwelijkscadeau en het komt op mijn naam te staan, maar het is natuurlijk ook voor jou, Robin!"

Robin wachtte geduldig op wat komen ging. „Het is een huis, een vrijstaand huis! Binnenkort starten ze met de bouwwerkzaamheden. Naar verwachting is het volgend jaar in juni klaar en dan kunnen we trouwen. Voor meubelen en de inrichting wordt ook gezorgd, ik mag natuurlijk zelf alles uitzoeken en de rekeningen naar papa laten sturen."

Robins mond viel open van verbazing. „Een vrijstaand huis?" echode hij ongelovig. Denise straalde van geluk.

„Papa wil niet dat ik iets tekortkom, Robin. Ach ja, die man zwemt nu eenmaal in het geld, net als oom Dagobert van Donald Duck. Gelukkig is mijn vader niet zo gierig en hij zit ook niet bepaald op z'n geld. Ha, ha... hij geeft het gewoon graag uit."

„Denise..." Robins stem klonk harder dan hij had gewild. „Ik weet niet of het wel zo'n goed idee is om een vrijstaand huis cadeau te krijgen, want ik wil later beslist níet afhankelijk worden van je vader!"

Denises lach stierf langzaam weg en over haar stralende gezicht gleed opeens een verdrietige schaduw. „Jij bent wel erg trots en koppig, Robin Arendonk. Toch zul je moeten accepteren dat ik uit een ander milieu kom en dat mijn vader ons graag wil laten delen in zijn rijkdom." Er lag een klank van teleurstelling in haar woorden.

Robin nam een flinke slok van zijn koffie en slikte met de koffie een boos antwoord in.

„Het is toch een cadeau, Robin! Je wordt niet afhankelijk van mijn vader door zijn huwelijkscadeau te aanvaarden. Lieverd, ik had gedacht dat je een gat in de lucht zou springen?"

Robin knikte, dronk de rest van zijn koffie op en schonk zich een tweede kopje in.

„Luister eens, Denise. Jouw vader geeft mij steeds opnieuw het gevoel dat ik maatschappelijk gezien niets waard ben. Vanaf onze eerste kennismaking heeft hij me duidelijk gemaakt dat een eenvoudige gymleraar géén serieuze partij is voor zijn dochter. En nadat ik een functie in zijn familiebedrijf heb afgewezen word jij extra overladen met allerlei luxe cadeaus, terwijl ik voor een eigen huis en een nieuwe auto waarschijnlijk jaren moet sparen en voor jou nóóit datgene kan doen wat hij doet. Hij betaalt werkelijk alles, dat zit me erg dwars. Ik wil al die dingen zo graag zélf verdienen. Ik wil samen met jou iets opbouwen. Daar hebben we je vader toch niet bij nodig. Althans, niet op deze manier."

Het hoge woord was eruit. Er verschenen prompt tranen in Denises ogen, die hem nu boos aankeken. „Dat vind ik niet eerlijk, Robin. Omdat jij problemen hebt met papa, mag ik dus niets meer van hem aannemen? Ik ben nota bene zijn enige dochter, zijn enige erfgenaam!"

„Ik vind het nu eenmaal geen prettig idee," bromde Robin. Diep van binnen wist hij dat Denise gelijk had. Dat haar vader hem steeds gekleineerd had, kon hij haar niet kwalijk nemen. Ze had het tot op heden wel steeds voor hem opgenomen, maar de relatie met haar vader had daar niet onder geleden. Een beetje vreemd vond hij dat wel. Waaide Denise soms met alle windrichtingen mee? Was ze nu op zíjn hand of op die van haar vader? Hij wist het soms niet meer.

Denise knipperde haar tranen weg en haalde eens diep adem. „Zou je er misschien tóch nog eens over na willen denken om een functie in papa's bedrijf te accepteren? Je bent een geweldige gymleraar, Robin, maar een familiebedrijf is ook heel belangrijk. Papa wil liever geen buitenstaanders aan de top van zijn bedrijf hebben, hij heeft echt grote verwachtingen van je en beslist geen hekel aan je! Hij is nu eenmaal erg zakelijk ingesteld, een man die denkt aan de toekomst van zijn bedrijf en aan zijn eventuele kleinkinderen. Ik ben zijn enige kind, de enige dochter die hem in de toekomst kleinkinderen kan geven. Heb je daar weleens aan gedacht?"

Met een ruk stond Robin op. Zijn ogen schitterden fel. Had Frank zijn dochter hiernaartoe gestuurd om hem te manipuleren?

„Zeg maar tegen je vader dat ik géén belangstelling heb voor een baantje aan de top van jullie bedrijf. Dat werk ligt me niet, en ik heb je net ook al verteld dat ik het allemaal graag zelf wil verdienen, Denise. Je zult me daarin moeten steunen, meisje."

„Ja, maar dat kun je toch in papa's bedrijf ook doen. Waarom doe je toch zo moeilijk? De meeste mannen zouden hun handen dichtknijpen bij zo'n geweldige kans. Je zult toch toe moeten geven dat ik een geweldige partij voor je ben. Of niet soms? Toe, zet je trots aan de kant en denk er nog eens over na. Alsjeblieft, Robin!"

„Nee hoor, ik ben op en top sportman. Zodra je vader een sportman in dienst wil nemen zal ik er eens over nadenken. Ik heb enorm veel plezier in mijn werk en dat geef ik beslist niet op voor een commerciële baan in jullie bedrijf. Daarmee wil ik deze discussie nu graag afsluiten, want ik heb nog meer zaken te regelen. Ik was van plan om mijn roostervrije middag nuttig te besteden."

Robin draaide zich om zonder Denise aan te kijken en stapelde de lege koffiekopjes op elkaar. Hij kon niet voorkomen dat de twijfel opnieuw toesloeg. De persoon Frank van Oosterbeek stond levensgroot tussen hen in en zou altijd een strijdpunt in hun leven blijven, dat voelde hij haarfijn aan en daar werd hij niet bepaald vrolijk van.

Hij deponeerde de vuile kopjes bij de vaat van die ochtend en Denise drentelde met de koffiepot achter hem aan. „Zullen we vanmiddag samen iets leuks ondernemen, Robin? We kunnen bijvoorbeeld naar de stad gaan om te eten, of we toeren wat rond in mijn nieuwe auto. Het is prachtig weer!" Denises stem klonk alsof er niets was gepasseerd en alsof ze zich helemaal niet had laten manipuleren door haar vader.

Een flauwe glimlach gleed om Robins mond. „Nee, vanmiddag niet. De school is vandaag weer begonnen en ik heb nogal wat gegevens gekregen die ik vanmiddag graag wil verwerken."

„En vanavond?" informeerde Denise dwingend.

„Op maandagavond train ik de voetbalpupillen, dat weet je toch!" Robin kon niet voorkomen dat zijn stem wat korzelig klonk, maar hij kon het ook niet uitstaan dat ze alleen aan zichzelf dacht en daarbij zijn activiteiten en verplichtingen gemakshalve over het hoofd zag.

Denise sloeg haar ogen neer en een gevoel van medelijden overspoelde Robin. Hij trok haar in zijn armen.

„Sorry schat. Ik wil niet onaardig tegen je zijn. Morgenavond wil ik graag een eindje met je gaan toeren in je nieuwe wagentje. Zullen we dat dan maar afspreken?"

Ze knikte en zuchtte opgelucht. „Morgenavond dus..."

„Morgenavond," antwoordde Robin bevestigend en kuste haar behoedzaam.

Niet veel later zag hij haar wegrijden in de felrode sportauto. Hij wenste dat ze uit een normaal milieu kwam en dat ze samen een normaal leven zouden krijgen.

4

Judith was tevreden met haar uiterlijk, de nieuwe kleren die ze speciaal voor het jubileumfeest van haar grootouders had gekocht maakten dat ze eruitzag als een modebewuste jonge vrouw.

Barbara Hovers en de kapster hadden hun werk vanmorgen met vaardigheid en toewijding uitgevoerd. Het resultaat was verbluffend en Judith straalde. Ze had wekenlang uitgekeken naar deze dag. Maandag, twintig augustus! Het moest vandaag háár dag worden. Een dag die haar overigens al heel wat geld had gekost, zodat ze het de komende week rustig aan moest doen met haar uitgaven. Barbara had geadviseerd vanavond voordat de casting begon, de make-up op haar gezicht wat bij te werken, en ook de kapster had haar nog een enkele tip gegeven, die ze goed in haar oren knoopte. „Dat lukt me vast wel," had Judith zelfverzekerd geantwoord.

Ze nam haar beautycase op van de tafel en ook een extra stel nieuwe kleding hing ze over haar arm heen, want ze wilde beslist niet het risico lopen dat ze vanmiddag tijdens de receptie op haar kleding morste met wat voor drankje dan ook. In geval van nood kon ze zich dan altijd nog omkleden, want juist vanavond wilde ze in het middelpunt van alle belangstelling staan. Ze sloot 'De Koolmees' af en liep naar het parkeerterrein van de camping.

Met zorg legde ze de kleding op de achterbank van haar auto en even later reed ze naar de woonplaats van haar grootouders voor wie om twee uur een korte dankdienst in de plaatselijke kerk was georganiseerd.

Gelukkig hadden opa en oma het heel sportief opgenomen dat ze vanavond tijdens het familiediner niet aanwezig kon zijn. Toen ze het hun op een avond was gaan vertellen hadden ze veel belangstelling gehad voor haar ophanden zijnde succes als mannequin. Natuurlijk vonden ze het ook jammer dat ze 's avonds niet kon deelnemen aan het diner, maar ze toonden in ieder geval begrip. Ja, ze had lieve, belangstellende grootouders. Ze hadden meer belangstelling voor haar doen en laten dan haar eigen ouders, dacht ze wrang. Haar ouders hadden enkele weken geleden nog wel geprobeerd om haar over te halen, maar toen ze inzagen dat dát niet lukte, hadden ze zich er teleurgesteld bij neergelegd.

Judith had zich daarna enkele dagen gedeprimeerd gevoeld omdat ze zich hun teleurstelling erg aantrok. Maar daarna kon ze aan niets anders meer denken dan aan een carrière als mannequin. Ze droomde ervan, zowel overdag achter de kassa als 's nachts in haar slaap. Dan liep ze in de allernieuwste mode en leefde ze haar nieuwe leven in een wereld van glamour en glitter. Ze verheugde zich op vanavond, want dan stond er heel wat op het spel! Ze wilde zichzelf bewijzen, zodat haar ouders straks wel móesten erkennen dat zij, net als Fred, evengoed succesvol zou worden in de toekomst.

Judith parkeerde diep in gedachten haar auto bij de kerk, waar het zo te zien al erg druk was. Ze zocht daarna snel haar plaatsje op naast Fred en haar ouders en knikte vriendelijk naar enkele nieuwsgierig rondkijkende ooms en tantes. Opa en oma zaten op de voorste rij en vrijwel meteen na haar binnenkomst begon de pianist te spelen. De dienst duurde daarna ongeveer een uur. Er werden enkele liederen uit de zangbundel van Joh. de Heer en uit Glorieklokken gezongen, speciale lievelingsliederen van haar grootouders, wist Judith, waarna er een korte overdenking volgde over het thema 'De Here is mijn herder' uit psalm 23. En nadat ze allemaal het lied 'Dat 's Heren zegen op u daal, Zijn gunst uit Sion u omstraal...' hadden gezongen, werd er geëindigd met een kort dankgebed.

In een optocht reden ze een kwartier later naar café-restaurant 'De Lingerust', waar aan de overkant van de weg de auto's werden geparkeerd en meteen allerlei handen werden gedrukt door familieleden die elkaar al jarenlang niet meer hadden ontmoet.

Judith groette enkele nichtjes die ze al jaren niet meer had gezien en inspecteerde onderwijl snel haar kleding. Gelukkig droeg ze een rok van kreukvrije stof die soepel en glad langs haar lange benen viel. Daarna sloot ze binnen aan achter een lange rij van familieleden, omdat iedereen opa en oma even persoonlijk wilde feliciteren.

Ze zag tranen in de ogen van beide oudjes toen ze hen omhelsde en gelukwenste. Zoveel belangstelling en feestvreugde zorgde nu eenmaal voor de nodige emoties. Een mengeling van blije en gelukkige gevoelens zorgde ook voor een brok in Judiths keel. Ze betreurde het dat ze vanavond op deze bijzondere feestdag van haar grootouders verstek moest laten gaan. Ze schaamde zich ineens ook een beetje. Oma legde haar rimpelige hand een ogenblik op haar arm, en fluisterde in haar oor: „Wat zie je er toch mooi uit, Judith! Ik zal vanavond voor je duimen, kind. Als je er dan nét zo betoverend uitziet als nu... dan zullen ze je vast wel uitkiezen voor die modeshows. Ik ben trots op je, hoor!" Judith knikte dankbaar. Ze moest plaatsmaken voor een volgend familielid dat haar grootouders wilde feliciteren.

Voordat de receptie een aanvang nam, werden er namens alle

familieleden enkele cadeaus overhandigd en er waren planten en bloemstukken. Judith zag de blijdschap op de gezichten van beide oudjes en zocht een plaatsje aan de zijkant van het gehuurde zaaltje. Ze weigerde het gebak dat een aardige serveerster haar even later presenteerde.

„Nee, dank u. Geen gebak, en liever ook geen koffie of thee. Hebt u misschien een glaasje sap voor me?" Ze kon met geen mogelijkheid iets eetbaars door haar keel krijgen, ze merkte dat de spanning voor de casting van vanavond groeide. Gelukkig werd ze snel afgeleid door haar tantes en enkele neven en nichten die haar hadden opgemerkt en een praatje met haar maakten, later voegde Fred zich ook bij hen. Op de achtergrond klonk sfeervolle muziek. Daarna vloog de tijd voorbij, de drukte nam enorm toe en Judith zag allerlei bekende en onbekende mensen binnenkomen. In het midden van de zaal ontwaarde ze een oude dame, een vroegere vriendin van oma, die er een beetje excentriek uitzag omdat ze een uiterst merkwaardige hoed droeg, het leek wel een soort taartblik met kersen en bloemen erop. Judith grinnikte, het dametje had wel veel lef om zo'n bijzondere hoed op haar hoofd te zetten, ze had natuurlijk veel bekijks.

Voor ze er erg in had wezen de wijzers van de klok zes uur, Judith verontschuldigde zich bij de familieleden die aan haar tafeltje zaten, en glimlachte nerveus naar Fred. „Het is zover, ik ga mezelf even opdoffen, broertje," fluisterde ze hem toe. „Wens me alvast succes voor vanavond!" Fred lachte. „Goed, ik wens je succes, Juutje. Héél veel succes!" Judith verdween naar haar auto waar ze de beautycase van de achterbank griste. Het extra kledingsetje nam ze na enige aarzeling ook mee, want het was warm geweest tijdens de receptie en in de zaal had een benauwde rokerige lucht gehangen die inmiddels ook in haar kleding was gaan zitten. Daarom leek het haar beter om zich toch te verkleden. Binnen nam ze even tijd om afscheid te nemen van haar grootouders en ouders, daarna verdween ze naar de toiletruimte om zich te verkleden en haar makeup en kapsel nog wat bij te werken.

Ze had de afgelopen weken enorm veel geregeld, vond Agnes toen ze op maandagmorgen, twintig augustus, heel vroeg wakker werd. De zon scheen al uitbundig en merels en mussen lieten luidkeels van zich horen in de dakgoot en de tuin. Ze vouwde haar armen achter haar hoofd en keek naar het plafond. Nu was de dag, waar ze met z'n allen zo naar hadden uitgekeken, eindelijk aangebroken. De cadeautjes waar alle familieleden gezamenlijk financieel aan hadden bijgedragen, waaronder een cadeaubon voor een geheel verzorgd weekend naar een hotel aan zee en een gloednieuw servies voor zes personen, lagen beneden klaar in de huiskamer. Evenals een map met wel tachtig A-viertjes waarop alle familieleden, in opdracht van Ruud en haar, een kleine herinnering hadden opgeschreven in de vorm van een verhaal, of een gedicht over vroeger met eventueel een foto of een mooie tekening erbij. Agnes was verrast geweest door de meest uiteenlopende creatieve werkstukken. Wat zouden haar ouders daar blij mee zijn! Gisteravond laat, op een moment dat ze zeker wist dat haar ouders al sliepen, was ze met Ruud in alle stilte nog even naar het ouderlijk huis gereden en hadden ze samen de voordeur mooi versierd met een groene boog en bloemen van gekleurd crêpepapier. Boven op de boog torende een bordje met de mededeling 'Hulde aan het gouden bruidspaar'. In stilte waren ze daarna weer weggereden, want dit hele gebeuren moest een verrassing blijven voor de oudjes. Agnes verwachtte dat ze de boog omstreeks deze tijd al wel hadden ontdekt en liet vervolgens haar gedachten gaan over de komende dag. Ruud zou voor de fotografie zorgen... Agnes schoot ineens als een speer omhoog en stootte de slapende Ruud aan. „Ruud... Rúúd, heb jij nog aan die fotorolletjes gedacht?" Ruud bewoog zich een moment en draaide zich daarna op zijn andere zij zonder te antwoorden. „Ruud, word nu eens wakker!" Haar stem klonk paniekerig. „Wat is er?" vroeg Ruud met een schorre slaperige stem, en langzaam gingen zijn ogen open.

„Die fotorolletjes, heb jij daar nog aan gedacht?" Ruud deed zijn ogen weer dicht en geeuwde. „Maak je geen zorgen, Agnes. Fred zal voor die rolletjes zorgen, dat heeft hij me zelf beloofd. Hij brengt ze straks wel mee."

„Ik hoop dat hij ze niet vergeet." Agnes was niet gerustgesteld, ze draaide zich op de rand van het bed en stak haar voeten in de slippers die naast het nachtkastje stonden. „Ik bel Fred nog wel even op, voor de zekerheid. Er staat ook zoveel op het spel, we kunnen het ons niet permitteren dat er geen foto's worden genomen. Die verantwoordelijkheid heb jij wel op je schouders genomen, Ruud Lankhaar."

„Overdrijf je nu niet een beetje? Fred, en iets vergeten, dat hoort niet bij elkaar!" bromde Ruud, inmiddels klaarwakker. Agnes schokschouderde. Ruud had gelijk, wist ze. Fred vergat nooit iets, op hem kon je rekenen.

„Ach, ik wilde er toch uit gaan," zuchtte ze en het drukke programma van vandaag flitste opnieuw aan haar geestesoog voorbij. Ze gunde zich vanaf dit moment geen rust meer. Ze moest om tien uur bij de kapper zijn en om half een werd ze met haar zussen, zwagers, broer en schoonzus, verwacht in het huis van haar ouders voor een gezamenlijk kopje koffie. Daarna zouden ze naar de kerk gaan en daar zou de rest van de familie zich dan bij hen aansluiten.

Agnes leefde zichtbaar op toen ze 's middags haar zussen Stans en Mieke en haar broer Rien in het huis van haar ouders begroette. Het was alweer een paar weken geleden dat ze die had ontmoet. Ruud knipte met zijn fototoestel wat familieprentjes en onder de boog nog een plaatje van het gouden bruidspaar dat er gelukkig uitzag op deze bijzondere dag. Omdat zij – Agnes – het meeste werk had verzet met de hele organisatie van het feest, zorgden Mieke en Stans op hun beurt nu voor de koffie en taart. Het werd een gezellig uurtje, haar ouders genoten ervan.

Later vertrokken ze gezamenlijk naar de kerk, waar Agnes haar horloge bijna twee uur zag aanwijzen. Iedereen was al aanwezig, maar toen Mieke, die voor haar zat, zich omdraaide en naar Judiths komst informeerde, brak het klamme zweet haar aan alle kanten uit. Waar bleef ze nu? Waarom moest Judith nu weer wachten tot het allerlaatste moment? Hè, wat ergerde ze zich toch vaak aan dat kind!

Op het moment dat de pianist plaatsnam op zijn kruk, gleed Judith gehaast op een stoel naast Fred. Agnes zag het gezichtje van haar dochter en daarna ook de met zorg uitgekozen kleding. Ze moest het ruiterlijk toegeven, dit kind van haar mocht er zijn. Wat een uitstraling! Agnes knipperde even beduusd met haar ogen en ontmoette een moment de blik van Ruud die eveneens vol bewondering naar zijn dochter keek. Gelukkig, Judith was in ieder geval nog net op tijd! Terwijl meteen daarna de eerste pianoklanken door de zaal klonken, ontsnapte haar een diepe zucht van opluchting, maar de volgende zorgen dienden zich al direct weer aan. Hoe moest ze straks aan haar zussen uitleggen dat Judith vanavond verhinderd was?

Ze bleef er de hele middag over tobben. Nadat ze voor aanvang van de receptie samen met haar zussen en broer de cadeaus aan hun ouders had overhandigd namens alle familieleden, werd ze zo in beslag genomen door de vele bekenden die de receptie bezochten, dat het haar heel even lukte om niet aan Judiths afwezigheid te denken. Tegen de tijd dat de meeste mensen zich weer gereedmaakten om huiswaarts te keren, zag ze haar dochter plotseling naar buiten lopen. Agnes wilde haar meteen achternagaan, en er bij haar op aandringen om alsnog te blijven, maar een hand die haar arm vastgreep verhinderde dat. Het was Ruud.

„Kom, kom, vrouwtje. Laat haar nu maar gaan. Onze Judith gaat haar eigen toekomst tegemoet en wij moeten haar die ruimte geven. Je ouders hadden er toch ook begrip voor?"

Met vertwijfeling in haar ogen keek ze in die van Ruud. „Ja, maar dat vind ik zó moeilijk, jongen. Ze is nog erg jong, en zo..." Met een machteloos gebaar bracht Agnes haar handen omhoog, ze was ineens met stomheid geslagen.

„Knap..." vulde Ruud aan. „Nou ja, ze heeft een prima figuur, en ziet er erg modieus uit. Wat mij betreft maakt ze vanavond een grote kans om uitgekozen te worden."

„Denk je dat echt?"

Ruud knikte en kuste haar op het hoofd. „We zullen het beleven, Agnes!"

„Ik heb niet zoveel vertrouwen in dat modewereldje, Ruud. Dat past ook niet bij onze Juut. Je weet dat ik heel veel waarde hecht aan een goede opleiding, dat geeft namelijk meer zekerheid in het leven. Kijk maar eens naar Fred, die komt er wel."

„Daar komt Judith dan zelf ook nog wel achter, dat is slechts een kwestie van tijd. Kijk, daar is ze weer... volgens mij gaat ze zich nu even opknappen en je ouders gedag zeggen. Kom, laten we haar ook veel succes toewensen voor vanavond."

Agnes pakte de hand die Ruud haar toestak vast en zag dat Judith inmiddels aanstalten maakte om afscheid te nemen van haar grootouders.

„Ik hoop dat het vanavond de moeite waard is, Judith. Laat morgen in ieder geval snel wat van je horen." Met die woorden nam Agnes even later afscheid van haar dochter en terwijl Judith zich naar de toiletruimte begaf, vroegen Mieke en Stans of Judith zich misschien niet goed voelde. Met een hoogrode kleur probeerde Agnes haar dochter te verontschuldigen. „Ze krijgt vanavond een kans bij een modellenbureau om tijdens het komende seizoen wat modeshows te lopen. Die kans moet ze natuurlijk wel met beide handen aannemen, vind je ook niet?"

Tot haar grote verbazing reageerden haar zussen helemaal niet kritisch zoals ze had verwacht, maar juist erg enthousiast.

„Wel jammer dat ze met het diner niet aanwezig kan zijn," zei Stans, „maar deze kans kan ze inderdaad niet voorbij laten gaan."

Mieke was het daar ook roerend mee eens. „Ik wilde wel dat onze Marleen...” Haar ogen zochten in de zaal naar haar oudste dochter en bleven rusten op een kleine mollige jonge vrouw met dikke blonde krullen. „Ach nee, wat dom van me om zoiets te willen. Marleen heeft er het figuur niet eens voor. Maar wat zul jij trots zijn op je dochter, Agnes!” Miekes ogen bleven vervolgens weer op Agnes rusten.

Agnes schokschouderde een beetje, allang blij dat Mieke en Stans haar het vuur niet nader aan de schenen legden. Het volgende uur werd ze, net als haar broer en zussen, volledig in beslag genomen door alle genodigden die de receptie hadden bijgewoond, en weer aanstalten maakten om weg te gaan. Daarna viel het haar pas op dat haar moeder er erg vermoeid uitzag. „Gaat u maar eens even rustig zitten, moeder. De gasten zijn nu allemaal vertrokken, en dan kunt u over een halfuurtje uitgerust en wel aan tafel gaan.”

Anke Graafsma liet zich maar al te graag in een stoel zakken, de receptie was erg druk en gezellig geweest, met een heleboel kennissen die ze al een hele tijd niet meer had ontmoet, en die ze ook allemaal te woord had gestaan. Een halfuurtje rust had ze op dit moment echt wel even nodig, terwijl ze Pieter aan de andere kant van de zaal met enkele kleinkinderen zag praten. Hij was nog erg energiek voor zijn leeftijd, vond ze. Alhoewel hij vanmiddag toch regelmatig met zijn hand over zijn voorhoofd wreef waaraan ze duidelijk kon zien dat hij weer last had van die nare duizeligheid. Vreemd, daar klaagde hij de laatste tijd wel vaker over, terwijl Pieter vroeger nooit iets mankeerde.

Agnes controleerde inmiddels samen met Ruud de gedekte tafel, op elk bordje lag een briefje met een naam erop en naast elk bordje stond een handgeschreven menukaart. Het zag er allemaal prima verzorgd uit.

Toen alle familieleden aan tafel zaten, opende vader het diner met een ogenblik stilte en een kort gebed. Daarna verliep de avond in een sneltreinvaart.

Tussen de gerechten door werden er korte voordrachtjes uitgevoerd door de wat oudere kleinkinderen, en het was op die momenten dat Agnes zich pijnlijk realiseerde dat Judith hier niet bij was. Ruud scheen er zo te zien veel minder last van te hebben. Lag het nu aan haar dat ze altijd zo'n moeite had met de keuzes die Judith maakte? Soms twijfelde Agnes weleens aan zichzelf. Had ze misschien te hoge verwachtingen van Judith? Maar nee, dat moest ze ook weer ontkennen. Ze wilde alleen maar dat Judith haar hersens eens goed gebruikte, net zoals Fred dat deed! Daarom had Judith vanavond ook híer moeten zijn. Dat was niet meer dan haar plicht geweest! En dát mocht ze als moeder toch wel verwachten van haar dochter? Met geweld probeerde Agnes de neerwaartse spiraal van negatieve gedachten over Judith te doorbreken en van zich af te zetten, wat uiteindelijk lukte omdat er van haar werd verwacht dat ze aan het eind van de maaltijd samen met haar broer en zussen een zelfgeschreven levensloop voorlas in de vorm van een gedicht met diverse coupletten. En natuurlijk wilde ze deze avond ook niet laten bederven door Judiths verkeerde keuze. De levensloop werd een groot succes, leuke en hilarische gebeurtenissen uit reeds lang voorbijgevlogen jaren passeerden de revue, tot groot vermaak van alle aanwezigen. Anke en Pieter Graafsma pinkten om beurten een traantje van ontroering weg bij sommige herinneringen en genoten zichtbaar van het plezierige familiegebeuren waarbij zij in het middelpunt van alle belangstelling stonden. Als laatste nam Agnes de in cadeaupapier verpakte map met de getekende, beplakte en beschreven A-viertjes van alle familieleden en overhandigde die aan haar ouders. De map werd met trillende vingers geopend en doorgebladerd. „Wat is dit schitterend!" riep Anke opgetogen uit, „het zijn stuk voor stuk kunstwerkjes, kijk eens, vader..." Pieter keek naar enkele korte verhaaltjes over reeds lang vervlogen tijden, foto's uit vroeger jaren, en glimlachte bij het zien van de tekeningen van zijn achterkleinkinderen die pas vijf en drie jaar oud waren. Langzaam stond hij op, en schraapte duidelijk geëmotioneerd zijn keel. „Lieve kinderen, kleinkinderen, achterkleinkinderen, broers, zussen, neven en nichten. Ik wil jullie allemaal hartelijk danken voor deze onvergetelijke dag en niet te vergeten, de mooie cadeaus. Ik zeg dit ook namens moeder. Het is voor ons beiden een fantastische dag geweest! Geweldig! In de kerk sprak de dominee vanmiddag over psalm 23, dat kunnen jullie je misschien nog wel herinneren. En nu ik iedereen hier aan tafel zie zitten ben ik ontzettend dankbaar dat moeder en ik samen nog in de gelegenheid zijn om dit alles mee te maken, zodat ik eveneens met de psalmist kan zeggen: mijn beker vloeit over..." Pieter kuchte, keek naar alle verwachtingsvolle gezichten en vervolgde met hese stem: „Zo de Here wil, en wij er nog tien levensjaren bij krijgen, vieren we ons zestigjarig huwelijksfeest over tien jaar weer op dit adres. Jullie zijn dan natuurlijk opnieuw allemaal van harte welkom." Er steeg een luid gejoel op van de jongelui die aan tafel zaten, terwijl de anderen geestdriftig applaudisseerden. „Daar houden we je aan, vader," riep

Rien luidkeels en hief daarbij zijn glas wijn toostend omhoog. „Op naar de zestig, zullen we dan maar zeggen! We wensen moeder en u de komende tien jaar een gezonde en gelukkige tijd toe."

Alle andere aanwezigen hielden hun glas met inhoud instemmend omhoog en vielen Rien bij. Niet lang daarna ging de serveerster nog rond met kopjes koffie en begonnen de eerste feestvierders aanstalten te maken om te vertrekken.

Met een tevreden gevoel bleven Agnes en Ruud anderhalf uur later alleen achter in 'De Lingerust'. De familie was na een ontroerend afscheid weer huiswaarts gekeerd, en Anke en Pieter waren even geleden gewoon weer in hun eigen auto gestapt en weggereden.

„Ik vind het onbegrijpelijk dat ik je ouders niet naar huis mocht brengen. Ze wilden ook niet met een taxi," zuchtte Ruud terwijl hij van het laatste beetje wijn dronk dat in zijn glas zat.

„Ach ja," schokschouderde Agnes, „mijn ouders zijn nu eenmaal niet graag afhankelijk van anderen en een taxibedrijf rekent volgens vader geen al te vriendelijke prijs voor een ritje van enkele kilometers. Toe, Ruud! Je weet dat vader er trots op is dat hij ondanks zijn hoge leeftijd nog steeds dagelijks achter het stuur kan kruipen," lachte Agnes en stond op. „Kom, wij gaan ook, Fred zal inmiddels al wel thuis zijn. Hij kon met Joost van Mieke en Jan meerijden."

„Tja, Fred heeft het vandaag enorm naar z'n zin gehad. Leuk, dat hij het zo goed kan vinden met zijn neven en nichten. Nou, Agnes... ik ben benieuwd naar de foto's die gemaakt zijn, morgen breng ik de rolletjes direct na werktijd weg." Ruud legde een arm om Agnes' schouder en kuste haar op de wang. „Ik heb vanmiddag wat extra foto's genomen van onze Judith, dat zal haar afwezigheid van vanavond ongetwijfeld een beetje compenseren."

„Je bent een schat, Ruud Lankhaar. Maar dat heb ik je al vaker verteld," plaagde Agnes en herinnerde zich weer dat Judith er vanmiddag zo ontzettend mooi had uitgezien in haar nieuwe chique kleding.

De heftige teleurstelling die ze in het begin van de avond nog had gevoeld was ineens verdwenen bij de gedachte aan de talrijke foto's die Ruud had gemaakt, met name de extra foto's van Judith. Met Ruuds arm om haar schouders geslagen liep Agnes naar de uitgang van 'De Lingerust', waar ze meneer Zijlstra zagen staan die meteen op hen toeliep.

„Ach, meneer en mevrouw, ik hoop dat vandaag alles naar wens is geweest." Zijlstra reikte hun zijn hand.

„Jazeker," antwoordde Ruud en nam de uitgestoken hand aan, „het is voor ons allemaal een geweldige dag geweest, maar in het bijzonder voor het bruidspaar."

Agnes knikte bevestigend en schudde op haar beurt de uitgestoken hand. „Bedankt voor de goede service, meneer Zijlstra." Ze nam zich voor om bij gelegenheid goede reclame te maken voor dit café-restaurant. De receptie en het diner waren vlekkeloos verlopen en het eten was uit de kunst geweest. De deur sloot zich automatisch toen ze samen de donkere avondlucht inliepen.

Buiten regende het zachtjes, de lucht was nog zoel en benauwd van de warme zomerse dag die achter hen lag. Haastig liepen Ruud en Agnes naar de smalle autoweg waar ze moesten stoppen voor een ambulance die met jankende sirenes, zwaailichten en een hoge snelheid aan kwam razen en hen passeerde.

Agnes kneep in de arm van Ruud. „Wat een akelig idee dat er op dit moment een mens in nood is, Ruud. Waar zou die ambulance zo laat nog op af gaan?"

Ruud keek haar aan, sloeg zijn arm weer om haar schouders en trok haar mee naar de overkant waar zijn auto geparkeerd stond. Het geluid van de sirenes verdween langzaam in de verte. „Tja, dat weet ik ook niet. Laten we daar nu maar niet bij stil staan, we hebben juist zo'n fijne feestdag achter de rug en dan moet je niet aan allerlei vervelende gebeurtenissen denken."

„Ach ja, je hebt gelijk. Wat hebben de oudjes genoten, hè Ruud?" Agnes stapte in en schurkte zich tegen de rugleuning van de autostoel.

„Ja, dat hebben ze zeker. En wij ook! Het is een dag geworden met zo'n gouden randje eromheen, een herinnering om nooit meer te vergeten," antwoordde Ruud. Hij startte zijn auto en reed de dijkweg op. 'De Lingerust' verdween langzaam maar zeker in het duister van de avond.

5

De papieren met nieuwe gegevens van alle klassen die hij het komende schooljaar gymles moest geven, lagen voor hem op zijn bureau. Maar Robin kon er zijn aandacht niet bijhouden.

Hij sorteerde de helft, maakte enkele notities, en de andere helft schoof hij met een hartgrondige zucht in de la van het bureau. Zo! Die paperassen zou hij vanavond na de voetbaltraining nog wel even doornemen en verwerken. In zijn hoofd gonsde het momenteel te veel van allerlei gedachten over Denise. Steeds weer hoorde hij haar zeggen: Zou je er misschien tóch nog eens over na willen denken om een functie in papa's bedrijf te accepteren?

Robin schoof zijn bureaustoel naar achteren, stond op en sloeg met zijn volle vuist op het bureaublad. „Néé, néé, en nog eens néé!" riep hij boos uit. Hij wilde er helemaal niet meer over nadenken. En Denise... zij mocht niet van hem verwachten dat hij terugkwam op zijn besluit. Hij was vooralsnog niet van plan om zijn goede baan als sportleraar op te geven voor het familiebedrijf van haar vader, ondanks het aantrekkelijke salaris dat hem te wachten stond als hij wel met Frank van Oosterbeek in zee wilde gaan. Toch voelde Robin aan dat Denise door haar vader op subtiele wijze onder druk was gezet. Hij had er in ieder geval met haar over gesproken, dat was duidelijk. Frank van Oosterbeek stond nu eenmaal bekend als een doorzetter en zou niet rusten voordat zijn plannen verwezenlijkt waren, zo goed kende Robin zijn aanstaande schoonvader inmiddels al wel.

Hij liep opstandig de trap af, ging via de woonkamer naar de keuken, opende de koelkast en nam er twee eieren uit die hij vervolgens boven een koekenpan met een klontje boter en wat spekreepjes brak. Hij legde een placemat op tafel en werkte even later twee boterhammen, met daarop zijn eigen eierbaksel, smakelijk naar binnen. Zijn gedachten cirkelden steeds opnieuw om hetzelfde onderwerp. Het vrijstaande huis dat Denise over een jaar als huwelijkscadeau van haar vader zou ontvangen zat hem op dit moment nog het meest dwars. Het zag ernaar uit dat áls hij met Denise zou trouwen, hij steeds meer in de invloedssfeer van Frank van Oosterbeek terecht zou komen. Franks bedoelingen stonden hem glashelder voor de geest, die wilde hem totaal afhankelijk maken van zijn dikke familieportemonnee. Hij zou altijd maar weer aan het kortste eind trekken met het geven van cadeaus en allerlei andere luxe dingen waar Denise zo aan gewend en mee verwend was. Frank zou hem ook steeds weer opnieuw laten merken dat hij hem maar een waardeloze sportleraar vond. Een nietsnut, die de schooljeugd elke dag bezig moest houden met zinloze bezigheden en dat allemaal voor een karig hongerloontje.

Robin nam zijn bord en het bestek op van tafel en liep ermee naar de keuken waar hij snel en handig de opgestapelde vaat van de hele dag in een keer afwaste.

Hij hoopte maar dat Denise van hem zou blijven houden, dat ze hem zou blijven respecteren om wie hij was en wat hij deed en dat ze niet te veel zou worden beïnvloed door haar vader. Hij wilde er niet aan denken dat hij haar zou moeten verliezen, want ondanks de onsympatieke gevoelens die hij koesterde ten opzichte van Frank, was hij er wel van overtuigd dat Denise zijn grote liefde was, de vrouw met wie hij zijn leven wilde delen. Toen hij terugdacht aan hun allereerste ontmoeting en zijn alsmaar groeiende liefde voor haar, gleden alle zorgelijke gedachten als vanzelf weg uit zijn hoofd. Misschien lag juist daar wel de oplossing voor hem. Hij moest Frank gewoon uit zijn hoofd en gedachten bannen en wat meer aan zijn liefde voor Denise denken. Per slot van rekening wilde hij met háár trouwen en niet met haar vader. Maar of het in de praktijk zo eenvoudig zou zijn als hij dacht, betwijfelde Robin. Hij wilde zich daar nu ook niet in verdiepen en verlangde alleen maar naar de dag van morgen. Dan zou hij haar weer zien en samen met haar in de nieuwe felrode sportwagen rond gaan toeren. Zijn blik gleed een ogenblik naar de keukenklok en hij zag tot zijn grote schrik dat de wijzers al op half zeven stonden. Het was veel later dan hij had gedacht! Gejaagd ineens rende hij de trap op om zich te verkleden, want klokslag zeven uur zouden er vijftien jongens van negen jaar oud op hem staan wachten in de kleedkamer van voetbalvereniging 'Victorie'. Jongens, op wie hij trots was en met wie hij dit voetbalseizoen veel wilde bereiken in de competitie. Zijn voetbalschoenen, een handdoek en enkele andere benodigdheden stopte Robin in een sporttas. Nog geen kwartier later reed hij in zijn auto met hoge snelheid de straat uit, hoewel hij veel liever op de fiets was gegaan vanwege het mooie weer, maar dat kon nu niet meer. De tijd drong! Bij het sportpark aangekomen parkeerde hij zijn auto praktisch vooraan op het parkeerterrein naast het voetbalveld. In de verte zag hij de vaders en moeders van zijn pupillen al staan. „We vroegen ons al af: waar blijft de trainer toch?" mopperde een ouder vriendelijk toen Robin op een drafje naderbij kwam en zich meteen verontschuldigde omdat hij zo laat was. „Ze zitten al in de kleedkamer te wachten, Rob!" riep een andere ouder begrip-vol. „Laat ze zometeen maar eens flink zweten, dan slapen ze vannacht tenminste goed."

Robin grinnikte en trof ze even later aan in de kleedkamer, vijftien gezonde jongens, rumoerig en stoeiend. Ze waren allemaal al omgekleed in hun trainingspakken en keken hem verwachtingsvol aan. „Tegen wie voetballen we zaterdagmiddag, coach?" vroeg Arno. Robin lachte breed, hij genoot van het enthousiasme dat ze altijd weer tentoonspreidden. Hij zette zijn sporttas neer en duwde zijn handen tegen zijn zij. „Tja jongens, we gaan het zaterdagmiddag opnemen tegen voetbalvereniging "Top", en we gaan nu het veld op om daarvoor te trainen. Als het even kan wil ik die wedstrijd wél winnen! En jullie?"

Een salvo aan overwinningskreten en een luid gejoel was het antwoord. Robin sommeerde ze direct het voetbalveld op te rennen. Boordevol energie stoven de jongens het veld op waar nog enkele ouders achtergebleven waren en aan de zijkant de training met veel belangstelling gadesloegen. Dat waren de echte voetballiefhebbers, wist Robin. Even later rolde hij drie ballen het veld op en verdeelde het aantal jongens in drie gelijke groepjes. De training kon beginnen.

Om half negen kwam het jeugdelftal, de twaalf- tot vijftienjarigen, het veld op rennen om door hem te worden getraind. Ze bleven braaf aan de zijlijn staan toen Robin hun verzocht om nog enkele minuten geduld te hebben. Hij had het inmiddels erg warm gekregen, de zomerse augustusdag zorgde die avond voor een drukkende atmosfeer. Het zweet liep met straaltjes van zijn voorhoofd af langs zijn wangen, zijn mond was droog en hij snakte naar een glas koud vocht.

In de kantine kocht hij snel een flesje frisdrank en dronk dat in een keer leeg. „Ha, die Robin," hoorde hij onverwacht een bekende stem achter zich zeggen. Hij draaide zich om en keek in het vriendelijke gezicht van Johan Mans, een wat oudere man zonder baan die net als hij de pupillen trainde, maar dan op woensdag en zaterdag. Hij had de allerkleinsten wekelijks onder zijn hoede. „Heb je na de training even tijd voor me, ik wil je iets vragen?" vroeg hij dringend.

Robin keek op zijn horloge en zag daarna vanuit zijn ooghoeken dat de jongelui, die al even op hem hadden staan wachten, nu over het voetbalveld renden als uitgelaten veulens. Tja, hij had er eigenlijk op gerekend om vanavond nog het een en ander aan die papierwinkel van school te doen, dacht hij aarzelend. En dat lukte natuurlijk niet meer als hij na de training nog een tijdje met Johan in de kantine bleef zitten. Maar tegen Johan kon hij geen 'nee' zeggen, hij stond ook altijd klaar voor hem.

„Oké, maar ik wil het niet te laat maken," stemde hij toe. Johan gaf hem een vriendschappelijk schouderklopje, schoof vervolgens aan de bar naast een ander clublid en bestelde een pilsje.

Robin liep vervolgens weer haastig het veld op en floot lang en hard op zijn fluitje om de uitgelaten jeugd om zich heen te verzamelen. Waar haalden ze de energie toch vandaan na een eerste lange warme dag op school? vroeg Robin zich verwonderd af. Hij voelde zich ineens hondsmoe omdat hij wel wist dat hij zijn schoolwerk vandaag niet meer af zou krijgen. Na de training, die voor zijn gevoel erg lang duurde, stapte hij onder een koude douche waarvan hij meteen opfriste. En terwijl het douchewater over hem heen spoelde nam hij zich voor om morgenvroeg maar een uur eerder op te staan en voor schooltijd zijn administratie alsnog bij te werken. Dat moest lukken! Robin voelde zich direct wat beter met dit voornemen, hij kleedde zich fluitend aan, haalde een kam door zijn haar en liep naar de kantine waar het inmiddels behoorlijk druk was geworden. De jongelui die hij het afgelopen uur getraind had stonden gezamenlijk met een glas cola achter een tafelvoetbalspel waar twee jongens het luidruchtig tegen elkaar opnamen.

Robin grinnikte, elke leeftijdscategorie had zo zijn charme, vond hij. Hij hield van de competitiedrang in deze jonge mensen, van hun vechtlust en van het favoriete spelletje 'voetbal'. Daarom had hij zich enkele jaren geleden ook belangeloos opgegeven om de jeugd van voetbalvereniging 'Victorie' te trainen. De vereniging had overigens wel meer vrijwilligers, zoals Johan Mans die nog steeds achter de bar zat met alweer een vol glas bier in zijn hand. Robin tikte hem op zijn schouder en bestelde een glas frisdrank voor zichzelf.

„Zullen we even achter in de zaal aan dát tafeltje gaan zitten, Robin?" Johan wees een plekje aan waar niemand anders zat of stond. Robin volgde hem en nam plaats op een stoel. Ze spraken samen nog even over de achterliggende vakantieweken en daarna vroeg Robin, enigszins nieuwsgierig geworden, naar wat Johan hem wilde vragen. Johan kwam meteen ter zake. „Kun jij misschien een goed woordje voor me doen, Robin? Ik wil solliciteren op een advertentie van de school waar jij gymles geeft. Ze hebben een nieuwe conciërge nodig met ingang van november. Je weet dat ik al jaren werkloos ben en dat het me niet lukt om aan de slag te komen. Goede banen liggen nu eenmaal niet voor het oprapen. Maar dat baantje van conciërge lijkt me eerlijk gezegd wel wat! Mag ik jouw naam in mijn sollicitatiebrief gebruiken als referentie? Ik heb een kruiwagen nodig, zie je. Iemand die een goed woordje voor me wil doen als het erop aankomt."

Met een gespannen uitdrukking op zijn gezicht keek Johan naar Robin die langzaam met zijn hoofd begon te knikken. „Betekent dat 'ja'? Mag ik je naam als referentie opgeven, Rob?"

„Natuurlijk, man! Als ze ernaar vragen kan ik altijd een goed woordje voor je doen, dat is geen enkel probleem. Maar je moet er wel rekening mee houden dat je zeker niet de enige sollicitant zult zijn, én dat ik je ook niets kan garanderen, want uiteindelijk beslist de directie. Als de keuze niet op jou valt en het niets wordt, wil ik wel graag een goede vriend van je blijven, Johan. Ga je daarmee akkoord?"

„Jazeker," kwam het blij over Johans lippen. „Het is grandioos dat je dat voor me wilt doen, alvast bedankt, Robin! Mag ik je misschien een pilsje aanbieden als dank voor je hulp? Dan pak ik er zelf ook nog een."

„Ehm..." aarzelde Robin even, maar schudde dan vastbesloten zijn hoofd. Hij moest zometeen nog achter het stuur en alcohol in het verkeer was nu eenmaal tegen zijn principes. „Nee, liever geen pilsje, ik moet nog rijden. Maar een glaasje fris gaat er wel in."

„Ach, één pilsje kan toch wel!" drong Johan aan terwijl hij opstond.

„Nee, ik heb er nu geen zin in. Iets fris, graag." Robin keek heimelijk op zijn horloge. Het was al half elf geweest. Nou ja, erg veel haast had hij nu ook niet meer. Hij zag Johan even later aankomen met een vol glas bier in zijn ene, en een colaatje in zijn andere hand.

Vlak bij het tafeltje struikelde Johan echter plotseling over een losse veter. Robin zag het gebeuren en wilde in een reflex wegspringen om de golf bier te ontwijken. Maar hij was al te laat. Het bier kwam op zijn shirt terecht en droop langzaam naar zijn broek. Het glas cola kletterde op de tegels in wel duizend stukjes.

Hij reageerde korzelig met opgetrokken neus. „Bah... mijn shirt! Alles is nat en het stinkt..."

„Sorry, hoor. Ik haal even een doek achter de bar vandaan." Johan zette het halflege bierglas snel op het tafeltje en nam een droge doek aan van een man die achter de bar stond te bedienen.

„Hier, wrijf maar even droog."

Robin wreef hard over de natte plek, maar helemaal droog kreeg hij zijn shirt niet. De wrange bierlucht verdween er ook niet door en op zijn broek zaten eveneens natte plekken. „Strik jij je veters eerst maar eens," commandeerde hij Johan, die de glasscherven van de grond had opgeveegd en alweer nieuwe glazen wilde gaan halen.

Johan deed het meteen. „Ik kon er écht niets aan doen, Rob!" verontschuldigde hij zich voor de zoveelste keer.

„Ja, ja, het is al goed, hoor! Dit shirt gaat thuis toch rechtstreeks de was in," antwoordde Robin, nog steeds knorrig. Hij was nog geen uur geleden onder de douche geweest, en het zag er naar uit dat hij straks weer onder de douche kon gaan staan.

Hij dronk zijn glas met cola leeg, praatte met Johan nog even over diens aanstaande sollicitatie, gaf hem enkele tips en stond daarna op. „Het is tijd. Ik ga, Johan, want het is morgen weer vroeg dag."

„Nogmaals mijn excuses voor dat ongelukje, Robin."

„Welnee, een ongeluk zit in een klein hoekje. „'t Had mij toch ook kunnen gebeuren!"

„Ach ja, dat is waar. Maar... ik kan dus op je rekenen als ik solliciteer?"

„Tuurlijk! En ik wens je daarbij heel veel succes toe. Laat wel wat van je horen als het iets wordt, Mans. Afgesproken?" Robin stond inmiddels op en pakte zijn sporttas.

Johan Mans glimlachte gelukkig toen Robin hem alleen achterliet met zijn half leeggedronken glas bier. Robin groette de andere kantinebezoekers en zwaaide naar de overgebleven jongelui achter het tafelvoetbalspel, alvorens hij naar buiten liep waar een regenbui hem verraste.

Hij bleef nog even staan en snoof de natte regenlucht in zich op. Een lucht die zich vermengde met de geur van vochtige beukenbomen en natte varens, die aan de rand van het voetbalveld stonden. Het rook heerlijk fris na de benauwde zomerse dagen die ze hadden gehad.

Langzaam liep hij naar zijn auto, zette de sporttas op de achterbank en toen hij zelf eenmaal in de auto zat trok hij een vies gezicht vanwege de indringende bierlucht die nog om hem heen hing. Hij startte zijn auto, zette de ruitenwissers aan en reed traag van het parkeerterrein weg. Het voetbalterrein lag net even buiten zijn woonplaats, lang hoefde hij dus niet te rijden.

Met zijn rechterhand draaide Robin in een gewoontegebaar aan de knop van de radio en meteen klonk de donkere stem van een nieuwslezer uit twee kleine geluidsboxen. De stem maakte melding van een oorlog ergens aan de andere kant van de wereld en van zinloos geweld in eigen land, en ter afsluiting kondigde hij somber weer aan voor de dag van morgen. Een regenachtige dag.

Maar Robin was daar niet rouwig om, een dagje regen zou een verademing zijn voor mens én natuur, dacht hij, terwijl hij een voorrangskruising naderde en wat gas terugnam, omdat er een auto van rechts met hoge snelheid aan kwam rijden. Verbolgen over het feit dat de andere weggebruiker niet goed uit zijn of haar ogen keek en het verkeersbord klaarblijkelijk niet zag, dat toch duidelijk liet zien dat híj degene was die voorrang had, bewoog hij zijn voet al naar de rem. Tot zijn grote verbazing zag hij de naderende auto een onverwachte draai naar rechts maken, hoorde hij het snerpende gegier van slippende banden op het natte wegdek, en zag hij het voertuig met een flinke vaart gedwongen tot stilstand komen tegen een boom. Vanuit de opengereten motorkap kringelden vrijwel meteen rookpluimen omhoog. Robin reageerde direct en intuïtief. Hij parkeerde zijn auto langs de kant van de weg en rende naar het verongelukte voertuig toe dat zich aan de andere kant van het kruispunt bevond.

Achter het stuur zal een bejaarde man, met grijzige haren. Er liep een straaltje bloed over zijn voorhoofd, dat stil op het stuurwiel lag. Robin wilde het portier openen en eerste hulp bieden, maar het portier zat muurvast vanwege de enorme klap die alles blijkbaar had ontzet. Hij probeerde het nog eens, waarbij hij nu zijn voet tegen de zijkant van de auto plaatste zodat hij wat meer kracht kon zetten. Deze keer had hij meer geluk, het portier schoot krakend open. De bejaarde man hief langzaam zijn hoofd van het stuurwiel omhoog en keek hem aan. „Gaat het, meneer? Kunt u zich bewegen?" vroeg Robin, die behalve een kleine verwonding aan het hoofd van de man niets kon ontdekken.

„O ja... alleen m'n hoofd! Au, m'n hoofd! Maar... maar wat is er eigenlijk gebeurd?" Er klonk paniek in de stem van de man. „Waar is Anke gebleven... mijn vrouw... waar is Anke?" Zijn gewonde hoofd draaide naar rechts en toen Robin zijn blik volgde zag hij dat de man niet alleen in de auto zat. Naast hem zat een passagier, de vrouw van deze gewonde man, die steeds maar weer haar naam bleef roepen. „Anke... Anke... doe toch je ogen open, mijn lief!"

Er gleed een rilling over Robins rug toen hij zich realiseerde dat Anke haar ogen waarschijnlijk nooit meer zou openen. Haar gezicht zag blauw en zat vol bloeduitstortingen en uit haar scheef getrokken mondhoek sijpelden druppels bloed via haar kin op haar gekromde kapotte handen. En haar benen... De vrouw zat hopeloos bekneld. Robin stond ineens te trillen op zijn benen. Om haar uit deze onherstelbaar beschadigde auto te kunnen bevrijden was duidelijk deskundige hulp nodig. Dit kon hij niet alleen! Hier moest de brandweer aan te pas komen, en de politie moest ook gewaarschuwd worden, evenals een ambulance.

„Stapt u eerst maar uit, meneer. Gaat het?" Robin nam de trillende hand van de bejaarde man in de zijne en ondersteunde hem. „Ik zorg wel voor hulp, uw vrouw heeft hulp van een arts nodig," probeerde hij hem enigszins gerust te stellen. Met wankele benen stapte de man uit en leunde eerst duizelig tegen Robin en vervolgens tegen zijn auto aan. Robin zag op een afstand de autolampen van een tegenligger aankomen. Zonder verder ergens bij na te denken rende hij het kruispunt op en zwaaide wild met zijn armen. De rijdende auto stopte, de ernstige ogen van een vrouw van middelbare leeftijd keken hem onderzoekend aan. „Er is zojuist een ongeluk gebeurd, u moet de politie, de ambulance en een brandweer bellen! Er is hulp nodig. Met spoed!" Toen de vrouw de verongelukte auto zag, knikte ze. „ Ik zorg er meteen voor," zei ze en reed vervolgens met hoge snelheid weg, om vijf minuten later weer terug te keren op de plaats van het ongeluk waar zij zich meteen ontfermde over de jammerende bejaarde man. Even later hoorde Robin de sirene van de ambulance al in de verte naderen, een politieauto kwam met hoge snelheid en zwaailichten vanuit een andere richting aangereden.

Daarna gebeurde alles heel snel, de bejaarde man werd onderzocht en even later in de ambulance meegenomen naar het ziekenhuis voor nader onderzoek. Behalve een kleine hoofdwond, die gehecht moest worden, verkeerde de man ook duidelijk in een shocktoestand. Hij kon zich van het ongeluk niets meer herinneren en sprak voortdurend over een huwelijksfeest. Twee brandweermannen waren nodig om zijn vrouw uit de auto te bevrijden, en terwijl Robin met een verlammend gevoel van onmacht stond toe te kijken tikte een van de politiemannen hem op zijn schouders. „Meneer, bent u soms getuige geweest van dit ongeluk? We vragen ons namelijk af hoe dit heeft kunnen gebeuren, er is zo te zien geen enkel ander voertuig bij betrokken."

„Jazeker," beaamde Robin onmiddellijk, „ik zag alles precies gebeuren. De automobilist draaide het stuur onverwachts naar rechts en reed met hoge snelheid tegen die boom. Het is voor mij een compleet raadsel... ik... ik..."

„Loopt u maar even mee naar mijn dienstauto, dan heb ik nog enkele vragen voor u en dan kan ik alles meteen noteren voor het proces-verbaal."

Robin volgde de man in uniform en zag onderwijl een takelwagen arriveren, terwijl een tweede ambulance stopte en niet veel later met het andere slachtoffer in de nachtelijke duisternis verdween. „Vreemd, ik dacht toch écht... ik dacht dat het voor die vrouw te laat zou zijn!" zei hij verbouwereerd voordat hij instapte.

„Ja, dat dacht ik ook, maar misschien is ze alleen gewond en leeft ze nog steeds, meneer eh.... hoe is uw naam eigenlijk?"

„Robin, Robin Arendonk."

Er sprong plotseling een nare brok in zijn keel, hij deed zijn ogen even dicht en zag tot zijn grote schrik de auto opnieuw met hoge snelheid tegen de boom rijden. Daarna opende hij zijn ogen weer, enigszins onthutst door dit schokkende beeld.

„Heb je alcohol gedronken, Robin?" hoorde hij de politieman naast zich vragen, die meteen een aantekening maakte.

„Alcohol?" herhaalde Robin enigszins verdwaasd, terwijl hij de dikke brok in zijn keel probeerde weg te slikken. „Nou nee, wel wat glaasjes frisdrank, ik eh..."

„Je ruikt anders wel naar alcohol," onderbrak de politieman hem. Robin knikte, probeerde alles van de afgelopen avond op een rij te krijgen en herinnerde zich het ongelukje in de kantine weer.

Hij vertelde het met een zenuwachtig lachje, terwijl hij vanaf een afstand zag dat de verongelukte auto door een takelwagen werd weggesleept. „Dus je hebt geen druppel alcohol op!" stelde de politieman tevreden vast. Robin knikte nogmaals bevestigend, begreep niet waar de man op aanstuurde. „U wilde me toch enkele vragen stellen over dit ongeluk?" vroeg hij, enigszins kortaf.

„Jazeker. Vertel maar eens precies wat er gebeurd is."

Robin begon te vertellen bij het begin, over zijn vertrek vanaf het voetbalveld tot het moment dat de politiemannen zelf arriveerden. Toen hij onder woorden wilde brengen in welke staat hij het vrouwelijke slachtoffer had aangetroffen naast de gewonde bejaarde chauffeur, raakte hij geëmotioneerd. Hij knipperde driftig de tranen weg die in zijn ogen sprongen en zocht onderwijl naar een zakdoek.

Hij snoot vervolgens zijn neus en mompelde „sorry" met hese stem, terwijl de politieman hem rustig zijn gang liet gaan en geduldig wachtte tot hij zich voldoende had hersteld.

„Als er achteraf nog enkele vragen zijn, nemen we wel contact met je op," besloot de politieman vijf minuten later en stopte zijn map met aantekeningen in een tas. Zijn collega, die nog een poosje in de nabije omgeving van het auto-ongeluk had rondgekeken, kwam nu ook op de dienstauto toegelopen. Robin haalde opgelucht adem en stapte even later in zijn eigen auto, waarvan het portier nog steeds openstond en de autoradio speelde.

Hij zag de politieauto wegrijden en bleef als enige achter op de plek des onheils.

Hij kon niet geloven dat hij nauwelijks anderhalf uur geleden getuige was geweest van een dramatisch auto-ongeluk, waarbij een vrouw zwaar gewond was geraakt, of om het leven was gekomen. Robin klemde zijn handen om het stuur en probeerde zijn ogen niet dicht te doen, want elke keer als hij zijn ogen sloot, zag en hoorde hij het weer gebeuren. Het gegier van remmen, de auto die met een vaart tegen de boom aanreed, de jammerende man en de verminkte vrouw. Als in trance startte hij zijn auto, en reed ongewoon langzaam naar huis omdat zijn benen zo trilden.

De miezerige regen was inmiddels overgegaan in een fikse regenbui, in de verte rommelde het en er schoten felle bliksemstralen door de lucht. Maar Robin hoorde en zag het niet, hij merkte ook niets van de vallende nattigheid toen hij uitstapte. Hij ging gewoon in de woonkamer op de bank zitten en was voorlopig niet van plan om naar bed te gaan. Zijn gedachten waren bij de bejaarde vrouw, want misschien leefde ze nog wel! Dat ze met de ambulance naar het ziekenhuis was afgevoerd gaf hem op dit moment toch wel enige hoop.

Hij nam zich voor om morgenvroeg het ziekenhuis op te bellen, en naar haar toestand te informeren. Hij moest het zeker weten.

6

Met nog zes andere mannequins vertegenwoordigde Judith het modellenbureau 'Beautyful Lady'. Er was in het midden van Modehuis Lolita een smalle lange catwalk geïnstalleerd, een soort podium waarop ze straks als model moest lopen. Drie andere bureaus hadden eveneens hun allerbeste modellen opgetrommeld. Ze hadden voor hun deelnemers een aparte verkleedruimte toegewezen gekregen, waarachter tevens een groot rek stond met daaraan een enorme hoeveelheid kledingstukken. De kledingstijl varieerde van erg sportief tot zeer degelijk, en alles wat er hing zag er exclusief en duurzaam uit.

De ontwerper en de directieleden van het gerenommeerde modehuis zaten allen aan de zijkant van het podium te wachten op wat komen ging, ze hadden elk een lijst in handen om aantekeningen te maken. Judith voelde de spanning stijgen. Omdat het voor haar de eerste keer was dat ze deelnam aan een casting, nam de agente van het modellenbureau haar een ogenblikje apart. „De foto's in je portfolio waren geweldig, Judith. Ach, dat is eigenlijk niet eens het goede woord. Uniek! Ja, dat woord past het beste bij wat je mij tot dusver hebt laten zien en wat je me eerder al hebt verteld. Vandaar dat ik je vanavond deze kans graag wil geven. De creaties die jij zo dadelijk gaat showen hangen op naam en in de opgegeven confectiemaat klaar in het kledingrek, het wijst zichzelf verder allemaal wel. Zorg er in ieder geval voor dat je je snel en efficiënt presenteert aan de mensen die in de zaal zitten. En tja..." met een keurende blik liet de vrouw even haar ogen langs Judiths postuur glijden, ze streek even met haar hand over haar kin. „Zo te zien zal dat geen probleem zijn, je ziet er in ieder geval op dit moment al stralend uit! Dit wordt vast jouw avond, ik verwacht veel van je. Succes!"

Judith glom van trots, het compliment van haar agente Josien Klarenbeek zorgde ervoor dat haar zelfvertrouwen over het verloop van deze avond ineens flink toenam. Haar zes collega's dachten er echter anders over, ze keken haar stuk voor stuk enigszins argwanend en minzaam aan en lieten duidelijk blijken dat ze niet zo blij waren met haar deelname aan deze avond. Ze pochten er steeds op dat ze alle zes al geruime tijd ervaring hadden als model, en dat was ook wel nodig om voor een exclusieve zaak als Modehuis Lolita te mogen werken. Een beginneling moest nog zoveel leren, vonden ze. En wat had Josien eigenlijk bezield om een onervaren mannequin op deze belangrijke casting uit te nodigen? Dat was toch vragen om problemen! 'Beautyful Lady' maakte op deze manier niet bepaald reclame voor het bureau, deze overmoedige actie was alleen maar gedoemd om te mislukken. Judith hoorde de opmerkingen, die zachtjes achter haar rug gefluisterd werden, gelaten aan. Ze begreep dat ze een gevaarlijke concurrente was voor deze meisjes, die er ook allemaal bijzonder knap en bevallig uitzagen. En dat was overigens best te begrijpen. Ze wilden vanavond allemaal wel uitgekozen worden en bij de beste mannequins horen. Degenen die uitgekozen zouden worden konden immers rekenen op een prima contract, met een uitstekende financiële vergoeding. Daar kwam nog eens bij dat Modehuis Lolita een springplank was om hogerop te komen in de modewereld. Deze casting was voor elke mannequin die eraan mocht deelnemen dus een gouden kans.

Judith verkleedde zich snel in een lange rok met een truitje en een sjaal uit de najaarscollectie, mooie kleding die met haar naam erop aan het rek klaarhing. Ze hield haar adem in toen ze zichzelf in de spiegel bekeek, en controleerde of alles wel goed zat. Als moeder haar nu eens zou zien, of oma, die was toch al zo enthousiast! „Ik ben trots op je," had oma gezegd.

Trots? Wat was het toch een lieverd, die oma!

Judith schudde haar haren naar achteren, glimlachte voldaan en sloot een moment haar ogen toen Josien gebaarde dat ze de catwalk op moest lopen. Dit was het moment waarop ze met een kloppend hart gewacht had.

In de winkel klonk een zachte klassieke melodie, en toen Judith haar eerste stappen voorwaarts zette en het publiek haar kon zien, klonk een heldere vrouwenstem door een microfoon die precies vertelde wat voor kleding ze droeg.

„En, dames en heren, hier is Judith! Zij draagt een lange rok van krinkelzijde met metaalglans en een zilvergrijs bouclé-truitje. Op de sjaal zijn kleine kraaltjes geborduurd..."

Judith liep zelfverzekerd naar het einde van het podium, draaide zwierig in het rond zodat het publiek duidelijk kon zien wat voor kleding ze droeg. Daarna liep ze terug, en nog eens op en neer. Haar tred was gracieus en ontspannen en de gezichten van de mensen op wie ze neerkeek volgden haar bewegingen ademloos.

„Schitterend!" siste Josien haar toe toen ze terugkwam in de kleedkamer. „Meisje, je bent warempel een natuurtalent!"

Judiths wangen kleurden van opwinding toen ze snel haar kleding verwisselde voor een volgende creatie. Ze merkte niets meer van de opgewonden spanning die ze heel de dag al had gevoeld. Lopend op het podium was het net alsof ze nog nooit iets anders had gedaan.

De andere modellen presenteerden eveneens om beurten hun kledingstukken, en halverwege de avond werd er een korte pauze ingelast, waarna ze tot elf uur de rest van alle overgebleven kledingstukken showden.

Toen ze daarna nog een kwartier moesten wachten op de uitslag van de ontwerper en de directieleden, voelde Judith dat ze enorm zenuwachtig werd. De andere mannequins hadden natuurlijk een beduidend grotere kans, zij hadden inmiddels de nodige ervaring opgedaan. Dat had ze hen heel duidelijk horen zeggen, en dat ontbrak er bij haar nog aan.

Toen de ontwerper en de directieleden terugkwamen met de uitslag voelde Judith haar hart zwaar bonzen. Ze hadden zes mannequins nodig. Zou zij erbij zijn?

Nadat er drie namen waren genoemd hoorde ze haar eigen naam als muziek door de winkelruimte klinken. „Judith Lankhaar..." Judith sloeg spontaan haar beide handen tegen haar mond, met moeite kon ze een opkomend juichkreetje onderdrukken. Josien knikte haar tevreden toe. „Ik wist het wel," vertrouwde ze Judith en de anderen toe. „Ik vergis me zelden, meisjes. En Judith, ik zei het je al eerder vanavond, je bent een natuurtalent. Je kunt als mannequin enorm veel bereiken als je er maar voor zorgt dat je altijd voldoende nachtrust krijgt en goed oplet wat je eet. Onze modellen zijn altijd modieus en extreem mooi. Mijn stelregel in dit vak is dan ook: slank is mooi!"

Judith knikte. Natuurlijk, wat dat betreft had Josien gelijk. Ze zou er zeker op letten, nog meer dan ze al deed, want haar leven bestond al een hele poos uit opletten met zoetigheid en calorieën.

De andere mannequins van 'Beautyful Lady', waarvan er nog twee uitgekozen waren om een poosje voor Modehuis Lolita te gaan werken, feliciteerden haar en gaven haar vanaf dat moment het bijzondere gevoel dat ze er helemaal bij hoorde.

Judith kon die nacht niet slapen, de succesvolle avond lag nog zo vers in haar geheugen dat ze alles niet zomaar van zich af kon zetten. Ze was uitkozen door de ontwerper en de directie van Modehuis Lolita, en hoorde nu bij de zes beste mannequins van die avond. Het was te mooi om waar te zijn. Ze had zichzelf al eens in haar arm geknepen zodat ze zich direct pijnlijk realiseerde dat het gelukkig allemaal echt was gebeurd en dat het deze keer geen droom was. Om vier uur stapte ze dan ook voor de zoveelste keer klaarwakker uit bed en dronk een glas water aan het kleine aanrecht van de caravan. Nog even, dan zouden de merels weer gaan roepen en de mussen beginnen te tjilpen, een nieuwe dag zou aanbreken. Een heerlijke nieuwe dag! Vandaag zou ze aan iedereen vertellen dat ze uitgekozen was om binnenkort deel te nemen aan een serie modeshows in tal van grote steden.

Maar ze zou, voordat ze naar haar werk ging, eerst haar ouders op de hoogte brengen. En Fred natuurlijk, die moest het ook weten, want hij had haar niet al te serieus genomen toen ze hem van de casting verteld had. Het zou hem zeker verbazen dat zíj de mannequin was die ze uitgekozen hadden! Die Fred...

Judith stapte met een overgelukkig gevoel weer in bed, ze wilde nog een paar uurtjes dromen over de glansrijke carrière die zich voor haar uitstrekte. Langzaam maar zeker gleed ze dan ook weg in een lichte doezelige slaap en droomde helemaal niet van een carrière, maar van het vijftigjarige trouwfeest van opa en oma, waar moeder aan haar mooie kleding trok en huilend uitriep dat ze niet weg mocht gaan, dat ze juist op het feest moest blijven. Toen haar wekker al vroeg afliep en ze wakker schrok, realiseerde ze zich opgelucht dat het maar een droom was geweest.

Neuriënd stapte ze onder de miniatuurdouche, die zich in de kleine toiletruimte bevond, en kleedde zich niet veel later aan. Ze was wat vroeger dan normaal, een kort bezoekje aan haar ouderlijk huis zou zeker een half uur in beslag nemen, had ze uitgerekend. En om klokslag half negen werd ze weer in de supermarkt verwacht voor een achturige werkdag. Ze nam het besluit om vandaag maar eens een keer niet te ontbijten, ze wilde Josiens advies graag meteen opvolgen. Slank is mooi, had Josien gezegd. En ze moest natuurlijk vooral goed letten op haar eetgedrag, een paar kilootjes kon ze vast nog wel missen. Vanmorgen nam ze dus geen boterham met magere kaas zoals ze dat gewend was, en in plaats van een beker melk dronk ze een glas water, want daar zaten geen dikmakende calorieën in.

Judith stuurde haar auto om half acht van het parkeerterrein af en reed de bekende weg naar huis. De regen sloeg tegen haar raam, de ruitenwissers zwiepten snel heen en weer, en de wereld zag er in tegenstelling tot de vorige dag somber en troosteloos uit. Tot haar grote verbazing zag ze vaders auto voor het ouderlijk huis staan, terwijl ze zeker wist dat die hem 's nachts altijd in de garage, achter slot en grendel, parkeerde. Doorgaans kwam de auto 's morgens vóór acht uur de garage niet uit. Vader reed toch altijd pas om kwart over acht naar zijn werk? Het was een beetje vreemd om zijn auto al zo vroeg voor het huis te zien staan.

Judith parkeerde haar auto achter die van haar vader en liep naar de voordeur. Ze wilde haar sleutel in het slot steken, maar de deur zwaaide al open. „We zagen je aankomen," hoorde ze Freds stem zeggen. „Vader stond net op het punt om naar 'De Vogelkooi' te rijden en je op te zoeken."

„Jullie zijn natuurlijk allemaal vreselijk benieuwd naar de afloop van..." Judith liep de gang in maar brak haar zin halverwege af en staarde geschrokken naar Freds verdrietige gezicht. „Fred... Freddie... is er iets? Je kijkt zo triest!"

„Loop maar door naar de woonkamer, Juut. Pa zal je het afschuwelijke nieuws zelf wel vertellen," hoorde ze hem schor fluisteren. Judith kon ineens geen stap meer zetten. Wat was hier aan de hand? Wat voor vreselijk nieuws had vader te melden op deze zo fantastische dag? „Loop maar door..." drong Fred aan, hij gaf haar een duwtje in de rug zodat ze automatisch haar ene voet voor de andere zette en schoorvoetend naar binnen liep.

In de woonkamer zag ze moeder in de stoel zitten met poes Pluis op schoot, haar gezicht zag er roodbehuild uit terwijl vader als een wassen beeld voor het raam stond en naar de verregende planten in zijn tuin staarde. „Mam... pap... ik ben er. Kan iemand mij misschien vertellen wat er aan de hand is?" Vader draaide zich om, Judith keek in zijn vermoeide ogen en een angstig voorgevoel benam haar een ogenblik de adem. Hier was duidelijk iets mis! Fred nam plaats in een stoel tegenover die van moeder en het leek wel een eeuwigheid te duren voorJudith haar vader hoorde vertellen dat opa en oma gisteravond laat een verkeersongeluk hadden gehad. Opa lag op dit moment nog met een hersenschudding en een kleine hoofdwond in het ziekenhuis terwijl oma... „Oma is op weg naar het ziekenhuis aan haar verwondingen overleden, kind." Vaders woorden galmden na door de woonkamer, moeder begon bij die woorden opnieuw te snikken en al het bloed week uit Judiths gezicht. Ze wiebelde even onvast op haar benen toen een lichte duizeling voorbijtrok.

„Oma, dóód?" fluisterde ze ontzet, terwijl ze zich met een licht gevoel in haar hoofd op de bank liet zakken.

„Ja, Judith. Oma heeft het helaas niet gehaald. Haar verwondingen waren zó ernstig... ze was niet meer te redden."

Judith voelde tranen achter haar ogen branden, het leek wel of een wurgende hand haar keel dichtkneep. „Waarom... wáárom heeft u me dit niet eerder laten weten?" fluisterde ze hees. Moeder snoot haar neus en keek Judith met rode ogen aan. „ Je vader en ik kwamen gisteravond laat thuis van het feest, we babbelden nog wat na over de gezellige trouwdag en... en... om één uur stond de politie plotseling aan de deur om ons alles te vertellen over het afschuwelijke ongeluk. Daarna zijn we natuurlijk meteen naar het ziekenhuis vertrokken en papa heeft daar contact gezocht met tante Mieke, tante Stans en oom Rien, die ook allemaal onmiddellijk naar het ziekenhuis zijn gekomen. Kind, we zijn praktisch de hele nacht in touw geweest en tante Mieke is nog geen halfuur geleden als laatste naar huis gegaan. We realiseerden ons pas een kwartier geleden dat jij nog niet was ingelicht, papa stond juist op het punt om dat te gaan doen."

Judith stond op en liep naar haar moeder, met een dikke brok in haar keel legde ze haar armen om haar heen, terwijl poes Pluis, door die omhelzing in het nauw gekomen, uit zijn benarde situatie wegvluchtte.

„O, mam, wat vreselijk. Ik kan het nauwelijks geloven," zei ze met tranen in haar ogen en dacht onmiddellijk terug aan gisteravond, toen oma haar succes had gewenst en verteld had dat ze heel erg trots op haar was. Als ze toen had geweten dat dit haar laatste gesprek met oma zou zijn geweest? Dan was ze misschien wel op het feest gebleven en had ze gewoon meegedaan met het gezellige familiediner.

Judith kneep haar ogen dicht. Nee, zo mocht ze niet denken. Oma was juist heel enthousiast geweest over haar deelname aan de casting, ze had haar zelfs aangemoedigd om te gaan. Die kans mocht ze volgens oma niet laten liggen, ondanks de feestelijkheden.

Jammer, dat ze haar nu nooit meer zou kunnen vertellen dat ze uitgekozen was om als mannequin te gaan werken.

Moeder wreef troostend met haar hand over Judiths rug. „Tja, het heeft ons allemaal overvallen, Juutje. Het ís inderdaad nauwelijks te geloven... ik kan het zelf ook nog niet bevatten. Het lijkt wel een boze droom!"

Haast geruisloos liep vader voor hen langs met twee kopjes koffie. „Hier, drink maar op," zei hij en zette de kopjes onhandig op de salontafel waarbij er een scheut koffie op de schoteltjes gutste.

Moeder veegde haar natte wangen droog met een grote zakdoek, Judith liet haar los en nam weer plaats op de bank. „Hoe gaat het met opa? Weet hij het ook al van oma?" informeerde ze voorzichtig.

„Hij weet het wel," antwoordde vader in moeders plaats. „Alleen..." Judith zag dat er boven vaders wenkbrauwen een zorgelijke rimpel verscheen. „... hij heeft nu nog last van geheugenverlies. Opa kan zich van het ongeluk totaal niets meer herinneren, dat komt wel vaker voor bij mensen met een hersenschudding, heeft de dokter ons verteld. Waarschijnlijk kan hij het zich over een paar dagen wel weer herinneren. Tja, het is een hele schok voor opa dat oma het ongeluk niet heeft overleefd."

Er volgden enkele stille momenten waarbij ze alle vier aan opa dachten. De klok tikte de seconden langzaam weg.

Judith dronk haar koffiekopje leeg zonder daarbij de koffie te proeven, ze voelde zich slap en leeg en haar maag knorde. „Ik bel mijn werkgever even op om te zeggen dat ik vandaag niet kan komen. Misschien kan ik nog wat voor u doen en vanmiddag wil ik opa graag opzoeken in het ziekenhuis."

Moeder knikte dankbaar. „Dat is goed, meisje. Je hulp komt goed van pas, er moet nog zoveel geregeld worden. Straks komt er iemand van de begrafenisonderneming om alles door te spreken, en de allerbeste vrienden en kennissen van opa en oma moeten ook nog worden ingelicht."

„Dat wordt allemaal geregeld, Agnes. Ga jij nu eerst maar een paar uurtjes rusten, want je hebt vannacht nog geen oog dichtgedaan," opperde vader zorgelijk terwijl Fred hem direct bijviel.

„Dat vind ik een prima idee, pap. Maar u kunt zelf ook wel wat rust gebruiken."

Nadat Judith de bedrijfsleider van de supermarkt had gesproken, zag ze haar ouders allebei naar boven lopen. Ze zouden samen een paar uurtjes gaan slapen om weer wat op krachten te komen, terwijl Fred enkele vrienden en kennissen telefonisch van de droevige gebeurtenis op de hoogte zou brengen.

Wat een schril contrast met de vorige dag, de blijdschap vanwege het feest was omgeslagen in een mateloos verdriet. Judith zuchtte diep, haar eigen blijde nieuws had ze naar de achtergrond gedrongen, het was momenteel niet zo belangrijk meer. Ze zou het hun later wel vertellen, op een beter moment.

„Agnes, ik herinner me het ongeluk weer."

Dat waren de eerste woorden die zachtjes over Pieters lippen gleden, nadat Agnes op een stoel naast zijn bed was gaan zitten.

Ze keek geschrokken op, in zijn ogen lag een wereld van verdriet en onmacht. Hij had het de laatste twee dagen vreselijk moeilijk gehad met Ankes dood. Hij had zich helemaal niets meer kunnen herinneren en het ook niet kunnen accepteren dat hij volgens de politie die verkeersfout zelf had gemaakt. Agnes' hart kromp ineen. Het was de dag voor Ankes begrafenis en zometeen zouden ze van de specialist te horen krijgen of Pieter in staat was om de begrafenis bij te wonen. Vanwege de heftige hoofdpijn was bedrust momenteel het beste medicijn voor hem. Maar hij wilde zo graag de begrafenisdienst bijwonen om op gepaste wijze afscheid te nemen van de vrouw waarmee hij vijftig jaar getrouwd was geweest, dat Agnes hoopte op een positieve beslissing.

En nu was de herinnering ook terug en zijn geheugenverlies weg.

„O, vader, wat moet ik zeggen? We hebben immers alles al van de politie gehoord. U moet er maar niet te veel over piekeren." Agnes legde haar warme hand op die van Pieter.

„Ik droomde er vannacht van en toen ik vanmorgen wakker werd wist ik alles weer. Ik kon er écht niets aan doen... die auto van links zag ik op het laatste nippertje aankomen, zodat ik mijn stuur meteen naar rechts draaide... met alle gevolgen van dien." De laatste woorden waren nauwelijks verstaanbaar, ze klonken als een snik.

Er liep een traan uit zijn ooghoek en Agnes wreef hem liefdevol met haar zakdoek weg.

„Daar kon u inderdaad niets aan doen. U reageerde in een reflex, u hoeft zich echt niet schuldig te voelen," hoorde Agnes zichzelf kalm zeggen terwijl er van binnen allerlei alarmbellen gingen rinkelen. 'Die auto van links' had Pieter gezegd. Welke auto bedoelde hij eigenlijk? De politie had het helemaal niet over een auto gehad die betrokken was geweest bij het ongeluk!

„Die man was ondanks de smerige alcohollucht wel erg behulpzaam, Agnes. Maar je moeder... mijn Anke... kon hij niet redden. Hij kon haar niet helpen, ze zat helemaal bekneld met haar benen en ze bloedde vreselijk."

„Alcohol?" Agnes fronste haar voorhoofd, wat bedoelde vader eigenlijk? De politie had niets over een dronken man verteld!

IJlde hij nu? Was hij misschien een beetje in de war?

„O ja, er hing een zware alcohollucht om hem heen. Maar hij was verder erg aardig en héél behulpzaam, dat moet ik hem nageven," hoorde ze hem antwoorden.

Agnes tuurde enkele seconden voor zich uit en allerlei gedachten buitelden door haar hoofd. Hij was vreselijk in de war, dat kon niet anders! Ze had er geen andere verklaring voor. Pieters versie van het ongeluk was zó heel anders dan die van de politie. Hij had door het ongeluk natuurlijk een behoorlijk klap opgelopen en de schok vanwege Ankes dood had er ook geen goed aan gedaan, dat verklaarde waarschijnlijk op dit moment zijn wartaal.

„Niet over piekeren, vader. U kunt er beter maar helemaal niet meer aan denken," adviseerde Agnes hem met klem. Haar hart liep over van medelijden toen ze de pijnlijke trekken om zijn mond zag, terwijl hij haar vertelde dat hij het ongeluk niet uit zijn hoofd kón zetten en dat hij er juist over wilde praten omdat hij anders bang was gek te worden.

Ze hadden geen van beiden gehoord dat de kamerdeur zachtjes openging en de specialist op hen toeliep. De arts kuchte eens, waarop Agnes en Pieter hem eerst verrast, en dan verwachtingsvol aankeken. „Hoe gaat het vandaag met u, meneer Graafsma? Is de hoofdpijn al wat gezakt?" informeerde de arts en bleef aan het voeteneind van Pieters bed staan.

„Ja dokter, het is al iets beter dan gisteren, en de herinnering is ook weer terug. Ik kan me echt alles weer herinneren!"

„Dat is een hele vooruitgang, meneer Graafsma. U bent op de goede weg. Ik denk dat u morgenmiddag de begrafenis van uw vrouw wel bij kunt wonen. Ik heb in ieder geval medicijnen voorgeschreven om de hoofdpijn zo veel mogelijk te onderdrukken, de hoofdzuster zal u straks het recept wel geven, maar vannacht wil ik u toch nog graag hier houden, dan stuur ik u morgenvroeg definitief met ontslag naar huis. Met voldoende bedrust en wat hulp van uw kinderen vertrouw ik erop dat u over enkele weken weer helemaal op de been zult zijn."

„Dat hoop ik ook, dokter. Alhoewel... ik zie er enorm tegenop om morgenmiddag..." Pieter was niet in staat om nog iets te zeggen, een hevige emotie belemmerde dat. Hij snikte, een schor geluid kwam daarbij uit zijn mond.

„Dat begrijp ik, maar u staat er toch niet helemaal alleen voor, heb ik begrepen? Uw kinderen zullen allemaal naast u staan, meneer Graafsma, en ze zullen u vast tot steun zijn." De ogen van de arts gleden naar Agnes die met rode wangen het gesprek tussen haar vader en de arts volgde.

„Vader is erg in de war, dokter. Denkt u dat dat door de hersenschudding en de terugkeer van zijn geheugen komt? Hij vertelt namelijk een héél ander verhaal over het ongeluk dan de politie ons doet geloven."

De arts gaf niet direct antwoord, tuitte even zijn lippen en knikte dan aarzelend.

„Tja, het ongeluk heeft uw vader natuurlijk erg aangegrepen. Zijn vrouw is daarbij om het leven gekomen en de herinnering daaraan is bijzonder traumatisch. Dat is heel begrijpelijk. Misschien doet u er goed aan om nog een keer contact op te nemen met de politie."

Agnes knikte, dat had ze zich inmiddels ook al voorgenomen. Ze wilde meer weten over de auto die betrokken was geweest bij het ongeluk, en ook de dronken man waarover vader sprak kon ze nu niet meer uit haar hoofd zetten. Had de politie zulke belangrijke zaken verzwegen? Of kwam het door vaders verwardheid? Ze wilde hier in ieder geval duidelijkheid over krijgen en wel zo snel mogelijk.

De arts groette hen daarna vriendelijk, wenste hun veel sterkte toe tijdens de begrafenis en liep de kamer weer uit.

Agnes' ogen gleden als vanzelf naar Pieter. „Ik kom u morgenvroeg wel ophalen," beloofde ze. Niet veel later stond ze op en nam afscheid van hem.

Agnes werd te woord gestaan door de receptioniste die aan de balie van het politiebureau zat, en haar met een opgewekt 'goedemiddag mevrouw' aansprak.

Agnes legde in het kort uit waarvoor ze kwam en eindigde met: „Kan ik de agent misschien even spreken die tijdens die avond dienst had?"

De receptioniste schudde direct haar hoofd. „Het spijt me, de desbetreffende agent heeft momenteel surveillancedienst. Maar misschien kan een andere collega het proces-verbaal nog eens met u doornemen."

Agnes ging er meteen op in en even later zat ze tegenover een wat oudere man in uniform.

Hij vertelde met een gefronst voorhoofd nogmaals wat er in het proces-verbaal stond opgetekend.

„Vreemd, mijn vader herinnert zich toch duidelijk dat er een andere auto bij het ongeluk betrokken is geweest en hij heeft het ook steeds maar over een behulpzame dronken man. Staat er dan helemaal niets van in de stukken die u daar heeft liggen?" Ze knikte naar het dossier dat de man nu voor de tweede keer doorlas. Na enkele minuten keek hij haar trouwhartig aan.

„Nee hoor. Een zekere meneer Arendonk is wel getuige geweest van het ongeluk, hij kon ons namelijk precies vertellen wat er die avond gebeurd is, maar zijn auto is niet betrokken geweest bij het ongeluk. En over alcoholgebruik lees ik verder ook niets."

„Dat snap ik niet!" Agnes keek de man verongelijkt aan.

„Ik kan er écht niets aan veranderen, mevrouw."

„Ik wil toch graag nog eens met de agent spreken die tijdens de avond van het ongeluk dienst heeft gehad. Kan dat?" informeerde Agnes op lichtelijk geïrriteerde toon.

De man tegenover haar knikte en haalde onderwijl zijn schouders op. „Tja, hij zal u waarschijnlijk precies hetzelfde vertellen, maar het kan wel. Ik zal hem één dezer dagen eens bij u langs sturen, is dat goed?"

„Graag," antwoordde Agnes. Ze kon niet zomaar aanvaarden dat haar vader wartaal uitsloeg en dat er misschien wel 'iets' in zijn hoofd niet goed meer functioneerde. De gedachte alleen al joeg haar angst aan.

„Hoe gaat het momenteel met uw vader?" informeerde de man terwijl ze opstonden en elkaar een hand gaven.

„Ach, hij knapt heel langzaam wat op. U begrijpt dat hij nog een lange weg moet gaan, mijn moeder heeft het niet overleefd, en dat is moeilijk te verwerken."

„Tja, dat is begrijpelijk. Volgens het proces-verbaal is het ook volkomen onduidelijk waarom uw vader het stuur plotseling naar rechts draaide."

Agnes haalde haar schouders aarzelend op, over die vraag hadden ze zich de laatste dagen allemaal suf gepiekerd. En daarom was ze ook meteen naar het politiebureau gereden na het bezoekuur in het ziekenhuis. Haar vader had een verhaal verteld waaraan ze zich maar al te graag wilde vastklampen. Er was zeer waarschijnlijk een andere schuldige in het spel! Een dronkenlap die de politie om een of andere reden over het hoofd had gezien. Als dát toch eens de waarheid was, dan hoefde haar vader zich ten opzichte van moeders dood niet langer schuldig te voelen. Natuurlijk deed dat niets af aan het verdriet en gemis dat ze nu allemaal voelden, maar het maakte alles misschien wat meer draaglijk. Zeker voor haar vader.

„Dat is voor ons ook nog steeds een raadsel, alhoewel vaders verhaal over die dronken man mij wel aan het denken heeft gezet. Ik hoop niet dat de politie nalatig is geweest bij het opmaken van dit proces-verbaal." Agnes' ogen schitterden een moment erg fel, ze voelde haar hart in haar keel bonzen. Als dát het geval was zou ze woedend zijn over de gang van zaken.

„Heus mevrouw, er staat geen regel geschreven over een dronken man. De politieman die het proces-verbaal heeft geschreven is een uiterst betrouwbare collega, daar durf ik mijn handen voor in het vuur te steken. Het ziet er mijns inziens eerder naar uit dat uw vader, gezien zijn leeftijd, getroffen is door een black-out of iets dergelijks. Meneer Arendonk, de man die alles gezien heeft en die uw vader uit die onherstelbaar beschadigde auto heeft bevrijd, had geen alcohol gedronken. Daar staat niets van opgetekend en daar kunt u op vertrouwen. Het is een aardige man die erg behulpzaam is geweest en ook meeleeft. Hij wil u zelfs graag zijn oprechte medeleven betuigen, want hij heeft de dag na het ongeluk contact met ons gezocht om uw adres op te vragen. U zult binnenkort wel iets van hem horen. Misschien is het goed om ook eens met die man te praten."

„O nee..." antwoordde Agnes bits. „Nee hoor! Dat wil ik niet. Ik wil beslist geen contact met die man en mijn vader wil dat ook niet."

„Misschien wilt u daar tóch nog eens over nadenken?" stelde de oudere politieman geduldig voor.

Maar Agnes was niet te overtuigen en weigerde opnieuw. Die man was waarschijnlijk de veroorzaker van het ongeluk!

„Goed, dan nemen wij wel weer contact op met meneer Arendonk en vertellen hem dat u geen prijs stelt op zijn toenadering."

Met een twijfelachtig gevoel over de hele gang van zaken nam Agnes afscheid van de politieman die haar te woord had gestaan. Toen ze even later het gebouw uit wilde lopen zag ze een poster aan de wand van de ontvangsthal hangen. „Drank maakt meer kapot dan je lief is..." stond er met grote letters op geschreven. Een waarschuwing die ze ook regelmatig op de televisie zag verschijnen.

Had overmatig drankgebruik ervoor gezorgd dat haar ouders het slachtoffer waren geworden van dit afschuwelijke ongeluk?

Agnes voelde de tranen achter haar ogen branden. Het was niet alleen het verdriet om haar dodelijk verongelukte moeder, maar ook om haar vader die zijn verdere leven met een schuldgevoel rond zou lopen.

Nee, het proces-verbaal rammelde aan alle kanten. Haar vader was altijd een goede chauffeur geweest en bovenal gezond van lijf en leden. Dat ongeluk was niet zijn schuld geweest, daar was Agnes van overtuigd. Het was die andere man geweest, meneer Arendonk, de enige getuige van het ongeluk. Het was zíjn schuld.

7

Herfstvakantie!

Robin was opgelucht toen de schoolpoorten voor een lange week dichtgingen. Zijn eerste welverdiende vakantieweek brak aan. De afgelopen twee maanden had hij bijzonder hard gewerkt en geprobeerd om al zijn aandacht en energie aan de lessen en het trainen van zijn leerlingen te schenken, zodat hij niet steeds hoefde te denken aan het rampzalige ongeluk waarvan hij getuige was geweest. In de week voor kerst zouden de competitiewedstrijden voor het volleybaltoernooi tussen de verschillende plaatselijke scholen plaatsvinden, waarbij zijn eigen team een grote kans maakte. Dat had hem tot nu toe de nodige afleiding gegeven.

Maar nu kon hij niet meer. Het leek wel alsof hij uitgeput was, helemaal leeg.

Met een zwaai gooide Robin zijn sporttas in een hoek van de gang en liet zich vervolgens in de woonkamer languit op de bank vallen. Hij had rust nodig, maar niet alleen van zijn werk.

Hij zou wel willen dat zijn getob over het auto-ongeluk nu ook eens zou verdwijnen. Maar dat gebeurde niet. Die gebeurtenis bleef onophoudelijk doormalen in zijn hoofd.

De ochtend na het ongeluk had hij het ziekenhuis gebeld en geïnformeerd naar de toestand van de zwaargewonde mevrouw die 's avonds laat per ambulance was binnengebracht en aangesproken werd met 'Anke'. Maar het ziekenhuis had hem geen enkele informatie willen geven omdat hij niet tot de familie behoorde. En het was nu eenmaal niet gebruikelijk om aan buitenstaanders allerlei medische mededelingen door te geven. Daarvoor moest hij toch echt bij de familie zijn. De politie zou hem vast wel willen helpen aan het adres van de betrokken familieleden.

Dezelfde dag had hij van de politie te horen gekregen dat Anke Graafsma al op weg naar het ziekenhuis aan haar verwondingen was overleden. Dit bericht had hem diep getroffen, want de beelden van de auto die plotseling tegen een boom aanreed en het smartelijke geroep van de gewonde man om zijn vrouw, bleven hem nog steeds dagelijks achtervolgen.

Robin was van plan geweest om na de begrafenis van Anke Graafsma contact op te nemen met haar man. Hij voelde duidelijk de behoefte om nog eens met die oude man over het ongeluk te praten. Hij vroeg zich nog steeds af wat hem eigenlijk had bezield om zijn stuur ineens naar rechts te draaien. Het was in Robins ogen een onbegrijpelijke reactie geweest met afschuwelijke gevolgen! Niet dat hij het hem op de man af zou durven vragen, want de man had daardoor zijn vrouw verloren en was misschien niet eens in staat om over de gevolgen te praten, maar hij wilde de man gewoon weer zien, en hem op de eerste plaats zijn medeleven betuigen. Het speet Robin dat hij Anke niet had kunnen redden, dat zorgde er zelfs voor dat hij zich tot op de dag van vandaag enigszins schuldig voelde. Misschien had hij niet genoeg geholpen, zich niet voldoende ingezet. Naar Anke had hij niet eens dúrven kijken. Eigenlijk meende hij op dat moment al dat zij niet meer leefde en hij was verbaasd geweest toen de ambulance haar even later meenam. Had hij achteraf gezien toch beter naar haar moeten kijken? De twijfel knaagde nog steeds aan hem, hoewel hij zich best realiseerde dat hij totaal niets voor haar had kunnen doen. De brandweerlieden hadden er even later volop werk mee gehad. De politie had hem een telefoonnummer gegeven van de familie, maar een dag later alweer opgebeld om hem te vertellen dat ze een eventueel gesprek met hem niet op prijs stelden. „De familie kan het niet aan," had de dienstdoende agent verteld.

En daar moest Robin het mee doen, hij voelde zich ontmoedigd en teleurgesteld. Vreemd genoeg kwam in die eerste week na het ongeluk de politie nog een keer bij hem langs om opnieuw te praten over het proces-verbaal. Maar hij had er niets aan kunnen toevoegen. „De oude man is behoorlijk in de war en ziet dingen die er blijkbaar niet zijn geweest," had de agent met een diepe zucht gezegd. „Hij denkt namelijk dat u betrokken bent bij en mede verantwoordelijk voor het ongeluk. Althans, dat beweert zijn dochter."

Robin was diep geschokt geweest door die beschuldiging en begreep vanaf dat moment ook meteen waarom de familie elk contact met hem wilde vermijden.

Denise was eveneens behoorlijk van haar stuk gebracht door deze opmerkelijke beschuldiging. Een dag na zijn gesprek met de politie, waar zij toevallig bij aanwezig was geweest, had er opeens een keurige heer in een driedelig kostuum met een aktetas in zijn hand voor de deur van Robins woning gestaan.

Hij stelde zich voor als meneer Dapper, advocaat van het plaatselijke advocatenkantoor dat de belangen van de firma Van Oosterbeek bij tijd en wijle behartigde. Het werd Robin al snel duidelijk dat Frank dit heerschap zonder enige bedenkingen op hem had afgestuurd.

„Het spijt me, maar ik heb geen advocaat nodig," had Robin in de geopende voordeur geïrriteerd gezegd. „Er is niets aan de hand."

„Ja, maar er zijn toch ernstige beschuldigingen door de tegenpartij tegen u geuit, meneer Arendonk?" In de stem van meneer Dapper had pure verontwaardiging geklonken omdat Robin er in zijn ogen erg gering over dacht.

Robin nodigde de keurige man met enige tegenzin binnen en vertelde hem zo summier mogelijk de precieze toedracht. „Ach, zit het verhaal zó in elkaar?" constateerde meneer Dapper op overdreven toon, terwijl hij de uit zijn aktetas gehaalde map met papperassen meteen weer terugstopte. „De gedupeerde familie kan u in dit geval dus helemaal niets maken, daar zijn juridisch gezien nu eenmaal ooggetuigen of harde bewijzen voor nodig en volgens uw verhaal zijn die er niet. Het proces-verbaal pleit zelfs in uw voordeel. Ik kan deze keer dus niets voor u betekenen en zal meneer Van Oosterbeek hierover inlichten."

Robin was opgelucht toen hij meneer Dapper in zijn grote Mercedes zag wegrijden, op weg naar zijn toekomstige schoonvader.

Waar bemoeide Frank van Oosterbeek zich eigenlijk mee? Of had Denise haar vader tot deze actie aangezet?

Hij vond het erg vervelend dat dergelijke zaken achter zijn rug om bekonkeld waren, alsof híj van plan was geweest om deze zaak voor de rechter uit te vechten! Nee, daar had hij in de verste verte niet aan gedacht, dat was wel het allerlaatste wat hij wilde.

Hij kon zich het verdriet en de onmacht van de Graafsma's maar al te goed voorstellen. Ook de verwarring, waar de oude man last van scheen te hebben, was te verklaren. Een hersenschudding op die leeftijd was niet niks!

Heel even nam Robin het idee in overweging om de familie een persoonlijke brief te sturen waarin hij klaar en duidelijk alles op zou schrijven over het ongeluk, maar weer wat later realiseerde hij zich dat zijn geschreven woorden niets zouden toevoegen aan het proces-verbaal van de politie. Een proces-verbaal waaraan ze ernstig twijfelden. Misschien dat de familie tijd nodig had om deze zware klap te verwerken en dat ze later wél bereid waren om hem te woord te staan. Robin nam, vermoeid van het vele piekeren, daarom ook het besluit om voorlopig geduldig af te wachten.

Maar de herinnering aan het ongeluk bleef hem dagelijks achtervolgen, hij kwam er niet los van, ondanks de afleiding van zijn werk op school en zijn vrijwilligerswerk voor de voetbalvereniging. Het beeld van de zwaargewonde Anke stond op zijn netvlies gebrand, en het geroep van haar man klonk nog steeds in zijn oren.

Robin opende langzaam zijn zware oogleden, hij hoorde het zachte geronk van een wagen die achter zijn auto parkeerde. In een oogopslag zag hij de felrode kleur van Denises sportwagen en vrijwel meteen zag hij haar uitstappen in een totaal nieuwe outfit. Een vrolijk gekleurde sjaal lag over haar zalmkleurige tuniek. Kreunend sloot hij zijn ogen weer, terwijl de wrange gedachte 'alweer een cadeautje van papa Frank' voor de zoveelste keer door zijn hoofd flitste. Hè, die overmatige luxe en geldverspillerij begon hem steeds meer te irriteren.

Denise stond in een mum van tijd voor hem, zijn voordeursleutel rammelde ongeduldig in haar hand. „Opstaan Robin," commandeerde ze hem, en de manier waarop ze dat zei duldde geen tegenspraak.

Robin hees zich langzaam omhoog en geeuwde nadrukkelijk, hij wreef met zijn handen over zijn wangen en keek haar zwijgend aan.

„Gunst, Rob, wat ben jij een luilak! Ik had gehoopt dat je al klaar zou staan, maar nu heb je zelfs je werkkleding nog aan!" Robin keek verbaasd naar zijn trainingspak en las meteen daarna de teleurstelling van haar gezicht. Hij haalde nonchalant zijn schouders op. „Hoezo?" reageerde hij korzelig, met een verontwaardigde blik in zijn ogen. Waarom mocht hij niet even genieten van een uurtje rust op de bank?

„Nou! We hadden toch afgesproken om vanmiddag naar de pasgestorte fundering van ons nieuwe huis te gaan kijken..."

„Ach..." stiet Robin uit, en er ging hem ineens een lichtje op. Denise had het hem de vorige dag verteld en hem gevraagd om vanmiddag met haar mee te rijden.

Twee weken geleden was de aannemer met de voorbereidingen van hun toekomstige huis begonnen en Denise bruiste van enthousiasme, ze kon over niets anders meer praten. Zelf volgde hij die ontwikkelingen met een bezwaard gevoel, niet écht blij met dit kapitale cadeau van vader Frank. Robin had liever gezien dat Denise na hun huwelijk bij hem in zou trekken, in zijn knusse rijtjeshuis, waar hij met haar gelukkig wilde worden.

Robins norse blik maakte meteen plaats voor iets wat op een verontschuldiging moest lijken. „Helemaal vergeten!" mompelde hij beschaamd en drukte een kus op haar wang. „Sorry, lieveling!"

Denise zuchtte hartgrondig, ze keek hem aan met ogen waarin hij een klein vonkje venijn zag glimmen. „Dit is niet de eerste keer dat jij een afspraakje met mij vergeet, Robin Arendonk! Ik ben het zo onderhand beu om je steeds achterna te lopen. Waar zít jij toch steeds met je gedachten? Een gezonde jonge vent zoals jij hoeft 's middags toch niet op de bank te rusten!"

Robin wist dat ze hem eraan wilde herinneren dat hij daags na het auto-ongeluk zijn afspraak met haar om samen een autorit in haar nieuwe sportwagen te gaan maken, ook helemaal was vergeten. Die dag was als een roes aan hem voorbijgegaan, omdat hij diezelfde ochtend het trieste bericht had gehoord dat Anke het niet had gehaald. Hij had zijn werk op school zelfs niet eens naar behoren kunnen doen. Zijn jeugdige leerlingen hadden daar danig misbruik van gemaakt, ze waren druk en baldadig geweest en hadden zich niets aangetrokken van zijn waarschuwingen, omdat hij met zijn hoofd helemaal niet bij de les was. Van Denise had hij weinig steun gekregen. O ja, ze was trots op hem geweest omdat hij na het ongeluk direct al het nodige had ondernomen om de helpende hand te bieden. Hij was natuurlijk 'haar grote held' geweest in de week die volgde, maar dat het trieste gebeuren zo'n vervelende impact op hem zou hebben kon ze beslist niet begrijpen en ook niet aanvaarden. Zij ging ervan uit dat de gedupeerde familie weleens wat meer dankbaarheid mocht tonen voor Robins hulp, in plaats van hem te beschuldigen van medeplichtigheid aan het ongeluk. Ze was verontwaardigd geweest en kwaad geworden. Voor Denise was de zaak daarna ook definitief verleden tijd. De slachtoffers waren erop uit om Robin op een listige manier financieel aansprakelijk te stellen, want iets dergelijks was haar vader een tijd geleden ook overkomen.

Robin deed na de onverwachte komst van die advocaat angstvallig zijn best om Denise niet langer bij zijn zorgelijke gedachten over het ongeluk te betrekken. Hij kon zich de ontreddering en het verdriet van de familie Graafsma maar al te goed voorstellen, en hij wilde er met Denise geen ruzie over maken.

„Nogmaals sorry, Denise. Ik ben gewoon moe en futloos, en ik heb eigenlijk nergens zin in."

Denise ging in een stoel zitten en stopte zijn huisdeursleutel in haar tas, ze zuchtte hartgrondig en legde zich bij de situatie neer. „Goed, dan gaan we wel een andere keer kijken. Heb je al iets gegeten, Robin?"

Robin schudde zijn hoofd. „Ik smeer wel even een paar boterhammen," zei hij gemakzuchtig, en deed moeite om op te staan. Maar Denise duwde hem terug. „Welnee, laat mij dat nu maar doen." Ze stond op en even later kwam ze terug met een bord vol sandwiches en twee kopjes thee. „Ik lust zelf ook wel wat," zei ze met een glimlach om haar mond, terwijl ze naast Robin op de bank ging zitten en zich tegen hem aan schurkte. Robin beantwoordde haar glimlach, kuste haar, bood haar een sandwich aan en was blij dat hij door haar komst even aan iets anders kon denken.

Judith legde haar koffer op de grond, opende die en begon er haar kleren in te rangschikken. In 'De Koolmees' zag het er rommelig uit. Overal lag wat.

Judith had enkele dagen geleden het besluit genomen om tot het voorjaar weer naar huis te gaan. De avonden en nachten waren te koud geworden om de caravan nog langer te blijven bewonen. De herfstvakantie was juist begonnen, maar de weersverwachting voor de komende week was dat het veel te koud zou zijn voor de tijd van het jaar. Het was ook somber en nat. Judith sloot de volle koffer af en sleurde een weekendtas naar zich toe om nog meer in te pakken.

Een uur later sloot ze de deur van de 'De Koolmees' goed af en liep met haar bagage naar het parkeerterrein. Haar ouders waren al op de hoogte van haar terugkeer naar huis, ze zouden met een versgezette pot koffie op haar wachten hadden ze beloofd. En ook zouden ze zorgen voor een 'lekkere chocoladebol', had vader haar toevertrouwd, het gebakje dat zij altijd het lekkerst van allemaal had gevonden.

Judith slikte eens bij de gedachte aan dat lekkers, het water liep haar in de mond. Maar toch was ze al meer dan een dag aan het prakkiseren om deze traktatie straks niet op te eten.

De afgelopen weken was ze enkele kilo's afgevallen, dit tot groot genoegen van haar nieuwe werkgeefster, Josien Klarenbeek. „Niet dat het écht nodig is om af te vallen, liefje. Maar om vanavond dat ene bijzondere jurkje te showen mag je beslist geen gram meer aankomen!"

Judith had al twaalf modeshows gelopen, het succes was alleen maar toegenomen en Josien werd na elke show enthousiaster. De ontwerper van het speciale jurkje, Carl Romein, en haar agente Josien van het modellenbureau, droegen haar op handen, en spraken haar allebei aan met 'liefje'. Het dure jurkje, dat slechts gemaakt was in exclusieve aantallen voor exclusieve dames, stond Judith voortreffelijk, alsof het alleen maar voor haar slanke lichaam was gemaakt. Modehuis Lolita was erg tevreden over de gang van zaken, alle modeshows waren tot op dit moment een groot succes, dankzij Judith Lankhaar! En dat wilden ze de komende tijd graag zo houden.

Thuisgekomen haalde Judith de koffer en haar weekendtas uit de auto die vader meteen naar boven bracht, naar haar vertrouwde slaapkamer waar moeder van tevoren nog met een stofzuiger en een stofdoek doorheen was gegaan. Haar kamer rook heerlijk fris naar pas gezeemde ramen, en alles zag er schoon uit. „Ik kom zo beneden, pap," zei ze gehaast terwijl ze uit haar koffer meteen enkele dure kledingstukken haalde en in haar hangkast op kleerhangers hing om kreukels te voorkomen.

„Tot zo dan, we wachten beneden op je."

Judith hoorde haar vader op de houten trap naar beneden lopen, ze haalde heel even opgelucht adem, om vervolgens weer zorgelijk haar voorhoofd te fronsen. Wat voor excuus zou ze zometeen kunnen verzinnen om die zoete chocoladebol te weigeren?

Beneden zag ze vijf minuten later haar moeder al redderen met koffie. „Pa heeft vanmorgen chocoladebollen bij de bakker gekocht, Judith. Je lievelingsgebakje! We zijn zo blij dat je voorlopig weer thuis komt wonen, we wilden het vieren. Jammer, dat Fred vandaag niet thuis is."

Judith keek angstig naar de supergrote chocoladebol die haar op een gebaksbordje werd aangereikt. Een bol gevuld met calorieën en vet, een echte dikmaker die er trouwens overheerlijk uitzag. Ze slikte moeilijk en keek van de lekkernij op naar haar moeder, onder wier ogen donkere kringen lagen van verdriet terwijl ze met veel omhaal van woorden vertelde waar Fred op dit moment uithing.

Moeders handen trilden enigszins, Judith keek daarvan op. Dat het met moeder de laatste tijd niet zo goed ging, was duidelijk te zien.

Na de begrafenis van oma leek opa nog het snelst van allemaal op te knappen, terwijl Judith haar moeder sinds die gebeurtenis afgetobd en verdrietig door het leven zag gaan.

Niet dat opa er al overheen was, maar het was duidelijk aan hem te merken dat hij de situatie aanvaardde en weer naar nieuwe moed zocht om zonder oma verder te gaan. Hoe afschuwelijk dat ook was! Maar moeder was nog steeds vol van het ongeluk. Een dronken automobilist was de veroorzaker geweest, zei ze, en niemand praatte haar dat nog uit het hoofd. De politie had de zaak goed verknoeid, wist Judith inmiddels ook al. In dit geval zou er geen gerechtigheid meer plaatsvinden en dat kwam alleen maar door enkele domme politiefouten. Oom Rien, tante Mieke en tante Stans hadden geprobeerd om moeder te kalmeren, zij vonden dat de politie geen enkele blaam trof en vertrouwden het proces-verbaal: Opa had iets als een black-out gehad of hij had die keer heel even niet goed opgelet, was ook hun verklaring geweest. Judith zag dat haar moeder haar kopje koffie met trillende handen vast had en daarna een vorkje in haar chocoladebol zette. Tja, ze kon het boze, machteloze gevoel van moeder wel begrijpen. Gelukkig, dat ze het zelf enorm druk had gehad met de modeshows van afgelopen weken, en ze had uiteraard ook nog haar baan bij de supermarkt, zodat alle narigheid van de afgelopen tijd zo'n beetje langs haar heen was gegleden. Natuurlijk deed het haar verdriet dat oma niet meer leefde, maar haar leven was nu zo vol met allerlei andere bezigheden, dat ze weinig tijd had om daarbij stil te staan.

„Nou, eet eens wat van je chocoladebol, Juut!" commandeerde vader, waardoor Judith uit haar gepeins opschrok.

„O... nou, ik eh..."

Aarzelend nam ze het gebaksbordje in haar handen. Zou ze nu toch wat nemen? „Ik voel me eigenlijk niet zo lekker, misschien dat ik het straks probeer," verzon ze ter plekke en met een harde klap zette ze het bordje weer terug op de salontafel.

„Dat meen je niet!" stiet moeder verontwaardigd uit, „zo erg is het toch niet? Je hebt juist van die gezonde blosjes op je wangen."

„Dat is rouge, mam! Heus, ik neem straks..."

„Ach, probeer nu een klein stukje. Je vader is toch niet voor niks vanmorgen al heel vroeg naar de bakker geweest?"

Judith nam het gebaksbordje weer op en prikte met een vorkje in de bol, een klodder slagroom gleed eruit. Voorzichtig sloot ze haar ogen bij de zoete smaak van chocola gemengd met slagroom, en slikte het smaakvolle goedje voorzichtig door.

„En?" vroeg vader, die haar aldoor had aangekeken. „Lekker hè?"

„Heerlijk!" antwoordde Judith, terwijl ze zich meteen verschrikkelijk schuldig voelde.

Nadat ze een halve chocoladebol had verorberd kreeg ze plotseling geen hap meer door haar keel. Als dit nu eens een cracker was geweest met weinig of geen calorieën had ze het vast met plezier opgegeten. Angstig gleden haar ogen naar haar buik die er ineens dik en opgezwollen uitzag. Morgenavond moest ze weer een modeshow lopen in Amsterdam en dan werd er van haar verwacht dat ze 'geen grammetje' in gewicht was aangekomen. Ze kon Carl en Josien toch zó snel al niet teleurstellen?

'Slank is mooi,' hoorde ze Josien opnieuw in gedachten zeggen, en 'elk kilootje telt, hoor!'

Met een ruk stond ze onverwacht op. „Even naar het toilet," mompelde ze schor. Nagekeken door haar beide verbaasde ouders verdween Judith haastig naar de gang waar ze de toiletdeur achter zich afsloot en direct twee vingers in haar keel duwde.

Kotsend zag ze het halve gebakje in het toilet verdwijnen, vervolgens veegde ze bibberend haar lippen af met een zakdoekje en leunde tegen de deur terwijl ze doorspoelde.

Nadat ze van de eerste schrik was bekomen, legde ze beide handen op haar buik die nu weer plat aanvoelde en waaraan ze ook niets meer kon zien. Gelukkig! dacht ze opgelucht. Maar direct daarna realiseerde ze zich dat het de allereerste keer was geweest dat ze bewust haar voedsel had opgegeven. Ze keek naar haar vingers die ze zonder nadenken achter in haar keel had geduwd, en waste ze meteen zorgvuldig schoon. Nadat ze weer wat was hersteld opende ze de toiletdeur.

In de woonkamer zaten haar ouders stil te wachten. „Gaat het?" informeerde moeder bezorgd. „Je ziet er ineens zo pips uit." Judith nam weer plaats, en knikte verward. Ze hoopte dat haar ouders niet hadden gemerkt dat ze had overgegeven. „Ik voel me gewoon wat naar, „ik heb ook zo'n drukke week achter de rug," zei ze.

„Dan ga je zometeen maar even rustig op je bed liggen, je kunt wel wat extra rust gebruiken. Zo te zien neem je te veel hooi op je vork door fulltime bij de supermarkt te blijven werken en daarnaast ook nog eens heel het land af te reizen voor die modeshows," mopperde haar moeder op zuurzoete toon.

„Ik vind het nog steeds leuk om te doen, hoor!" antwoordde Judith nadrukkelijk omdat ze geen zin had in een discussie over haar werk als mannequin.

„Nou ja, als dat zo is zul je toch wel aan je gezondheid moeten denken, meisje. Volgens mij ben je de laatste tijd nogal afgevallen. Ik zal er de komende weken dan ook op toezien dat je goed eet en weer wat aankomt." Moeder nam de halve chocoladebol van haar weg. „Dit laatste stukje eet je vanavond nog maar op, „'t is zonde om het weg te gooien." Ze verdween naar de keuken en opende de koelkast waarin het gebaksbordje met de halve bol verdween.

Moeders woorden drongen langzaam tot Judith door, terwijl vader zich achter de sportpagina van zijn krant verschanste. Een ijzige angst nam plotseling bezit van haar toen ze zich ineens realiseerde dat het hier thuis weleens erg moeilijk zou kunnen worden om zich aan haar strenge dieet te houden. Koortsachtig zocht ze naar een uitweg om niet tijdens elke maaltijd thuis te hoeven zijn. Moeders bemoeizucht kon ze missen als kiespijn.

Ze wilde helemaal niet aankomen in gewicht, ze wilde zelfs nóg meer afvallen. Niets anders dan afvallen om Nederlands beste mannequin te worden, dat was haar droomwens.

Judith keek met verwondering naar het nieuwe modellenjaarboek, waarin haar eigen kleurrijke foto's stonden afgebeeld. Josien had haar de vorige dag telefonisch uitgenodigd om deze middag naar het bureau te komen. Er lag een verrassing op haar te wachten, had ze gezegd. Die verrassing bleek het spiksplinternieuwe modellenjaarboek te zijn. Een schitterend reclameboekwerk met foto's van alleen maar de talentvolste modellen die voor 'Beautyful Lady' werkten. Mooie meisjes, met perfecte confectiematen, die er alles voor overhadden om iets in de modewereld te bereiken. Meisjes zoals zij. Er gloorde iets bij Judith toen ze haar allermooiste foto's afgebeeld zag staan, haar wangen kleurden warm van opwinding. Dat ze dít in korte tijd had bereikt, kon ze nog maar nauwelijks bevatten. „Het ziet er fantastisch uit, Josien!" zei ze opgetogen, met een zachte schittering in haar ogen.

„De klanten hebben het boek vanmorgen ook allemaal met de post ontvangen en ik heb al enkele afspraken voor je kunnen regelen. Ze verwachten je binnen twee dagen te zien en natuurlijk moet je je portfolio niet vergeten, want men heeft bijzonder veel belangstelling voor je. Binnenkort zit je tot over je oren in dit werk, Judith." Josiens rood gestifte lippen krulden glimlachend omhoog. „Jij gaat het in de modewereld hélemaal maken, en handenvol geld verdienen, liefje. Let maar eens op mijn woorden!"

„Dan moet ik vandaag nog wat gaan regelen bij de supermarkt," kondigde Judith opgetogen aan bij deze voorspelling. „Ik kan dit zo niet veel langer volhouden. Zeker niet als er nog meer opdrachten bijkomen. Ik ga proberen om voorlopig parttime te werken, denk je écht dat ik als mannequin genoeg werk zal krijgen om me financieel te bedruipen?"

Josien knikte enthousiast en zelfverzekerd. „Natuurlijk, liefje! Het is trouwens een prima besluit om voorlopig parttime in de supermarkt te gaan werken, want dat betekent dus dat ik veel vaker op je kan rekenen?"

„Vanzelfsprekend..." Judith twijfelde geen seconde aan haar succes.

Na een uurtje praten met Josien en filosoferen over de carrière die ze bij het modellenbureau 'Beautyful Lady' hoopte te maken, reed ze overgelukkig weer terug naar de gemeente Lingewaal. Vochtige grijze herfstnevels slopen langzaam over de landerijen, er was eerder die dag al gewaarschuwd voor dichte mist aan het eind van de dag. Het gebeurde niet altijd, maar deze dag had de weerman het bij het rechte eind. De mist kwam langzaam opzetten. Voordat ze de kleine stadskern voorbij was, stopte ze haar auto langs de kant van de weg en aarzelde even. Ze keek op haar horloge, draaide dan resoluut om en reed terug het stadje in naar het huis van haar grootouders. Ze wilde even op bezoek gaan bij opa en vandaar naar huis bellen dat moeder met het avondeten niet op haar hoefde te rekenen. Het was nu vier uur en tegen half zes zou ze dan meteen doorrijden naar de supermarkt om met de bedrijfsleider te praten over een parttime functie in de winkel. Naar alle waarschijnlijkheid was de grootste drukte in de winkel dan voorbij. Een andere belangrijke reden was, dat ze haar thuiskomst het liefst zo lang mogelijk wilde uitstellen. Het liefst tot ná het eten. Als het gesprek met Van Veen niet al te lang zou duren kon ze even naar 'De Vogelkooi' rijden. In 'De Koolmees' lag vast nog wel een pak met crackers. Twee crackers en een kleine appel, meer wilde ze vanavond niet eten.

Ze was in een paar weken tijd heel vindingrijk geworden in het verzinnen van allerlei smoesjes om de maaltijden thuis zo veel mogelijk te ontlopen. Als ze er met geen mogelijkheid onderuit kon komen en moeders vette calorierijke maaltijd met tegenzin had opgegeten, dan was het toilet haar toevluchtsoord. Vingers in haar keelgat en… dan was alles ook snel weer vergeten. Judith stuurde haar wagen de Bremstraat in.

Vanuit haar rijdende auto zag ze hem al zitten. Opa Pieter zat in een stoel bij het raam. Judith zag zijn mond bewegen en zijn armen gebaren maken.

Vreemd! Zat hij nu in zichzelf te praten?

Ze belde aan, hoorde gestommel in de gang en keek een ogenblik later in zijn verbaasde gezicht.

„Judith, kom binnen, meiske! Wat een verrassing dat jij je ouwe opa eens komt bezoeken."

Judith liep meteen naar binnen waar het behaaglijk warm was. „Ik zag u al zitten voor het raam," zei ze, terwijl ze haar jas aan de kapstok hing en blij was met zijn warme onthaal. Opa leek ineens weer helemaal de oude opa van vóór het auto-ongeluk. Je zou haast verwachten dat oma elk moment de gang in zou komen lopen omdat ze haar nieuwsgierigheid nooit goed wist te verbergen bij onverwachte visite. Judiths oog viel bij die gedachte vrijwel meteen op de bovenste plank van opa's garderobekast. Er lag daar een merkwaardig hoofddeksel dat haar enigszins bekend voorkwam. Een hoed met bloemen en kersen erop.

„Ik kreeg vanmorgen al heel vroeg bezoek, Judith," zei opa direct. Hij had haar ogen gevolgd. „Je kent haar vast nog wel, ze is een oude vriendin van oma en was tijdens de receptie van ons vijftigjarig huwelijksfeest ook aanwezig. Klazien... Klazien Somers..."

„O ja, ik herinner het me weer," zei Judith en fluisterde dan zachtjes in zijn oor. „Het is een ietwat excentrieke dame, geloof ik. Haar hoed lijkt wel een taart!"

Opa's lach schalde door de gang. „Jij bent me er eentje, zeg! Maar als ik jou zo bekijk, heb je heel veel gemeen met Klazien, hoor. Zij was in haar jonge jaren namelijk ook mannequin!"

Judiths ogen lichtten verrast op. „Gunst opa, wat leuk!" Daarna keek ze snel naar haar eigen kleding. „Maar ik zie er toch niet zó vreselijk excentriek uit?"

„Chic, netjes, erg slank, en een beetje apart, dát hebben jullie gemeen. Bij Klazien was dat ook altijd zo. En eigenlijk is ze nooit veranderd, alleen is ze snel oud geworden, maar ze praat niet meer zo vaak over die tijd. Kom, dan zal ik jullie aan elkaar voorstellen." Opa duwde de kamerdeur open.

Judith legde haar hand in de warme hand van Klazien die glimlachend opstond en haar een ogenblik kritisch van top tot teen monsterde. Gouden armbanden rammelden luidruchtig aan haar pols toen ze Judiths hand schudde, in haar oren glinsterden diamanten oorhangers. Ze draaide zich naar opa. „Dus dít is nu je kleindochter, Pieter? Het meisje waar Anke zo trots op was." Opa knikte. „Dat heb je goed gezien, Klazien."

Klazien keek weer naar Judith. „Wel, wel, Judith. Ik ben blij dat ik je eindelijk eens ontmoet, je werkt als mannequin is me verteld? Nou, volgens mij ben je één van de beste modellen."

„Ach mevrouw Somers, ik..."

„Zeg maar Klazien, dat doen al mijn oud-collega's en vriendinnen ook."

„Ik eh... ik zit pas enkele maanden in het vak, mevrouw So... Klazien. Ik ben dus eigenlijk een beginneling, maar mijn agente is wel heel erg tevreden."

Klazien schudde meewarig haar hoofd en zwaaide waarschuwend

met haar vinger. „Nee, nee, lieve kind. Tevreden zullen ze nooit zijn, hoor. Agenten en ontwerpers zijn nu eenmaal mensen die zelden tevreden zijn, ze zullen steeds meer van je verwachten en torenhoge eisen aan je stellen, vergeet dat nooit."

Judith haalde haar schouders op en nam plaats op een stoel in de salon tegenover Klazien. Opa zette een kopje thee voor haar neer. „Alsjeblieft, kind. Drink maar lekker op."

„Dank u wel, opa."

„De suikerklontjes staan op tafel."

„Ik neem geen suiker, opa."

„Een koekje dan?"

Judith schudde haar hoofd, de chocoladekoekjes in de koekdoos leken haar te wenken, ze zou ze allemaal wel op willen eten. „Nee," antwoordde ze harder dan ze wilde. Wat gaf het toch een grandioos gevoel om alle lekkere dingen te weigeren! Jaren geleden, toen ze nog een tiener was, hapte ze de ganse dag toe als ze de kans kreeg, maar nu had ze controle over alles wat eetbaar was. Eten en snoepen, ze had het min of meer uit haar leven gebannen.

„Dat is toch een domme vraag, Pieter! Je kleindochter moet aan haar lijn denken, als mannequin mag ze immers geen onsje te veel wegen."

Er lag een ietwat spottende klank in Klaziens woorden, maar ze knipoogde samenzweerderig naar Judith.

„O, dat wist ik niet," antwoordde opa verbaasd. „Sorry meiske, oma had dit alles vast en zeker beter begrepen dan ik."

„Geeft niet, opa. Ik..."

„Wij begrijpen elkaar wel, hè Judith," onderbrak Klazien haar. „Kom je in de nabije toekomst misschien ook een keer naar Eindhoven voor een modeshow?"

„Jazeker, volgende week donderdagavond ben ik voor een show bij het plaatselijke Modehuis Lolita. De directie heeft er inmiddels al volop publiciteit aan gegeven."

„Kun je dan een kaartje voor me regelen? Ik woon namelijk in Eindhoven en ben in mijn beste jaren ook mannequin geweest, net als jij. Ik wil je zó graag een keer zien lopen over de catwalk. Dat lijkt me echt leuk."

„Natuurlijk," antwoordde Judith blij verrast met deze oprechte belangstelling. Zoveel belangstelling had ze zelfs van haar moeder nog niet gehad. Maar dat kwam waarschijnlijk door de lange nasleep van het auto-ongeluk van haar grootouders.

Ze praatten samen nog wat na over de tijd dat Klazien zelf over het podium liep, terwijl opa er stilletjes bij zat en een halfuurtje later een tweede kopje thee inschonk.

Toen Judith om kwart voor zes op haar horloge keek sprong ze geschrokken op. „O lieve help, ik moet er echt vandoor, hoor," zei ze, gejaagd ineens. „Ik heb vóór zes uur nog een afspraak. Maar mag ik eerst even naar huis bellen, opa? Ik wil mama laten weten dat ik niet op tijd thuis ben voor het avondeten."

Nadat Judith had gebeld zei ze Klazien gedag.

„Tot volgende week donderdag, Judith. En alvast bedankt voor het kaartje." Klazien gaf haar bij het afscheid nog een hand met een briefje van vijfentwintig gulden erin. „Voor de onkosten van het kaartje!" fluisterde ze toen Judith wilde protesteren.

In de gang hielp opa haar in haar jas. „Het was fijn om je weer te zien, kind. Doe de groeten aan je ouders, en kom maar weer snel op visite."

Judith kuste opa op zijn wang. „Ik had zo graag even een praatje met u willen maken over oma en vroeger… het lijkt net alsof… alsof ze hier nog ergens is. Het vóelt gewoon zo!"

„Tja…" Er gleed heel even een verdrietige schaduw over opa's gelaat, maar die verdween vrijwel direct weer. In zijn ogen verscheen direct daarna een blik van berusting. „Het is erg moeilijk om te aanvaarden dat oma er niet meer is, Judith. Maar ik ben wel blij met wat afleiding, hoor. Klazien is hier overigens al een hele dag. Ze is een praatgrage, gezellige vrouw, dat heb jij inmiddels ook al wel ontdekt. Vanmorgen hebben we het bij de koffie samen uitgebreid over Anke gehad en de foto's van het jubileumfeest bekeken, maar vanmiddag hebben we over van alles en nog wat gesproken. Ik heb ervan genoten, kind. Gewoon, omdat het leven nu eenmaal doorgaat." Om opa's mond gleed een glimlach. Die glimlach zorgde ervoor dat Judith met een opgelucht gevoel de deur uitging en in haar wagen stapte. „Rij voorzichtig, het is mistig geworden!" hoorde ze hem vanuit de deuropening nog roepen. Gelukkig liet ze hem niet radeloos van verdriet achter in zijn huis, uit zijn woorden had ze opgemaakt dat hij een fijne dag achter de rug had.

Een dag met veel afleiding.

Ze moest vooral niet vergeten om dat straks ook tegen haar moeder te zeggen.

Judith zag niet meer dat hij even met zijn hand naar zijn hoofd reikte, en wankelde. Het was slechts een tel, meer niet. Hij duwde de voordeur dicht.

Even later reed Judith opa's huis voorbij en claxonneerde. Voor het raam zag ze hem staan, grijs, kwiek, bejaard en wat voorovergebogen. Hij zwaaide.

Naast hem stond Klazien, ook grijs en kwiek, gekleed in vrolijk gekleurde kleren. Zij zwaaide al even uitbundig.

8

Agnes rammelde een doos met kattenbrokken driftig heen en weer en riep: „Poes, poes, poes..." Lang hoefde ze niet te wachten, want Wolletje en Pluis kwamen vrijwel direct de keuken ingerend. Ze gaf ze elk hun bak met brokjes en wat water en keek toe hoe beide diertjes ineengedoken hun brokjes opaten. Ze aaide Pluis daarna over haar kopje en liep vervolgens de keuken weer uit naar de woonkamer. Daar bleef ze voor het raam staan, vanwaar ze in de voortuin kon kijken. Het was vroeg in de avond en al behoorlijk donker buiten, maar nog steeds was Ruud aan het werk om zo veel mogelijk boombladeren bij elkaar te harken. Een ondankbare klus in deze tijd van het jaar. De hoge platanen in de straat voor hun woning hingen nog halfvol met blad. Naar verwachting zou er over enkele dagen geen enkel blaadje meer aanhangen en Ruud zou elke dag blijven harken totdat hij geen enkel herfstblad meer in zijn tuin tegenkwam. Ruud was nu eenmaal netjes en secuur. Van kou en nattigheid trok hij zich dan ook niets aan. Agnes had een hekel aan deze tijd van het jaar. Het mistroostige herfstweer zorgde voor sombere gevoelens, veel erger dan voorgaande jaren het geval was. Ze miste haar moeder, ze kon er geen vrede mee hebben en het trieste gebeuren niet achter zich laten.

Een paar keer per week fietste ze naar Asperen, en zocht haar vader op in zijn huis aan de Bremstraat, een huis met rijke herinneringen aan moeder Anke. Agnes zorgde daar voor de was en de strijk en andere huishoudelijke klusjes.

Het verbaasde haar enigszins dat haar vader het alleen vrij goed kon redden, ondanks het onvermijdelijke schuldgevoel waardoor hij regelmatig werd geplaagd. Niet dat ze hem er ooit over hoorde klagen, maar ze merkte het gewoon. Hij was opvallend stiller geworden en wilde ook geen andere auto meer aanschaffen. „Daar ben ik toch veel te oud voor," had hij verslagen gezegd. „Ik zou wel willen dat ik dat veel eerder had ingezien. Nú durf ik zelf niet meer te rijden."

In die zin had een wereld van verdriet en onmacht gelegen omdat hij aan het afschuwelijke ongeluk niets meer kon veranderen. „Ik zou de tijd wel terug willen draaien, Agnes!" Die woorden had hij op moeders begrafenis gezegd, vlak voordat ze hem thuisbrachten.

Een wens die nooit in vervulling zou gaan.

Op een kast in zijn woonkamer stond nu een fotolijstje, met een foto erin van het gouden bruidspaar op twintig augustus. Het was een foto die Ruud had genomen in de deuropening, onder de feestelijke boog. Moeder straalde daarop, niet wetende dat nog diezelfde dag een afschuwelijk ongeluk een einde aan haar leven zou maken. In gedachten hoorde Agnes haar vader nog vaak zeggen 'mijn beker vloeit over...' en 'zo de Here wil, en wij er nog tien levensjaren bij krijgen...'

Vaders beker vloeide niet langer over en het was blijkbaar ook Gods wil niet geweest dat haar ouders er samen nog tien levensjaren bij kregen. Deze gedachten stemden Agnes bitter, maakten dat ze zich nog somberder voelde dan ze doorgaans al was tijdens de herfstperiode. En dat allemaal dankzij een man die te diep in het glas had gekeken. Een man die volgens vader stonk naar overmatig alcoholgebruik en nooit zou hoeven te boeten voor zijn wangedrag, omdat een politieagent zijn plicht had verzuimd en niet goed had opgelet.

Agnes slaakte een diepe zucht en schudde haar hoofd, ze zou alle deprimerende gedachten er wel uit willen schudden, maar dat ging niet zomaar. En als het haar dan een keer lukte om al die zorgelijke gedachten even aan de kant te schuiven, kwamen er gewoon andere voor in de plaats.

Ze hoefde bijvoorbeeld maar aan Judith te denken en ze zat al meteen tot over haar oren in een volgende neerslachtige bui. Ze zag dat Ruud inmiddels aanstalten maakte om zijn boeltje op te ruimen, alle afgevallen herfstbladeren had hij in een grote plastic zak bijeenverzameld, en met veger en hark zag ze hem naar de achterkant van het huis lopen waar de schuur stond. In het achterste gedeelte van het schuurtje bewaarde hij al zijn tuingereedschap.

Ze moest maar eens koffie gaan zetten, daar zou Ruud zometeen wel zin in hebben, want het was koud, guur en nat buiten. In de keuken zette ze de lege voederbakjes van de poezen weg, goot water in het reservoir van het koffiezetapparaat en deed drie afgestreken lepels koffie in het filterzakje.

Judith drong zich weer op in haar gedachten. Elke keer opnieuw als het auto-ongeluk van haar ouders de revue was gepasseerd, verschenen de onvermijdelijke zorgen om Judith weer op de voorgrond.

„Je moet eens naar de huisarts gaan, Agnes. Volgens mij heb je de laatste tijd gewoon last van de overgang," was het nuchtere advies van Ruud geweest toen hij had gemerkt dat ze steeds neerslachtiger werd.

Maar nee, haar getob om Judith had net zomin iets met de menopauze te maken als haar gepieker over het afschuwelijke auto-ongeluk van haar ouders.

Judith was sinds haar thuiskomst enkele weken geleden enorm veranderd. Agnes had erop gehoopt weer wat vrolijkheid in huis terug te krijgen met haar terugkeer. Nu zij eindelijk geaccepteerd had dat Judith haar eigen toekomst wilde uitstippelen en niet op haar advies het onderwijs in ging, kon ze Judiths oppervlakkigheid en eindeloze vluchtgedrag weer niet accepteren. Het was ook altijd wat met dat kind! Ze zag haar haast nooit meer gezellig thuis, maar ze leek tegenwoordig altijd op de vlucht te zijn voor de gezamenlijke maaltijden. Duizend en een smoesjes schudde ze uit haar mouw en als ze dan een keer tijdens de avondmaaltijd aan tafel plaatsnam, zat ze met haar vork meer in de aardappelen te prikken dan te eten. Je zag de contouren van haar figuur duidelijk afnemen, hoewel ze er altijd stralend en blakend van gezondheid bleef uitzien.

„Als jij geen ziekte onder de leden hebt, dan krijg je binnenkort wel iets," had Agnes een paar dagen geleden mopperend voorspeld toen Judith precies vier sperzieboontjes naar binnen had gewerkt met een klein schaaltje magere yoghurt. „Als je zó moet leven om je werk als mannequin te doen, vind ik het een heel ongezond beroep. Dat is toch vragen om problemen."

Judith was er niet op ingegaan, ze had de opmerkingen van haar moeder genegeerd en was gewoon weer haar gang gegaan. Lunchpakketjes maakte ze ook al niet meer klaar om mee te nemen naar de supermarkt, dus smeerde Agnes zelf voortaan enkele boterhammen die ze in een broodtrommeltje deed en aan Judith meegaf alvorens ze 's morgens het huis verliet. Ze hoopte dat Judith tussen de middag, hongerig geworden van haar werk achter de kassa, die boterhammen wel op zou eten. Van vier sperziebonen en wat lepels magere yoghurt kon een mens toch niet leven.

„Kan ik de koffie al inschenken, Ruud?" vroeg ze toen Ruud hoestend en snuivend via de achterdeur het huis binnenkwam.

„Ja, lekker! Maar ik wil wel eerst even m'n handen wassen." Ruud liep voor haar langs naar het aanrecht en draaide de kraan open. „Tjonge, er lagen heel wat herfstbladeren in de tuin," zei hij met hese stem.

Het stromende kraanwater vermengd met zeep spetterde alle kanten op. Agnes nam een vaatdoekje uit de kast en wreef alles weer droog.

„Je wordt toch niet verkouden?" vroeg ze, terwijl ze naar zijn koude waterige gezicht keek. Ze zag hoe hij zijn handen droogwreef, daarna een zakdoek uit zijn zak haalde en zijn neus luidruchtig snoot.

„Dat ben ik al," zei hij, en glimlachte met een blik vol berusting. „M'n hoofd voelt zwaar aan, m'n neus zit verstopt en mijn keel doet zeer. Na de koffie ga ik dan ook naar bed."

Agnes kuste hem behoedzaam op zijn voorhoofd. „Arme jij," fluisterde ze vol medeleven. „Het ziet er inderdaad naar uit dat je een verkoudheid of de griep onder de leden hebt. Laat de rest van de tuin nu maar voorlopig aan Fred over, hij neemt dit komende weekend het overgebleven werk wel voor z'n rekening."

Ze bracht hem zijn koffie en samen dronken ze hun kopje zwijgend leeg.

Toen Ruud opstond en aankondigde dat hij naar bed wilde gaan, volgde Agnes zijn voorbeeld en kwam eveneens omhoog vanuit haar stoel. „Goed, dan ga ik nog even naar vader, ik ben toch zó bang dat hij daar in dat huis zal vereenzamen, zonder moeder."

„Je vader slaat zich volgens mij redelijk goed door deze periode heen, ik verwacht wel dat hij het redt en niet zal vereenzamen," vond Ruud en nieste driemaal achter elkaar.

„Nou, neem eerst maar een aspirine voordat je in bed stapt," adviseerde Agnes hem en keek zorgelijk in zijn koortsige ogen. „Je hebt het écht goed te pakken, weet je zeker dat ik even weg kan gaan? Of zal ik maar thuisblijven?"

„Nee, maak je om mij geen zorgen, lieverd. Groet je vader maar van me."

Ruud wuifde haar bezorgdheid luchtig weg en Agnes keek hem peinzend na toen hij de trap opliep.

Tja, volgens Ruud ging het inderdaad redelijk goed met vader. Maar ondanks deze conclusie was ze toch bezorgd om hem. Ze was blij dat ze nu nog even naar hem toe kon rijden.

Een week geleden was Judith thuisgekomen met het bericht dat oma's vriendin, Klazien Somers, een hele dag bij opa op visite was geweest. „Ze heeft opa een gezellige dag bezorgd, mam. Met veel afleiding!" had Judith gezegd. Die opbeurende woorden hadden Agnes op dat moment volledig uit haar evenwicht gehaald.

Moeder was nog geen drie maanden geleden overleden, had ze boos gedacht. Het gaf toch geen pas om die oude man nú al op te vrolijken. Vader was eigenlijk nog volop in de rouw! Natuurlijk was Agnes dankbaar dat hij het redelijk goed stelde, maar Klazien

Somers had vader waarschijnlijk 'een gezellige dag' bezorgd om een andere reden.

Agnes trok haar jas aan en stopte de autosleutels in haar jaszak. Ze reed de auto uit de garage waar Ruud hem aan het begin van de avond al had ingezet. Even later reed ze met een flinke snelheid haar woonplaats uit. Ja, ja, Klazien Somers kende ze nog wel van vroeger. Toen ze zelf nog een kind was kwam Klazien regelmatig bij hen over de vloer. Een deftige dame, gekleed in opmerkelijke kleding met vreemdsoortige hoofddeksels op haar hoofd, en om haar heen waaierde altijd een zwaar geparfumeerd luchtje. Moeders jeugdvriendin!

De vriendschappelijke contacten waren in een later stadium langzaam verwaterd. Maar moeder wilde haar jeugdvriendin toch heel graag uitnodigen op de receptie van haar vijftigjarig huwelijksfeest. Ze had toen tal van weggestopte herinneringen opgehaald.

Moeders verhalen over de tijd van haar vriendschap met Klazien Somers waren wel wat wazig en verward geweest. „Klazien mocht Pieter erg graag, Agnes. Een beetje té... ik heb weleens gedacht dat... nou ja, ik was in die tijd ook wel héél erg jaloers..." Die zin had moeder niet afgemaakt. Ook niet toen Agnes erop aandrong. „Ach, kind. Dat is toch allemaal al zo lang geleden gebeurd, ik wil Klazien gewoon graag uitnodigen omdat ik erg nieuwsgierig ben en wil weten hoe ze het nu maakt. We sturen haar gewoon een uitnodiging!" En dat hadden haar beide ouders toen gedaan.

Het was de half uitgesproken zin van moeder en Judiths mededeling dat Klazien bij vader op bezoek was geweest, die haar deze afgelopen week bijzonder hadden geprikkeld.

Vader was ten opzichte van Agnes weinig mededeelzaam geweest over Klaziens bezoek, maar hij had haar verteld dat ze in vroeger jaren ook mannequin was geweest, net zoals Judith dat nu was. Maar Agnes vroeg zich inmiddels benauwd af of Klazien Somers haar vader nog steeds erg graag mocht. Misschien wel een beetje té... zoals moeder dat toen openhartig vertelde. Zat er soms een bedoeling achter Klaziens bezoekje? Agnes wist het niet en parkeerde de auto voor het huis in de Bremstraat. Het flauwe lichtschijnsel van een schemerlampje straalde naar buiten door de half dichtgetrokken gordijnen. Ze rommelde in haar tas, want ze had enige tijd geleden zelf een voordeursleutel gekregen. Bescheiden klopte ze bij binnenkomst op de kamerdeur, nadat ze er eerst even aan had geluisterd. Maar er klonken geen radio- of tv-geluiden. Helemaal niets! Een beetje vreemd vond Agnes dat wel.

Voorzichtig opende ze de deur en zag hem in een oogopslag zitten. Zijn bril lag op tafel, zijn dunne haren zaten verward, zijn gezicht zag rood en zijn zakdoek hield hij met twee handen tegen zijn ogen gedrukt. Het was meer dan duidelijk: vader huilde.

„Vader, wat scheelt er?" Agnes liep naar hem toe en knielde voor hem neer. Ze had hem sinds moeders begrafenis niet meer zien huilen. Hij had zich al die tijd zo verschrikkelijk dapper gedragen.

Pieter wreef met zijn zakdoek over zijn wangen, terwijl zijn hand trilde. „Neem me niet kwalijk, kind. Er zijn soms van die dagen..."

De woorden stokten in zijn keel, terwijl zijn schouders opnieuw schokten. „'t Is soms zo moeilijk om te aanvaarden dat moeder er niet meer is."

Agnes sloeg haar armen troostend om hem heen, ze was blij dat ze vanavond tijd had gemaakt om hem te bezoeken.

Nadat hij wat rustiger was geworden, kondigde Agnes aan dat ze eerst een kopje koffie voor hem wilde maken. „En daarna praten we samen even verder, vader."

Pieter wreef met zijn handen door zijn verwarde haren. „Dat is goed, dan vertel ik je meteen van mijn besluit."

Agnes fronste haar wenkbrauwen bij die mededeling. Wat bedoelde vader daar eigenlijk mee? Lang hoefde ze niet te wachten, en wat ze nooit verwacht had hoorde ze hem zeggen.

„Ik wil hier weg, Agnes. Weg uit dit huis dat zo vol is met herinneringen. Elke dag en elk moment is moeder nog om me heen, zelfs Judith had dat gevoel toen ze me vorige week opzocht. Ik kan het echt niet veel langer verdragen," zei hij met hese stem toen ze een dampende kop koffie voor hen beiden had neergezet.

„Maar vader toch! Waarom heeft u dat niet eerder aan mij, of aan Mieke, Stans of Rien verteld? Misschien helpt het wel als we uw meubilair wat anders neerzetten." Agnes ging langzaam zitten en zocht koortsachtig naar allerlei oplossingen. „Of misschien zit u te vaak alleen en moeten wij u wat vaker bezoeken."

Pieter schudde verdrietig zijn hoofd. „Nee, nee. Er komt bijna elke dag wel iemand op visite en ik ben ook helemaal niet eenzaam. Maar alles in dit huis herinnert me aan Anke, alles..."

Agnes observeerde hem, ze wist zo goed wat hij bedoelde. Hij was eens zo'n sterke man geweest, maar nu zag hij er gebroken uit. Haar hart liep over van medelijden, terwijl het gemis en verdriet om moeder eveneens aan haar knaagden.

„Denkt u daarbij aan een ander huis?"

Pieter knikte. „Ik heb besloten om het huis te verkopen en me in te laten schrijven voor zo'n aanleunwoning bij het bejaardenhuis."

Agnes zweeg, de klok tikte de minuten langzaam weg. „Weet u het zeker?" vroeg ze dan, na een lang stilzwijgen.

„Héél zeker, ik voel me zelfs opgelucht bij dit besluit."

„Maar na een poosje zult u dit hier waarschijnlijk weer gaan missen. Vanaf uw huwelijk met moeder woont u al in dit huis, en dat is al ruim vijftig jaar. Er zijn zoveel dingen gebeurd onder dit dak. U moet een verhuizing op uw leeftijd niet onderschatten, hoor." Agnes had het gevoel dat ze een pleidooi hield voor alles wat haar zo vertrouwd was. Vader weg uit dit huis? Ze kon het zich nauwelijks voorstellen.

Pieter zuchtte diep, zijn blik gleed door de woonkamer. „Agnes, ik kwijn hier weg van verdriet, en ik probeer me voor jullie wel groot te houden, maar... maar... Anke komt nóóit meer terug en dit hele huis straalt haar aanwezigheid nog uit!"

Agnes dronk van de koffie en dacht diep na. Als vader achteraf maar geen spijt zou krijgen van zijn besluit.

„Het verdriet om moeder zal evengoed met u meegaan, óók als u naar een andere woning verhuist, want daar kunt u niet voor vluchten."

„Daar vlucht ik ook niet voor, maar verandering van omgeving zal ertoe bijdragen dat ik zelf stukje bij beetje weer verder kan met mijn leven. Begrijp je dat, Agnes? Ik kan in dit huis zo niet verder leven." Hij nam haar handen in de zijne en Agnes schokschouderde twijfelachtig. Ze begreep zijn argumenten heus wel. Alleen, het voornemen zijn huis te verkopen, stak haar. Dit was immers haar thuisbasis, en ook die van Stans, Mieke en Rien.

„Ik ben blij met uw openhartigheid, vader. U moet het ook maar eens met de anderen bespreken. Misschien wil een van hen dit huis wel kopen, Rien bijvoorbeeld. Die zegt al jaren dat hij in deze omgeving wil komen wonen. Dan blijft het huis tenminste in de familie!"

„Tja, daar zeg je wat!" antwoordde haar vader en zijn ogen lichtten een ogenblik verrast op. „Daar had ik nog niet eens aan gedacht. Maar ik wil het huis wel voor een goede prijs verkopen, hoor. En niet zomaar voor een speciaal familieprijsje, want dat zou niet eerlijk zijn ten opzichte van jou en de anderen."

Agnes glimlachte vaag omdat hij blijkbaar altijd zakelijk wilde blijven, ook nu moeder er niet meer was. „Misschien is dat dan wel de oplossing," zei ze hoopvol. „Zal ik alles voor u regelen door bij

Rien en de anderen te informeren? Of neemt u liever zelf het initiatief?"

Pieter rechtte zijn schouders, roerde in zijn kopje koffie en keek haar met een vermoeide blik in zijn ogen aan. „Laat dat maar aan mij over, ik houd je wel op de hoogte," zei hij vastbesloten.

„Goed," fluisterde Agnes, ze kon niet verhinderen dat er plotseling een brok in haar keel schoot. Dat vader weg wilde uit dit huis had ze nooit verwacht en zijn mededeling drong nu pas ten volle tot haar door. Dit huis was immers haar 'thuis'! Moeder leefde dan wel niet meer, maar alles in en om dit huis herinnerde haar nog aan vroeger. Aan haar fijne kinderjaren en haar gezellige jeugd en vanuit dit huis was ze jaren geleden immers getrouwd met Ruud. Het was haar allemaal zo vertrouwd, zo dierbaar. Ja, vader had gelijk. Moeders aanwezigheid was nog steeds overal voelbaar en dat zou misschien wel een leven lang zo blijven. Maar... dat was juist zo heerlijk! Het bevreemdde haar dat haar vader er niet mee kon leven, terwijl het háár juist troostte.

Niet lang daarna stond Agnes weer op, het was bijna tien uur. Vader was na wat gepraat over koetjes en kalfjes weer een stuk rustiger geworden en Agnes' gedachten gleden als vanzelf naar Ruud, die ziek op bed lag. Om die reden wilde ze ook weer op tijd naar huis vertrekken.

Vader zwaaide toen ze met de auto wegreed. Agnes hoopte maar dat Ruud zo meteen even wakker zou worden als ze thuis arriveerde.

Ze wilde vaders voornemens zo snel mogelijk met hem bespreken. Want stel je voor dat Rien het huis niet wilde kopen en dat ook haar zussen er geen belangstelling voor zouden hebben! Dan zou het huis vast en zeker aan vreemden worden verkocht. En dat was onacceptabel, vond Agnes. Dát mocht niet zomaar gebeuren.

Alle toegangskaarten voor de modeshow van Modehuis Lolita in Eindhoven waren verkocht. De zaal zat bomvol dames en er klonk een zacht geroezemoes terwijl de geur van koffie zich alom verspreidde.

Aan het einde van de middag had Judith de catwalk al verkend. Ze wilde, zoals altijd, van tevoren zien hoe lang en breed het loopvlak was en waar ze zich eventueel zou kunnen draaien. Haar evenwicht verliezen en midden in het publiek vallen was nog steeds haar allergrootste angst, gevolgd door het omzwikken van een voet, of ergens achter blijven haken met een kledingstuk. Elke beginnende mannequin had daar nachtmerries over en daarom wilde ze ruim voor aanvang van de show de catwalk graag zien. Maar veel tijd om die te bezichtigen kreeg Judith niet. Ze werd vrijwel direct als eerste mannequin bij de visagist geroepen, die snel en behendig wat make-up, blusher, lipstick en oogschaduw met kwastjes en potloden op haar gezicht aanbracht. Op het laatst werd haar kapsel keurig netjes verzorgd, zodat Judith wat later tevreden in de spiegel keek. Gekleed in haar ondergoed, met daaroverheen een badjas, had ze de catwalk wat later samen met enkele andere mannequins nog een keer in ogenschouw genomen. Het waren ook allemaal jonge ambitieuze meiden, met wie ze vanaf het allereerste begin had samengewerkt. Hun onderlinge rivaliteit was erg groot en zorgde vaak voor hevige jaloezie. Gelukkig zag het loopvlak van de catwalk er lang en breed uit. Ze bespraken gezamenlijk de voordelen daarvan, de draaimogelijkheden en het showen van hun exclusieve creaties. Naarmate de tijd naderde dat de show moest beginnen werden ze allemaal wat nerveuzer. Dat gold ook voor Josien, die had op het allerlaatste nippertje nog enkele kritische opmerkingen voor elke mannequin, en leverde commentaar op het werk van de visagist die de oogaccenten té royaal had aangebracht. Judith kende Josien inmiddels wat beter en wist dat zij haar spanningen op deze manier afreageerde. De kritiek werd met een zacht gemopper door de visagist ter harte genomen en ze werkte bij twee mannequins de oogaccenten nog snel bij, waarna Josien goedkeurend knikte.

Evenals haar andere collega's zorgde Judith ervoor dat ze precies op tijd haar eerste creatie aanhad. Een wijde pantalon met een fijn bewerkt kort truitje, waarover ze een jasje droeg. Het geheel werd gecompleteerd met hooggehakte schoenen voor het verlengende effect. Ze stond als vijfde mannequin in de rij genoteerd en voor haar liepen Marieke, Kelly, Liesbeth en Davinia het podium op. Ietwat gespannen maakte Judith daarna haar entree. Ze kneep haar ogen even samen tegen het felle licht van de schijnwerpers, sprak zichzelf moed in en liep waardig de catwalk af. Aan het einde draaide ze zich, keek met een vriendelijke glimlach naar het publiek en luisterde onderwijl naar de ladyspeaker die iets vertelde van het jasje dat ze onmiddellijk uittrok en nonchalant over haar schouder hing, zodat het publiek haar korte truitje kon bewonderen. Ze draaide weer, zette haar rechterhand in de zij, liep halverwege het podium terug en draaide opnieuw met haar gezicht naar het publiek toe. Bij deze draai zag ze Klazien Somers vooraan op de eerste rij tussen alle andere bezoekers op een stoel zitten. Ze droeg een opvallend klein koket groen hoedje met drie eendenveren aan de zijkant. Haar ogen lichtten een ogenblik verrast op. Klazien knikte haar enthousiast toe en Judith liep vervolgens weer helemaal terug. Achter de gordijnen gekomen vielen alle remmen los. Haar hoge schoenen trapte ze direct uit om sneller vooruit te komen, ze nam ze mee in haar hand en holde naar de kleedkamer. Daar ontdeed ze zich met grote snelheid van alle kleding. Van het kledingrek nam ze de volgende creatie en trok die aan. Na een korte kritische inspectie schaarde ze zich opnieuw in de rij voor de volgende entree, achter haar andere collega's.

Aan het einde van de show voelde Judith dat een intense vermoeidheid haar plotseling parten ging spelen. Het haastige aan- en uitkleden, een paar uur staan, uiterst geconcentreerd heen en weer lopen op veelal hooggehakte schoenen en de vriendelijke glimlach op haar gezicht, vergden ontzettend veel concentratie en energie.

Na de laatst getoonde creatie volgde de eindfase. Alle mannequins kwamen nog een keer gezamenlijk op en ontvingen een oorverdovend applaus van het aanwezige publiek. Ook dat van Klazien, zag Judith. Ze waardeerde het enorm dat deze bejaarde vrouw speciaal voor haar was gekomen. Wat zou ze ervan gevonden hebben? vroeg Judith zich nieuwsgierig af. Klazien keek hoogstwaarschijnlijk met andere ogen naar een modeshow dan de doorsnee bezoeker in de zaal. Ze was vast en zeker net zo kritisch als Josien, vreesde Judith. Achter de coulissen volgde daarna zoals gebruikelijk 'de vreugdedronk'. Josien opende een fles champagne, schonk de glazen bruisend vol en bracht een toost uit op de goede verkoop van de vertoonde creaties. Judith nipte van haar glas en ging daarna onmiddellijk op een stoel zitten. Ze sloot haar ogen een moment. Haar voeten voelden pijnlijk gezwollen aan en in haar hoofd zinderde een opkomende hoofdpijn.

Ze verlangde naar haar bed en een welverdiende nachtrust, maar voordat het zover zou zijn moest ze eerst nog een klein uurtje rijden om thuis te komen. Ze had ook honger, maar verjoeg dat gevoel door het champagneglas weg te zetten en twee glazen water te drinken.

Ze was de laatste weken erg consequent voor zichzelf en had een gedisciplineerd doorzettingsvermogen. Nog één kilootje eraf en dan had ze haar streefgewicht bereikt. Méér wilde ze voorlopig niet wegen.

„Judith, kun je even meekomen, liefje? Carl is in de winkel. Hij wil je even spreken." Judith keek op naar Josien die voor haar stond met een vol glas champagne. De fles hield ze in haar andere hand en om haar mond speelde een tevreden glimlach. „Wil jij nog een glas?" vroeg ze. Judith stond langzaam op en schudde haar hoofd. „Nee, dank je. Ik ben bekaf," klaagde ze zuchtend.

„Ach, Carl maakt het vast niet lang. Slaap morgen maar eens lekker uit," adviseerde Josien moederlijk. Maar Judith schudde opnieuw moeizaam haar hoofd. „Morgenvroeg word ik al om acht uur in de supermarkt verwacht, dus van uitslapen komt er niet veel terecht."

„Wat jammer voor je!" vond Josien terwijl er een bedenkelijke blik op haar gezicht verscheen. „En morgenmiddag verwacht ik je om klokslag twee uur op het bureau, er liggen namelijk twee nieuwe contracten op je te wachten. Carl zal er zometeen wel wat meer over vertellen."

Judith zuchtte nu onhoorbaar. De volgende dag was alweer in enkele luttele seconden volgepland. Van haar goede voornemens om een middagje te luieren kwam niets terecht. Ze was de afgelopen week parttime begonnen in de supermarkt en had stilletjes gehoopt dat het vele werk, dat volgens Josien op haar lag te wachten bij het modellenbureau, pas volgende week op gang zou komen. De afgelopen week had ze nogal wat extra tijd geïnvesteerd door haar gezicht bij allerlei klanten te laten zien. Ze was met haar portfolio zelfs naar Amsterdam gereisd. Modehuizen, postorderbedrijven en fabrikanten voor merkkleding en schoenen hadden veel werk van haar kennismakingsgesprek gemaakt. En blijkbaar begon ze daar nu al de vruchten van te plukken.

Ondanks de vermoeidheid en de hoofdpijn glimlachte Judith trots en voldaan. Eindelijk zou ze gaan bereiken waar ze altijd al van had gedroomd. Een middagje luieren offerde ze daar graag voor op. Ze keek zoekend achter het gordijn, daar waar de winkel begon en de bezoekers nog volop bezig waren om allerlei kledingstukken te bestellen.

Carl stond vooraan in de winkel te praten met de directeur van het modehuis, maar toen hij haar zoekende blik zag verontschuldigde hij zich onmiddellijk en liep meteen op haar af.

„Judith! Liefje, ik heb goed nieuws voor je." Carl sloeg zijn arm vriendschappelijk om haar schouder. „Ik heb je de komende twee weken nodig voor vijf nieuwe shows. Belangrijke shows!"

„Fantastisch!" Judiths ogen schitterden van opwinding. „Vertel me er alsjeblieft alles over."

Carl lachte schalks. „Je zult deze keer alleen maar míjn creaties showen, Judith. Want jíj hebt nu eenmaal het perfecte lijf om dat te doen."

Judith voelde zijn strelende hand zachtjes over haar schouder gaan, ze zag de bewondering in zijn ogen. Ze was zich ervan bewust dat ze haar schoonheid en lichaam in dienst moest stellen van allerlei kledingstukken én de ontwerper, zonder één van beiden kwam ze immers nergens. En Carl had in de modewereld veel aanzien en een goede naam. Ze had niet alleen Josien, maar ook hém nodig om hogerop te komen.

„Het lijkt me geweldig om alleen maar jouw creaties te showen, Carl. Ik ben reuze benieuwd." Judith dacht aan het speciale, door hem ontworpen jurkje, dat ze onlangs tijdens een modeshow had gedragen, en dat nog diezelfde avond voor veel geld was verkocht. Het had haar een kick gegeven omdat hij had opgemerkt dat zíj het juiste figuur daarvoor had. En dat betekende: geen grammetje te veel! Haar gezicht straalde.

„Morgenmiddag, om twee uur bij Josien. Daar mag je dan meteen het een en ander aanpassen. Er zal eveneens een coupeuse aanwezig zijn om alles af te spelden, en dan vertel ik je morgen ook meteen waar en wanneer je die modeshows moet lopen en wat de verdiensten zijn. Vergeet vooral je agenda niet!"

Carl gaf haar spontaan een kus op haar voorhoofd, kneep even in haar arm en liep daarna naar een andere mannequin, die eveneens op hem stond te wachten.

Achter het gordijn hoorde Judith plotseling een bekende stem op mopperende toon zeggen: „Wat zegt u? Kan ik haar niet spreken? Nou, daar neem ik geen genoegen mee, hoor. Ik ben per slot van rekening wel haar oma. En ik weet ook precies hoe het er achter de schermen aan toegaat."

Het gordijn bewoog opzij en Judith keek in het verongelijkte gezicht van Klazien. Achter Klazien stond Josien die haar handen met een machteloos gebaar omhoog bracht.

Judith gebaarde haar dat het goed was, ze wist dat Josien na de modeshow altijd de nodige moeite deed om het publiek bij de mannequins vandaan te houden. Maar dat was haar deze keer niet gelukt. Met een stralende glimlach liep Judith naar Klazien toe.

„Wat leuk dat u er vanavond ook was." Ze schudden elkaars handen, maar Klazien boog zich voorover naar Judith en gaf haar twee klinkende zoenen, op elke wang een. Ze hield haar daarbij even stevig vast en fluisterde zachtjes in haar oor: „Ik heb tegen die dame achter me gezegd dat ik je oma ben."

Judith keek met pretlichtjes in haar ogen naar Josien, die op gepaste afstand was blijven staan. „Het is goed, Josien. Laat me maar even alleen met oma." Ze vond het niet eens moeilijk om het spelletje mee te spelen en terwijl Josien zich omdraaide en wegliep keek Judith in de ondeugende ogen van Klazien Somers.

„Tja, Judith. Ik weet precies hoe ik deze lui aan moet pakken. Sorry, voor dat leugentje om bestwil, hoor. Maar ik wilde je per se even spreken. En 'een oma' heeft nu eenmaal een streepje voor op een buitenstaander, vind je ook niet?" Klazien zette een stapje naar achter en bekeek Judith van top tot teen. „Je bent een fantastisch model, kind!" zei ze vol bewondering en Judith hoorde dat ze het echt meende. „Ik heb vanavond werkelijk van je show genoten, je was geweldig!"

„Dank u wel voor het compliment," glimlachte Judith dankbaar. „Er liggen op dit ogenblik alweer twee nieuwe contracten klaar bij mijn agent. De dame die u zojuist probeerde te verhinderen om bij me te komen is namelijk mijn agent van het modellenbureau. Ze heet Josien Klarenbeek, en ze is ook héél erg tevreden over me."

Klazien knikte goedkeurend. „Het gaat er allemaal bijzonder professioneel aan toe, dat heb ik al wel in de gaten. Je bent ongetwijfeld op de goede weg, Judith. Het lijkt me leuk om daar samen eens over te praten, vooral omdat ik zelf ook in dit vak heb gezeten."

Dat wilde Judith wel. Het overrompelde haar echter toen Klazien voorstelde om de nacht bij haar thuis door te brengen. Voordat ze naar bed zouden gaan konden ze vast nog wel even samen over hun favoriete beroep praten. „Ik heb een prima ingerichte logeerkamer voor je," vertelde ze. Het klonk erg aanlokkelijk in Judiths oren, want dat betekende dat ze vanavond niet zover meer terug hoefde te rijden naar huis. Klazien woonde immers niet ver hiervandaan.

Judith accepteerde het aanbod zonder aarzelen, haar beauty-case met toiletartikelen had ze immers altijd bij zich en zonder een nachthemd zou ze vannacht ook wel kunnen slapen. „Ik kleed me snel om," beloofde ze.

De vermoeidheid verdween als sneeuw voor de zon en de dreinende hoofdpijn voelde ze nog nauwelijks toen ze Modehuis Lolita verliet.

Met Klazien naast zich stuurde ze haar auto even later door de stad naar een buitenwijk, af en toe wierp ze een zijdelingse blik naar haar passagier. Het eendenverenhoedje was niet minder opzichtig dan het andere hoofddeksel dat Klazien op de receptie van het huwelijksfeest had gedragen. Het was duidelijk dat oma's vriendin dol was op allerlei hoofddeksels.

„Mag ik even naar huis bellen, Klazien? Dan kan ik mijn ouders meteen vertellen dat ik vannacht hier blijf slapen," vroeg Judith, toen ze eenmaal goed en wel het huisje van Klazien had bewonderd. Klazien wees haar de telefoon. „Ga je gang maar, en doe je ouders de groeten van me."

Nadat Judith haar moeder had ingelicht, werd ze op de hoogte gebracht van vaders griepje. Ze had medelijden met hem maar hoopte toch vurig dat zij niet besmet zou worden met het virus. Ze kon het zich beslist niet permitteren om de komende tijd ziek te worden. Niet, nu er zoveel contracten op haar lagen te wachten.

Judith keek Klaziens overvolle kamer nog eens rustig rond.

Overal stonden beeldjes en frutseltjes en op een groot dressoir stonden talloze fotolijstjes. Die had Judith bij binnenkomst al direct gezien, maar nu boog ze zich toch nieuwsgierig voorover naar enkele lijstjes, met kiekjes erin uit lang vervlogen tijden. Bij een van de vele lijstjes bleef ze wat langer staan. De jongeman op het zwart-witte kiekje kwam haar vaag bekend voor. En de vrouw aan zijn zij was niemand anders dan Klazien, dat zag ze duidelijk.

Klazien kwam de kamer binnengelopen met twee glazen dampende thee. „Ken je die man, Judith?" vroeg ze, toen ze Judith zo zag kijken. Ze hield daarbij haar hoofd een beetje scheef, in afwachting van het antwoord.

„Ja..." zei Judith aarzelend. „Maar dat is... die man lijkt wel op opa!" Met een vragende blik in haar ogen keek ze van het lijstje naar Klazien die meteen opgewonden met haar hoofd knikte.

„Goed geraden, meisje. Dat is Pieter."

„Maar... maar... u was toch óma's vriendin?" Judith was enigszins verbaasd, het zwart-witte fotootje liet een jong stelletje zien dat er samen heel gelukkig uitzag.

„O jazeker! Anke was toen mijn allerbeste vriendin, en dat is ze na haar huwelijk met Pieter nog jarenlang gebleven. Weet je, ik was zo blij dat ze me op de receptie van haar vijftigjarige huwelijksfeest uitnodigde. Het was al zo lang geleden dat ik hen had gezien, ik wilde met mijn eigen ogen zien of Anke en Pieter nog steeds gelukkig waren met elkaar."

„Maar... dít fotootje spreekt toch duidelijke taal, Klazien." Judith nam het lijstje in haar hand en bekeek het van dichtbij. „Was opa vroeger soms ook úw vriend?"

Klazien zuchtte diep. „Goed geraden, Judith! Pieter en ik zijn zelfs nog heel even verloofd geweest. Dat kiekje is ook tijdens onze verlovingstijd genomen. Maar plannen om snel te gaan trouwen hadden we niet. Ik had het ook zó druk met mijn carrière! Maar op een goede dag biechtte Anke op, dat zij en Pieter al enige tijd van elkaar hielden. Anke was toen zelfs al zwanger van mijn verloofde... van Pieter." De laatste woorden klonken een beetje bitter.

„Anke, mijn oma? Oei, dat is me wat geweest!" zei Judith impulsief, ze was een en al verbazing.

Klaziens ogen glansden plotseling verdacht, ze nam een zakdoekje in haar hand en wreef daarmee langs haar verhitte wangen. „Ja meiske, dat was een vervelende tijd," antwoordde ze. „Je begrijpt wel dat ik de verloving met Pieter toen onmiddellijk heb verbroken, evenals het contact met Anke. Tot op het moment dat ik een geboorteaankondiging kreeg van Anke, waarin ze me mededeelde dat jouw tante Stans was geboren! Ik heb Anke toen weer opgezocht, want ondanks alles miste ik haar enorm. Mede door mijn bezoek is onze vriendschap weer hersteld, hoewel het nooit meer zo vertrouwelijk tussen ons beiden is geworden, hoor."

Er gleed even een verdrietige trek over Klaziens gezicht, en Judith voelde haar hart bonzen in haar keel. Klaziens onthulling benam haar zowat de adem.

„Heeft u in die tijd, na opa bedoel ik, nog een andere man leren kennen?" vroeg ze nieuwsgierig, er hing iets raadselachtigs om Klazien heen.

Deze schudde meteen glimlachend haar hoofd. „Nee Judith. Er is in mijn leven slechts ruimte geweest voor één man. Als je begrijpt wat ik bedoel."

Judith begreep het. „Mijn opa..." fluisterde ze zachtjes, terwijl Klazien slechts bevestigend knikte. „Ik vond het nadien altijd erg moeilijk om op visite te gaan bij Anke, want na baby Stans kwamen er nog drie lieve kindertjes bij. Ik vermeed elke keer zorgvuldig ieder contact met Pieter, maar ach... zo af en toe zag ik hem toch. En dát was niet altijd even gemakkelijk voor me, omdat ik toen pas besefte wat ik kwijt was geraakt. Ondanks mijn carrière was ik ook vaak eenzaam en miste ik een gezinnetje. Maar je grootouders waren gelukkig met elkaar en dat vond ik, ondanks mijn verlies, het belangrijkste. Per slot van rekening heb ik zelf de verkeerde keuze gemaakt. Dat Pieter op een gegeven moment in onze verlovingsperiode meer oog kreeg voor Anke was min of meer mijn eigen schuld. Ik had een andere 'liefde' in mijn leven toegelaten, Judith. En diezelfde 'liefde' heb jij nu ook ontmoet."

Judith fronste haar voorhoofd, welke 'liefde' bedoelde Klazien eigenlijk?

Voorzichtig zette ze het fotolijstje weer terug op de kast en ging op een stoel zitten. Ze nam haar glas thee in beide handen en blies de warme damp weg.

„Begrijp je wat ik wil zeggen?" Klazien keek haar met een brede glimlach aan. Judith haalde verbaasd haar schouders op. „Nee, eigenlijk niet! Er is momenteel geen speciale liefde in mijn leven, Klazien."

„Ik bedoel de modewereld, jongedame. De mode was toen mijn allergrootste 'liefde', en dat is nu toch ook jouw grote 'liefde'? Of niet soms?"

Judiths ogen lichtten op, haar gedachten waren steeds bij een mogelijke jongeman geweest. Maar met die andere 'liefde' bedoelde Klazien dus de mode.

„Omdat mijn grootste 'liefde' ervoor zorgde dat ik altijd weg of onderweg was, verwaarloosde ik je grootvader min of meer. Als hij me nodig had, was ik er nooit. Ik nam weinig tijd, en deed ook weinig moeite, om me in onze relatie te verdiepen. Het model zijn en modeshows lopen kwam bij mij altijd op de eerste plaats. Ik wilde immers de top bereiken! Maar Anke, mijn allerbeste vriendin, was er wél altijd, begrijp je. Als ik toen voor je grootvader had gekozen was ik vrijwel zeker met hem getrouwd en een burgerlijk huisvrouwtje geworden. Maar… ik hield niet voldoende van hem. Ja, dat was het! Ik hield niet genoeg van hem."

Klazien tuurde enkele ogenblikken peinzend voor zich uit terwijl Judith de woorden langzaam op zich in liet werken. Ze voelde zich niet erg prettig bij deze mededeling, dat wat er vroeger was gebeurd tussen Klazien en haar opa en oma, moest een drama zijn geweest voor Klazien. Judith voelde zelfs een pijnlijke steek in haar buik bij de herinnering aan haar lieve oma. Zij was dus blijkbaar opa's tweede keuze geweest.

Klazien zuchtte nog eens diep, keek haar dan aan en zei: „Sorry, Judith. Ik ben wel erg openhartig geweest. Maar… de woorden kwamen plotseling in me op. Hoewel het allemaal heel lang geleden gebeurd is, denk ik er nog wel eens aan. Vooral na het autoongeluk, waarbij Anke om het leven kwam. Ach, elk mensenleven heeft zo z'n eigen verhaal, kind."

Judith dronk haar glas thee leeg, ze voelde zich enigszins verlegen met Klaziens openhartige onthullingen en wist niet meteen de juiste woorden te vinden. Klazien had het fotootje waarop ze samen met opa stond wel altijd bewaard, dat betekende in ieder geval zeker dat zíj hem nooit was vergeten. Die opa toch! Zou er momenteel weer 'iets' gaande zijn tussen Klazien en hem? vroeg ze zich zomaar ineens af. Een week geleden had ze opa nog bezocht en Klazien in zijn huis aangetroffen. Dat had ze toen niet vreemd gevonden, maar nu ze van Klaziens verleden op de hoogte was, vond ze de situatie uiterst merkwaardig. Maar nee, opa's hoofd stond nog láng niet naar dergelijke vriendschappen, wist ze vrijwel zeker. Opa leefde op dit moment nog steeds in diepe rouw, hij miste oma heel erg, en daarom waren zijn gedachten natuurlijk nog iedere dag bij háár.

Tjonge, wat een rare gewaarwording, haar malle fantasie ging zomaar met haar op de loop!

„Dan zullen we het nú maar eens even hebben over ons favoriete beroep, onze grote 'liefde'," doorbrak Klazien de pijnlijke stilte, en Judith schrok meteen op uit haar gedachten. „Ik heb zelfs nog een paar fotoboeken uit die tijd, met plaatjes van enkele grote modeshows. Wacht, ik haal ze even." Klazien opende de kastdeuren en haalde drie dikke albums te voorschijn.

Met trots liet ze Judith even later foto voor foto zien, vertelde enthousiast enkele boeiende verhalen uit vroeger jaren en waarschuwde haar voor tal van gevaren die het beroep van mannequin met zich meebracht.

Doodmoe van een lange avond hard werken en daarna het luisteren naar de vele adviezen van Klazien, sleepte Judith zich om half twee naar de logeerkamer.

Ze stelde het alarm van haar reiswekkertje in op zes uur en viel vrijwel onmiddellijk in een droomloze slaap.

Ze was zelfs nog te moe om na te denken over wat ze vanavond had gehoord.

De volgende morgen kostte het haar veel moeite om op te staan. Haar hele lichaam voelde pijnlijk aan. Een fikse hoofdpijn, een gevoelige keel en een warm voorhoofd deden haar al snel het allerergste vermoeden.

„O, Klazien, ik voel me grieperig!" klaagde ze bibberig en ze weigerde om een boterham te eten. Ze had nog niet op een weegschaal gestaan en wilde voor die tijd beslist niets eten. „Ik hoop niet dat het erger wordt. Mijn vader ligt sinds gisteravond ook al met griep op bed." Judith dronk enkele slokjes van haar thee omdat haar mond en keel droog aanvoelden, maar het bruine vocht smaakte nergens naar.

Klazien, die in haar ochtendjas aan tafel een boterham zat te eten, keek haar zorgelijk aan.

„Je moet zo snel mogelijk naar de huisarts gaan voor medicijnen. Er is vast wel iets om de symptomen te onderdrukken," adviseerde ze . „Maar maak het vooral niet te gek, meisje. Als je het modellenwerk een poosje niet kunt doen vanwege je gezondheid, duik dan eerst maar een paar dagen je bed in."

„O nee, ik kan me echt niet ziek melden, hoor," antwoordde Judith ontzet. „Ik móet wel doorgaan. Josien en Carl rekenen op me."

„Zorg goed voor jezelf, Judith. Volg mijn advies nu maar op en ga straks meteen naar je huisarts, misschien valt het allemaal wel mee." Judith knikte. Klaziens advies zou ze zeker ter harte nemen.

Met haar beautycase in haar ene hand en haar schoudertas over haar schouder kuste ze Klazien even later op beide wangen. „Bedankt voor je gastvrijheid en tot een volgende keer," zei ze met een dankbare glimlach om haar mond en waterige ogen van verkoudheid. Ze nieste daarna een paar keer en snoot haar neus.

Buiten was het nog donker toen Judith in haar auto stapte. Ze keek nog een keer naar de voordeur waar Klazien stond en haar hand opstak. In de voortuin ontdekte ze ineens een klein bordje met 'Te Koop' erop. Dat had ze gisteravond bij aankomst over het hoofd gezien. Vreemd, dat Klazien niets had verteld over een eventuele verkoop van haar woning, dacht Judith voordat ze het gaspedaal indrukte en wegreed.

9

Robin parkeerde Denises sportwagen tegenover het terrein waar een aannemer volop bezig was met de bouw van zes vrijstaande woningen.

De muren van de onderverdiepingen waren al als donkere silhouetten kaarsrecht omhoog gemetseld, zag hij vanaf een afstand. Met een zwaai gooide hij het portier van de auto dicht, evenals Denise, die naar hem toeliep en naast hem kwam staan. Met haar schouder leunde ze tegen hem aan, en ze pakte zijn arm stevig vast toen ze zei: „Kijk, Robin! Die eerste woning hier vooraan wordt het huwelijkscadeau dat ik van papa krijg. Natuurlijk is het ook jouw cadeau, want wat van mij is, is vanzelfsprekend ook van jou. Maar, zie je? Onze woning is véél ruimer en wordt héél wat mooier dan die vijf andere huizen." Robin zag onmiddellijk wat ze bedoelde. Het grondoppervlak was veel groter, en hij floot vol bewondering zachtjes tussen zijn tanden. Op die lap grond kwam hun huis te staan, en de stenen muur leek zelfs van duurzamer kwaliteit te zijn dan die van de andere huizen. „Het wordt vast een mooi paleisje, Denise!" zei hij, diep onder de indruk.

Denise lachte luid en trok hem met zich mee. „Kom, dan gaan we het allemaal eens van dichtbij bekijken." Robin hoorde de enthousiaste klank in haar stem en kon zich goed voorstellen dat zij bijzonder verguld was met dit royale cadeau van vader Frank. Hijzelf voelde zich enigszins in verlegenheid gebracht. Waarom kon hij er nu niet net zo blij en gelukkig mee zijn als Denise? Robin nam het afgebakende terrein in ogenschouw, terwijl Denise al haar ideeën in één keer kenbaar wilde maken en hem opgetogen al haar wensen voorhield. „Ik wil een oprijlaan met lindebomen... en in de achtertuin een flinke vijver met een overbegroeiing van valeriaan, kattenstaarten en waterwilg, en o, Robin... ik wil ook een tuinman in dienst nemen, hoor!"

Robin liet haar maar praten en luisterde slechts met een half oor. Alles wat hem nu voorgeschoteld werd leek niet meer op de realiteit. Hij voelde zich als een prins in de schaduw van een sprookje. Zó rijk en zó luxueus zag zijn toekomst er naast Denise uit! Hiervan had hij in de verste verte niet kunnen dromen, want het had hem tot op heden nog geen rooie cent gekost. Hij wist diep van binnen dat dát de reden was waarom hij niet écht blij kon zijn. Alles werd immers voor hem geregeld. Frank en Denise hadden zijn geld, zijn ideeën of hulp niet eens nodig. Hij voelde zich niet meer dan een onbeduidend mannetje dat slechts vanaf de zijlijn mocht toekijken.

Hij zweeg, wilde geen kritiek leveren op al Denises plannetjes, want Frank zou er immers voor zorgdragen dat al haar wensen in vervulling gingen. Daar had ze zijn goedkeuring niet eens voor nodig. Robin liep achter Denise aan om de gemetselde muren heen, en begroette daar de bouwvakkers die juist vanuit een bouwkeet het terrein opliepen om verder te gaan met hun werkzaamheden. Een radio werd aangezet en de diverse tophits verdreven de stilte en galmden luid de omgeving door.

Het was maandagmiddag, klokslag één uur. Einde van de schafttijd.

Denise had hem een uurtje geleden op school afgehaald zodat ze samen naar hun toekomstige huis konden gaan kijken. Hij had eerst zijn eigen auto naar het huis in de Trompetstraat gereden en geparkeerd, en vandaar waren ze in Denises auto verder gereden.

„Gaat alles volgens schema, meneer?" hoorde hij Denise belangstellend informeren bij een van de metselaars die ongeïnteresseerd zijn schouders ophaalde.

„Tja, dat moet u aan onze baas vragen, hoor! Ik weet van niets," antwoordde de man korzelig en zong daarna luidkeels mee met de Nederlandstalige muziek die uit de radio galmde.

„Volgens de aannemer wordt dit huis in juni volgend jaar opgeleverd, ik hoop dat er geen vertragingen zullen optreden," schreeuwde Denise boven de muziek uit. Robin zag een geïrriteerde blik in haar ogen komen, omdat de metselaar haar niet eens fatsoenlijk te woord wilde staan. „Laat die man nu maar zijn werk doen," mompelde Robin zachtjes in haar oor, omdat hij op voorhand wist dat Frank er heus wel voor zou zorgen dat het huis in juni klaar zou zijn. Maar de metselaar draaide zich om, glimlachte breed en legde enkele stenen netjes terug op de stapel waar hij ze zojuist vanaf had genomen. „De enige vertraging waar wij doorgaans mee te maken krijgen is een strenge winter, mevrouwtje. Want als het gaat vriezen blijft deze jongen lekker thuis! En al mijn collega's ook, dat kan ik u verzekeren."

„O..." Denise was met stomheid geslagen. „Maar... maar... dan komt de bouw stil te liggen!" Ze wendde haar gezicht, waarop de teleurstelling te lezen viel, naar Robin.

„Dat is heel normaal, Denise! Bouwvakkers gaan tijdens een vorstperiode met vorstverlet, dan kan er vanwege de lage temperaturen niet gewerkt worden," verduidelijkte Robin opnieuw in haar oor, terwijl de metselaar alweer meegalmde op de maat van de lawaaierige muziek. „Maak je nu maar geen zorgen, zover is het nog lang niet, schat! Misschien krijgen we wel een zachte winter zonder vorst. Kom, we gaan! We hebben hier voorlopig genoeg gezien," vond Robin, hij trok Denise met zich mee. Ze volgde hem met tegenzin.

„Die man was niet bepaald vriendelijk," bokte Denise onwillig, en maakte zich los uit Robins stevige greep. „En volgens mij kan het jou ook geen barst schelen," vervolgde ze grimmig tegen hem. „Jij hebt nog niet één keer gezegd wat je van het huis vind. Je komt nooit met ideeën of plannen. Helemaal niets!"

Robin keek haar onthutst aan.

„Ach, Denise! Er staan op dit moment pas een paar muren overeind en juni is nog zó ver weg... en ik heb je zo-even toch verteld dat het een paleis wordt?" zuchtte hij geprikkeld. Dat hij niet al te enthousiast reageerde, voelde Denise duidelijk aan. Hij kon het haar niet eens kwalijk nemen, het was haar schuld ook niet.

„Robin, papa wil dat we onze huwelijksdatum zo snel mogelijk bekendmaken." Denise keek hem met een afwachtende blik in haar donkere ogen aan. „Hij wil binnenkort alles al voor ons regelen. De kerk, het diner, een zaal en de receptie; dat moet allemaal ruim van tevoren besproken worden. Wat denk jij? Kunnen we eind juni trouwen? Als het huis dan nog niet klaar is kunnen we misschien tijdelijk bij mijn vader inwonen. Hij heeft woonruimte genoeg."

Robin voelde de woede weer omhoog borrelen. Frank wilde zelfs hun voorgenomen huwelijk tot in de puntjes regelen, dacht hij boos terwijl hij om Denises auto heen liep en instapte. Maar dáár zou hij eens snel een stokje voor steken, dát liet hij niet gebeuren.

„Je vader hoeft helemaal niets voor ons te regelen, lieverd. Wij regelen gewoon alles samen, jij en ik, en daar wachten we mee tot na de feestdagen. Wat vind je van begin januari? Dan is er wat mij betreft nog voldoende tijd om een zaal en de kerkdienst te bespreken. Ik vind het zó voorbarig om dat nu al te doen!"

„Nee Robin, daar ben ik het niet mee eens! Volgende week is er al een bruidsmodeshow waar ik een exclusieve jurk uit de nieuwe collectie hoop te bestellen. Januari is véél te laat, hoor. Zó lang wil ik niet wachten." Haar vinnige stem zorgde ervoor dat hij geen antwoord gaf, omdat dat de zaak alleen maar erger kon maken en hun gesprek op ruzie uit zou doen lopen. „Ik vind overigens wél dat papa alles moet regelen," ging ze volhardend verder. „Hij wil namelijk het állerbeste voor mij... dat is toch normaal... En bovendien, hij betaalt ook alle onkosten. Dan is het toch niet vreemd dat hij alles voor ons wil regelen? Hè, wat ben jij toch een dwarsligger om daartegen in te gaan!"

Robin slikte nogmaals een boos antwoord in, zijn humeur werd er niet beter op. Hij kneep zijn lippen op elkaar tot een smalle streep en startte met één enkele beweging haar auto.

„Ben je boos?" hoorde hij haar na enkele zwijgzame minuten vragen. Robin deed alsof hij met zijn gedachten bij het drukke verkeer was. Denise liet zich echter niet misleiden en nam daar geen genoegen mee. „Rob, ik vroeg je wat!"

Hij keek haar van opzij even vluchtig aan en nam de bocht zo scherp dat Denise onverwacht tegen het portier aanviel. „Je bent dus wél boos!" concludeerde ze, nadat hij zich met een verbeten trek op zijn gezicht had verontschuldigd.

„Boos? En óf ik boos ben! Ik ben woest," antwoordde Robin luidkeels omdat hij ineens niet meer kón zwijgen. Hij wilde een mogelijke ruzie ook niet langer uit de weg gaan. Hij was geen slapjanus. Nee, Frank van Oosterbeek zou deze keer zijn zin niet krijgen. „Ik ben het zó zat dat alles... maar dan ook alles, door je vader wordt geregeld. Snap jij dat dan niet? Jij geeft mij het gevoel dat ik straks volkomen afhankelijk ben van je vader. Ik wil ook graag iets bijdragen en me niet als een onmondig kind laten behandelen."

„Papa bedoelt het goed, hoor!" Denises stem klonk hevig verontwaardigd.

„Oké, dat zal wel zo zijn! Maar ik wil wel samen met jou alles regelen voor onze mooiste dag. Ik hoop dat dát duidelijk genoeg is, want anders..." Robin zweeg abrupt. Hij wilde niet te ver gaan en woorden uitspreken waarvan hij later spijt zou krijgen. Hij hield immers zielsveel van Denise. Hij wilde haar niet kwetsen.

Met een weloverwogen gebaar reed hij de auto naar de zijkant van de weg, op een brede grasstrook bracht hij het opvallende voertuig tot stilstand. Ze keken elkaar zwijgend aan, zij nog steeds met een verontwaardigde blik in haar ogen, en hij: moe van het vechten tegen de bierkaai. Zijn boosheid verdween langzaam maar zeker, ergens ver weg naar de achtergrond. Maar zijn gevoel van onmacht niet. Frank van Oosterbeek was geen partij voor hem, besefte hij voor de zoveelste maal. Hij kon nóg zo kwaad worden, maar het zou niets uitrichten. Frank was nu eenmaal Denises vader, en hij – Robin – zou altijd aan het kortste eind trekken. Robin voelde de nederlaag, het verlies.

„Sinds dat ongeluk met die oudjes ben jij jezelf niet meer!" wierp Denise hem onverwacht voor de voeten. „Je praat er gelukkig nooit meer over, maar je reageert onbewust wel je frustratie af op papa, en ook op mij... Papa had het beste met je voor, hoor, toen hij zijn advocaat naar je toestuurde. Als jij je zaak door die man had laten behandelen, was je nu van dat gezeur afgeweest. Dan was je naam gezuiverd van alle blaam."

Robin slikte, scheurde zijn blik los van haar gezicht en telde de auto's die voorbij zoefden.

Denises woorden logen er niet om. Was het zo duidelijk waarneembaar? Was hij inderdaad veranderd? Reageerde hij zijn frustratie écht op anderen af?

Hij kon het niet ontkennen, want er schuilde een kern van waarheid in Denises beschuldigende woorden. Zijn leven was sinds het auto-ongeluk wel degelijk veranderd, ze had haar vinger op de zere plek gelegd. Hij kon niet zomaar voorbijgaan aan wat was gepasseerd. En dat de gedupeerde familie hem de schuld in de schoenen wilde schuiven, was nog steeds onverteerbaar. Hij kon die onbegrijpelijke aanklacht niet verwerken. Het was zo moeilijk om daarmee te leven.

De zaak zat hem nog steeds erg hoog, maar er bestond geen enkele advocaat die daar iets aan zou kunnen veranderen. Goed, Frank had die advocaat uiteraard met de beste bedoelingen naar hem toegestuurd, maar het probleem lag veel dieper. In zijn hoofd hoorde Robin opnieuw het geroep om Anke, er knapte van binnen ineens iets bij hem. Het trieste beeld van die oude man zorgde opnieuw voor tranen in zijn ogen. Robin haalde zijn neus op en drukte krampachtig een zakdoek tegen zijn ogen. Hij wílde die beelden niet zien, en het hulpgeroep ook niet langer aanhoren. Maar de herinnering kwam toch steeds weer terug! Waar hij ook was, thuis, op het voetbalveld, of op school. En hoewel hij part nog deel had aan het ongeluk, voelde hij zich op onverklaarbare wijze tóch schuldig.

„Zie je nu wel?" Denises stem klonk fel en onbarmhartig, ze zat op een totaal andere golflengte. Ze kon hem in dit opzicht niet steunen of bemoedigen, wist hij. Ze dacht alleen maar aan zichzelf en aan haar vader. Hij kon zijn verhaal ook niet aan haar kwijt. Dat kon hij direct na het ongeluk al. Nou ja, ze was wel vreselijk trots op zijn eerste hulppogingen geweest, maar verder miste hij haar medelijden en medeleven.

„Tja..." mompelde Robin hees „... je hebt gelijk. Ik heb nog steeds erg veel moeite met de verwerking van dat ongeluk. Het spijt me..."

„Ik geef je een goede raad, Robin! Blijf niet langer tobben over die kleinzielige mensen, je schiet er niets mee op."

Robin kneep zijn ogen even dicht, haar antwoord was zo teleurstellend. 'Kleinzielige mensen' had ze gezegd, die woorden raakten hem diep. Zijn voorgenomen huwelijk met Denise stond plotseling in de schaduw bij alles wat er tijdens en na dat auto-ongeluk was gebeurd. Het kon hem ineens ook allemaal niets meer schelen dat vader Frank zijn huwelijk met Denise tot in detail wilde regelen. Er waren veel ergere zaken. En daar was het auto-ongeluk er één van.

Robin capituleerde zomaar van het ene op het andere moment, en zijn gevoel van onmacht verdween eveneens.

„Denise..." Hij opende zijn ogen weer en keek haar verslagen aan. „Prik jij maar een datum voor ons huwelijk in juni en laat je vader alles maar regelen. Ik hoor het te zijner tijd wel."

„O lieve Robin, wat ben je toch een schat!" De gelukzalige toon in Denises stem ontging Robin niet. Zij had de bitterheid in zijn woorden niet eens opgemerkt. Hij glimlachte wrang en voelde zich belabberd. Denise wist immers niet beter dan dat ze altijd haar zin kreeg en dat zou in de toekomst ook niet snel veranderen. Dat hij zich nu gewonnen gaf, veranderde haar humeur in een ommedraai ten goede. „Robin, er is wél iets wat jij mag regelen, lieverd," voegde ze er direct poeslief aan toe.

Robin keek haar gelaten aan. „Wát kan ik dan nog regelen?" vroeg hij moeizaam.

„Mijn bruidsboeket!" antwoordde ze lachend. „Jij moet een schitterend bruidsboeket voor me bestellen. Met een corsage. En dát mag je uiteraard wel zelf betalen."

Robin schudde vertwijfeld zijn hoofd. Hij had nog niet eerder aan een bruidsboeket voor haar gedacht, maar hield daarover wijselijk zijn mond. „Dat was ik al van plan, Denise," loog hij. „En dat hoeft je vader niet te regelen en ook niet te betalen." Hij startte haar auto, keek over zijn linkerschouder en reed de weg weer op.

Denises gezicht straalde bij het feestelijke vooruitzicht van haar voorgenomen huwelijk met Robin, terwijl Robin voorttobde over zijn onschuld én mogelijke schuld aan het auto-ongeluk van Anke en Pieter Graafsma.

De huisarts gaf Judith een recept mee om de griep te onderdrukken. „Het werkt niet altijd, Judith! Je moet er geen wonderen van verwachten, maar hopelijk verlicht het de klachten enigszins," had hij hartelijk gezegd. „En zo niet, dan kruip je maar lekker een week in bed, want dat is nog steeds het beste medicijn voor de griep. Gewoon uitzieken!"

Dit laatste advies verwierp Judith onmiddellijk. Ze had juist al haar hoop op de voorgeschreven medicijnen gesteld, want ze wilde per se de aanstaande modeshows, waarvan ze vanmiddag de papieren onder ogen kreeg en waarvoor ze Carls spiksplinternieuwe creaties moest passen, niet verzuimen.

Ze was met het recept naar de apotheek gegaan en vandaar naar de supermarkt waar ze tot twaalf uur haar werk achter de kassa zo goed mogelijk verrichtte. Ze had weliswaar constant last van koude rillingen en niesbuien, maar van de zes tabletjes die ze per dag in mocht nemen had ze er al snel drie ingenomen. Ze knapte daarna aanzienlijk op, de hoofdpijn verdween grotendeels, evenals de rillingen. Tijdens de koffiepauze had ze tegen haar wil zomaar een gebakje opgegeten, waarop een jarige collega trakteerde en waarover ze zich direct daarna al vreselijk schuldig voelde. Maar bij het zien van die grote doos met overheerlijke gesorteerde gebakjes, had ze niet kunnen weigeren. Haar vastberadenheid en sterke wil hadden haar onverwacht in de steek gelaten. Ze was niet alleen rillerig geweest, maar ook slap en hongerig. Ze had alweer bijna vierentwintig uur geleden haar laatste cracker met magere smeerkaas gegeten. Vanwege de krappe ochtendpauze en de drukte in de winkel lukte het haar ook niet meer om naar het toilet te gaan en zich daar op de bekende wijze van het gebakje te ontdoen. Tobberig hielp ze de verdere ochtend haar klanten weg en om klokslag twaalf uur trok ze haar jas aan en verliet de supermarkt. Ze wilde naar huis om zo snel mogelijk op de weegschaal te gaan staan. Ze kon het zich niet permitteren om vanmiddag ook maar één grammetje te veel te wegen. Waarom had ze daar ook niet aan gedacht alvorens ze tijdens de pauze dat gebakje accepteerde? Carl zou laaiend zijn! Misschien had hij haar nu niet meer nodig voor die modeshows waar hij zelf zo enthousiast over sprak. Voordat ze thuis uit haar auto stapte legde ze haar hand op haar platte buik. Ze voelde een lichte zwelling en vol afgrijzen keek ze naar haar schoot. Dat één gebakje haar zó dik maakte had ze nauwelijks verwacht. Maar het wás wel zo. Ze voelde zich vreselijk dik! Tranen van spijt sprongen in haar ogen toen ze zich realiseerde dat het passen van Carls creaties vanmiddag bij voorbaat al gedoemd was om te mislukken.

Agnes stond in de keuken en goot kokend water in de theepot, ze keek Judith met een vragende blik en opgetrokken wenkbrauwen aan. „Zo, dus jij hebt afgelopen nacht bij Klazien Somers gelogeerd?" stelde ze met kritische stem vast.

„Tja..." snufte Judith afwezig en snoot haar neus, ze wilde eigenlijk zo snel mogelijk naar boven gaan. Naar haar kamer waar de weegschaal al klaarstond.

„Is dat het enige wat je te zeggen hebt?" riep Agnes haar na, toen ze Judith haastig door de woonkamer zag lopen.

„Ik ben zo weer beneden. Ogenblikje, mam..." antwoordde Judith paniekerig.

Met twee treden tegelijk rende ze de trap op en hoorde moeders stem nog waarschuwend zeggen dat ze rustig moest zijn omdat vader met de griep in bed lag.

Maar Judiths gedachten waren niet bij haar zieke vader en rustig zijn. Ze dacht alleen maar aan de overtollige kilo's die ze met het eten van het gebakje voelbaar was aangekomen.

Alvorens ze op de weegschaal ging staan trok ze haar jas en schoenen uit. De wijzer week uit naar... Judith voelde haar hart bonzen in haar keel. „Geen verandering!" lispelde ze dolgelukkig. Wat een onbeschrijfelijke opluchting! Het gebakje had op dit moment nog geen enkele invloed gehad op haar gewicht. Er viel zowaar een zware last van haar schouders toen ze haar schoenen weer aandeed. Ze verbood zichzelf onmiddellijk om die dag verder nog iets anders te eten dan alleen een appel in plaats van het avondeten. Natuurlijk nam ze zich voor om wel veel water en thee te drinken en haar vitaminepillen niet te vergeten. En als ze zich vanavond weer wat beter voelde kon ze misschien nog wel een uurtje gaan joggen. Dat zou niet alleen goed zijn voor haar conditie, maar ook voor haar gewicht. Ze kon er de overtollige calorieën mooi aflopen. Tot deze ontdekking was ze nog niet zo lang geleden gekomen toen ze een brochure had gelezen over allerlei diëten en streng lijnen.

Beneden informeerde Agnes opnieuw naar haar onverwachte logeerpartij bij Klazien. Judith nam er nu de tijd voor om haar moeder te informeren. „Klazien was gisteravond bij de modeshow in Eindhoven aanwezig en nodigde me uit om vannacht in haar huis te logeren, dan hoefde ik zo laat het hele eind niet meer terug te rijden. Het is een hele vriendelijke dame, mam, en ze liet me ook een heleboel foto's van vroeger zien. Ze is zelf ook mannequin geweest, we hadden dus heel wat raakvlakken in onze gesprekken," antwoordde Judith, terwijl ze meteen weer dacht aan al Klaziens openhartige ontboezemingen. Zou moeder weten dat opa en Klazien vroeger verloofd waren geweest? vroeg ze zich nieuwsgierig af.

Agnes deed alsof ze niet onder de indruk was. „Ik weet het, opa vertelde me dat nog niet zo lang geleden. Ik heb eigenlijk altijd al geweten dat ze iets in de mode deed. Toen Klazien vroeger nog bij oma op bezoek kwam zag ze er al heel anders uit dan alle andere vrouwen. Zó netjes en natuurlijk verschrikkelijk deftig, altijd op schoenen met hoge naaldhakken en met vreemdsoortige hoedjes op haar hoofd. Ja, ik herinner me dat allemaal nog heel goed. Ze is vroeger altijd oma's beste vriendin geweest..." Agnes drentelde naar de keuken en kwam terug met twee glazen thee en een boterhambordje met gesmeerde broodjes erop. „Broodje?" vroeg ze, waarop Judith haar hoofd schudde en 'ik heb al gegeten' zei. Agnes knikte berustend, dat antwoord gaf Judith meestal als ze haar tussen de middag een boterham of een broodje aanbood.

„Heeft ze een mooi huis?" informeerde Agnes verder. Deze nieuwsgierige vraag prikkelde Judith ineens, omdat ze zich het bord in de tuin plotseling weer herinnerde. „Tja, ze woont inderdaad in een mooi huis, maar het staat te koop," antwoordde ze. „Ik denk dat Klazien binnenkort ergens anders wil gaan wonen. Ik zag vanmorgen het bord van een makelaar in de tuin staan."

Agnes, die juist een belegd broodje naar haar mond bracht, legde dit weer op het bordje neer. „Te koop, zei je?" Er lag oprechte verbazing in haar woorden. „Nou, dat is ook toevallig! Opa wil namelijk..." Agnes zweeg ineens midden in haar zin.

Judith observeerde haar moeders gezicht, een zorgelijke rimpel verscheen in haar voorhoofd. „Mam, wat bedoelt u? Wat wil opa? Vertel eens verder," drong ze zachtjes aan.

„Opa wil zijn huis óók verkopen, net als Klazien blijkbaar. Hij vertelde me dat gisteravond tijdens mijn bezoekje," zei Agnes, ze stond op en ijsbeerde door de kamer. Tal van gedachten flitsten er nu door haar hoofd. Was dit een toevallige samenloop van omstandigheden? Of hadden Klazien en vader dit soms samen bekokstoofd? Agnes schudde met haar hoofd. Nee, ze wilde geen achterdochtige gedachten toelaten. Vader kon immers niet langer in het huis blijven wonen vanwege zijn dierbare herinneringen aan moeder. Judith zag de wisselende gelaatsuitdrukkingen van haar moeder die duidelijk verrieden dat ze méér wist. Of toch niet? Waar dacht moeder eigenlijk aan?

„Opa en Klazien zijn vroeger, toen ze nog jong waren, verloofd geweest, wist u dat?" De woorden kwamen onverwacht uit Judiths mond. Ze kon het nieuwtje waarmee Klazien haar gisteravond zo verrast had niet langer voor zich houden.

„Ach, nee!" stiet Agnes ongelovig uit. „Maar Judith... hoe kom je dáár nu bij? Hoe verzin je zoiets belachelijks?"

„Dat verzin ik helemaal niet! Klazien vertelde me dat. Ze heeft zelfs een lijstje staan met een fotootje erin waarop ze als verloofd stelletje staan afgebeeld. Opa en Klazien! Ik heb het zélf gezien, hoor."

Agnes schudde langzaam haar hoofd. Het gesprek met moeder bij het schrijven van de uitnodigingen voor de receptie van hun vijftigjarige huwelijksfeest kwam haar ineens weer glashelder voor de geest. De zinnen die moeder toen niet volledig had uitgesproken bevestigden ineens haar verborgen vragen en angsten van de laatste dagen.

„Klazien mocht Pieter erg graag, Agnes. Een beetje té... ik heb weleens gedacht dat..."

Agnes scheurde zich los van haar herinneringen. „Wist oma ervan, Judith? Ik bedoel... van die verloving? Heeft Klazien je dat óók verteld?"

Judith knikte bevestigend, ze keek onderwijl naar de klok en zag dat de tijd naderde om naar het modellenbureau te vertrekken. „Ja, oma wist het ook. Maar misschien kunnen we er een andere keer nog eens over praten, mam. Opa loopt heus niet in zeven sloten tegelijk. Ik moet nu weg, de tijd dringt en Carl wacht op me."

Judith stond op. Ze had er nog wel langer over willen doorpraten, meer willen vragen en meer over Klazien willen weten, maar moeder wist klaarblijkelijk ook niets van een vroegere verloving af. Ze liet Agnes een tikje aangedaan in de kamer achter, met de belegde broodjes voor zich op een bordje. Het lukte Agnes niet meer om ook maar één hap door haar keel te krijgen. Judiths verrassende mededeling maakte ineens dat ze zich verdrietig en verward voelde. Wolletje en Pluis hadden dat snel genoeg in de gaten en kwamen bedelend en spinnend bij haar zitten. Ze roken de verrukkelijke ham, maar het vrouwtje had deze keer geen aandacht voor hen.

Carl raakte in extase toen Judith die middag in de daarvoor bestemde ruimte zijn kledingstukken aantrok. De exclusieve jurken en tunieken vielen daarbij glad langs haar perfecte, maar inmiddels mager geworden lichaam.

Josien straalde trots. „O lieverd, we hebben nu al al onze hoop op jou gevestigd. Carls 'haute couture' staat je perfect en dat betekent, beste Judith, dat je het neusje van de zalm gaat showen met dat volmaakte lichaam van je. En wel speciaal voor enkele exclusieve dames die er zeker van willen zijn dat ze nooit iemand anders in diezelfde 'outfit' zullen ontmoeten. Van elke creatie is er dus maar één! Daar vragen we de hoogste prijzen voor, hè Carl?"

Carl drukte beide handen tegen elkaar in opperste verrukking, knikte geestdriftig en gebood daarna de aanwezige coupeuse om onmiddellijk de juiste lengte af te spelden.

Met twee getekende contracten en tien nieuwe afspraken voor modeshows stond Judith aan het eind van de middag doodmoe, maar voldaan op straat. Het grieperige gevoel stak niet lang daarna de kop weer op. De medicijnen had ze per ongeluk thuis, op haar kamer laten liggen. Ze nam zich voor om straks de resterende tabletten alsnog in te nemen. Het beroerde gevoel zou dan vast weer wegzakken, net als vanmorgen. Voor het huis ontwaarde ze al vanaf een afstand Freds tweedehands autootje. Blijdschap, vanwege zijn onverwachte thuiskomst, maar ook enige tegenzin wisselden elkaar af. Het was altijd erg gezellig als Fred thuis kwam, maar hij was ook een goede eter. Hij zou vast niet nalaten om haar tijdens de avondmaaltijd aan te moedigen en haar een vol bord met eten op te dringen. Judith huiverde bij de gedachte.

Ze nam zich voor om hem, en ook haar moeder, te vertellen dat ze op het modellenbureau al wat gegeten had. Tja! Dat was op dit moment de meest acceptabele smoes. En als ze dan tijdens het avondeten heel langzaam een appeltje op zou peuzelen, kon ze zowel moeder als Fred ervan overtuigen dat ze haar dagelijkse portie fruit in ieder geval niet verwaarloosde. Judith fleurde helemaal op bij dit voornemen. Juist toen ze de voordeur wilde openen hoorde ze de kleine zesjarige buurjongen, Harrie Boons, woedend schreeuwen en stampvoeten. „Ik loop weg, hoor! Ik móet vanavond naar de voetbaltraining. En als jullie me niet wegbrengen, ga ik zélf wel!"

Nieuwsgierig draaide Judith zich om naar het boze jongetje dat ze vlak achter zich zag weglopen. „Ha, die Harrie. Wat kijk jij boos, zeg!" Het ventje draaide zijn smoeltje naar haar toe, ze zag direct dat de eerste tranen over zijn wangen begonnen te rollen. Judith was al bij hem en boog zich voorover, ze aaide troostend over zijn blonde haren. „Ach, Harrie toch! Is het dan zó erg?" Harrie knikte wild met zijn hoofd en snikte: „Ik móet straks naar de voetbaltraining... en nu... nu... kan papa mij niet wegbrengen en mama... mama... heeft geen rijbewijs. Het is zo... on... oneerlijk!"

Judith keek op en zag dat Ans, Harries moeder, op hen kwam toelopen. „Harrie, stel je niet zo aan, jongen. Papa ligt ziek op bed, hij kan je vandaag écht niet wegbrengen. Je kunt de training best een keertje overslaan."

„Neehee, dat wil ik niet," gilde het boze kereltje meteen. Ans keek zuchtend van Harrie naar Judith. Onderwijl pakte ze haar kind stevig bij zijn rechterarm, zodat hij niet verder van haar vandaan kon lopen. „Paul heeft de griep flink te pakken," vertelde ze ter verduidelijking. „Hij ligt doodziek op bed en daarom kan hij Harrie vandaag niet wegbrengen."

„Dat is ook toevallig! Mijn vader zit in hetzelfde schuitje, hij ligt eveneens op bed."

„Tja, ze zeggen dat het heerst. Jij ziet er trouwens ook beroerd uit, heb je het griepvirus misschien ook onder de leden, Judith?"

Judith haalde haar schouders op en keek vervolgens vol medelijden naar de verdrietige Harrie. „Ik voel me inderdaad niet erg fit, maar ik heb vanmorgen medicijnen gekregen van de huisarts. Die tabletten houden me voorlopig wel op de been. Maar ehm... ik wil Harrie straks wel even naar de voetbaltraining brengen, hoor. Ik was toch van plan om nog wat te gaan joggen. Dat kan ik bij de voetbalvelden ook doen."

„Jaaa... Hoi, hoi, hoi," juichte Harrie door zijn tranen heen. „Judith kan me wegbrengen, mam. Zij kan tenminste wel autorijden, dan kun jij bij papa blijven."

Ans keek Judith even ernstig aan. „Weet je het zeker, Judith? Ik vind je aanbod erg aardig, maar zou je zelf ook niet naar bed gaan?"

Maar Judith wilde daar niets van weten.

„Ik breng Harrie wel weg," zei ze op besliste toon. „En dan neem ik hem na de training ook weer mee naar huis."

Ans bedankte haar en liep met een juichende Harrie terug naar het buurhuis terwijl Judith met een glimlach om haar mond naar binnen liep. Ze had Harrie altijd een leuk kereltje gevonden, ze was blij dat ze hem kon helpen.

In de woonkamer zag ze tot haar grote verbazing dat vader en Fred allebei met hoogrode koortswangen op een stoel zaten.

Ze dronken beiden een kop thee en aten een beschuitje om vervolgens hun bed weer op te zoeken. „Ze hebben allebei griep, het heerst," zei Agnes toen Judith hen nakeek. „Fred is halverwege de middag ook ziek thuisgekomen en ik zie hem voorlopig nog geen klusjes in de tuin doen, evenmin als je vader. Alhoewel ze nu al denken dat ze met het weekend al een heel stuk zijn opgeknapt, zodat ze de laatste restjes herfstbladeren kunnen opvegen. Maar dat geloof ik niet, als het morgen niet beter gaat bel ik de dokter. Wij eten vanavond maar een keertje samen."

Judiths ogen dwaalden naar de keurig gedekte tafel voor twee personen. „O, maar ik heb ook al gegeten," loog ze zonder blikken of blozen. „Ik lust alleen nog wel een stukje fruit. Ligt er misschien nog een appeltje op de fruitschaal?"

Met tegenzin schilde Judith tijdens het avondeten haar appeltje af en verdeelde de vrucht in vier partjes. De medicijnen had ze inmiddels ook weer ingenomen. Ze zat samen met Agnes aan tafel en luisterde naar moeders verhaal over Fred die halverwege de middag ziek naar huis was gekomen van de universiteit en over vader, die vanmorgen al vroeg hoge koorts had gehad en daardoor niet naar zijn werk had kunnen gaan.

„Jij ziet er trouwens ook niet al te florissant uit. Ben je soms ook grieperig?" eindigde Agnes haar betoog en keek haar daarbij even met een doordringende blik aan, terwijl ze enkele aardappels vanuit de pan op haar bord schepte.

Judith kauwde met lange tanden op een stukje appel en schoof de overgebleven partjes van zich af. Het smaakte haar niet en moeder was nu al de tweede persoon in een uur tijd die haar vertelde dat ze er belabberd uitzag. „Een beetje," gaf ze met moeite toe. „Maar ik heb vanmorgen van de huisarts medicijnen gekregen om de klachten zo veel mogelijk te onderdrukken. Ik kan het me niet permitteren om ziek te worden. „'k Heb vanmiddag op het modellenbureau weer contracten getekend voor tien modeshows en het gaat deze keer om iets heel speciaals."

„Medicijnen?" Agnes keek haar bezorgd aan. „Ach kind, volgens mij bereik je veel meer met een goed eetpatroon. Je bent mager geworden en zo verlies je ook je weerstand. Kijk, nu schuif je die appelpartjes ook alweer weg! Dat slechte eetpatroon wordt je toch niet opgedrongen door die lui van het modellenbureau?"

„Mam," zuchtte Judith kregelig, „ik heb vanmiddag wat op het modellenbureau gegeten. U moet daar niet steeds over blijven doorzeuren." Haar stem had geïrriteerd geklonken. Ze begon een hekel aan haar moeder te krijgen met haar eeuwige gezeur over eten.

Maar diep van binnen wist ze heus wel dat er een kern van waarheid school in moeders woorden. Ze trok zich dagelijks op aan de inspirerende woorden die Josien tijdens de eerste casting had uitgesproken: 'Slank is mooi'.

Woorden, die ze haar leven lang niet meer zou vergeten. Afvallen en niets anders dan afvallen was vanaf dat moment belangrijk om als mannequin heel snel hogerop te komen. Afgezien van het feit dat ze zich vaak hongerig voelde, en 's nachts regelmatig droomde van een banketbakkerij met een etalage waarin chocolade, gebak en allerlei andere zoetigheden lagen uitgestald, wist ze met zekerheid dat ze op de goede weg was. En tja, het was niet altijd even makkelijk, soms struikelde ze weleens, zoals vanmorgen tijdens de koffiepauze. Maar ze zou het niet opgeven. Nooit! Josien en Carl moedigden haar steeds aan, vonden haar lichaam 'volmaakt' voor het showen van allerlei kleding en hadden grote verwachtingen voor de toekomst.

Agnes at zwijgend haar bord leeg terwijl Judith dromerig rondkeek en zichzelf er even later toe zette om nog één appelpartje op te eten. Ze verwachtte dat de medicijnen elk moment hun werk zouden doen, zodat ze zich wat prettiger zou voelen. Maar het leek wel alsof al haar spieren ook langzaam maar zeker begonnen te protesteren, het beroerde gevoel nam helemaal nog niet af en achter haar ogen dreinde hoofdpijn. Ze wreef over haar pijnlijke armen en benen. „Ik ga zometeen nog even joggen in de buurt van voetbalvereniging 'Victorie'. „'k Heb Harrie van hiernaast beloofd om hem weg te brengen naar de training."

Agnes keek naar het rode, koortsachtige gezichtje van Judith, waarin twee felle wilskrachtige ogen haar zelfverzekerd aankeken. Het lag op 't puntje van haar tong om Judith te adviseren vanavond toch vooral thuis te blijven en het rustig aan te doen. Het kind zag er zo vermoeid uit. Dat kon trouwens ook niet anders met die modeshows waarvan ze vaak pas diep in de nacht thuiskwam. Maar voordat ze zich uitsprak slikte ze de woorden weer in. Ze wist toch al bij voorbaat dat het geen enkele zin zou hebben. Judith had zich nu eenmaal voorgenomen om te gaan joggen, ze ging gewoon haar eigen weg zoals ze dat de laatste maanden gewend was te doen.

Agnes kon het maar moeilijk begrijpen. Iedereen nam tegenwoordig maar z'n eigen beslissingen. Haar gedachten verplaatsten zich naar haar vader, die, zonder dat zij het wist, de beslissing had genomen om zijn huis te verkopen. Wat was het soms toch moeilijk om je bij de keuze van anderen neer te leggen.

Agnes slaakte een diepe, diepe zucht. Ze had soms het gevoel dat ze nergens meer tegen opgewassen was. Niet tegen het gemis van haar eigen moeder, niet tegen de zorg om haar vader, en niet tegen haar eigenwijze dochter die er een hoogst ongezonde manier van leven op nahield.

10

Judith reed haar auto langzaam het parkeerterrein van voetbalvereniging 'Victorie' op en stopte onder de beukenbomen. Harrie klikte onmiddellijk zijn autogordel los, pakte zijn blauwe sporttas en duwde het autoportier open. Het was duidelijk, hij had haast.

„Over een uurtje haal ik je hier wel weer op, Harrie!" riep Judith hem na.

„Oké, tot straks..." hoorde ze zijn opgetogen stemmetje antwoorden. Hij stak een eindje verder zijn hand nog eens op en verdween dan door de deur van het clubgebouw naar binnen om zich te verkleden.

Judith leunde met haar hoofd achterover tegen de hoofdsteun van haar autostoel en sloot een ogenblik haar koortsige ogen. Ze zuchtte diep en kon maar niet begrijpen dat de medicijnen vanmorgen in de supermarkt zo snel hadden gewerkt en op dit moment voor nog geen enkele lichamelijke verbetering hadden gezorgd.

Haar plan om een uur te gaan joggen zag er dan ook niet zo heel erg aanlokkelijk meer uit. Eigenlijk had ze moeders onuitgesproken advies ter harte moeten nemen, want ze had wel degelijk aan moeder gemerkt dat zij het beslist niet met haar eens was dat ze nog wilde gaan joggen. Maar die hint had Judith in de wind geslagen. Ze móest van zichzelf gaan lopen. Hardlopen, om alle te veel genuttigde calorieën van vandaag geen enkele kans te geven om haar weer dikker te maken. Ze was immers op de goede weg en daar wilde ze maar al te graag aan blijven werken. Haar wilskracht was immers veel sterker dan haar zwakte voor zoetigheid. Er konden vast nog wel wat kilootjes af. Josien en Carl vonden haar lichaam immers 'volmaakt'! Volmaakt voor het lopen van bijzondere modeshows waarbij ze Carls exclusief ontworpen creaties mocht dragen. Zolang Josien en Carl geen kritiek hadden op haar figuur wist Judith heel zeker dat ze in de modewereld met open armen zou worden ontvangen. Ze droomde van een absolute topcarrière in de modewereld van Parijs, Londen en New York.

Deze inspirerende gedachten gaven haar de impuls om de autodeur te openen en uit te stappen. Ze greep met haar hand naar haar koortsige hoofd, een duizeling trok langzaam voorbij zodat ze bijna haar evenwicht verloor. Maar ze leunde, gekleed in haar felgekleurde trainingspak met bijpassende sportschoenen, even tegen de auto aan. In de verte hoorde ze het geluid van uitgelaten joelende kinderen en het snerpende geluid van een voetbalfluitje. Judith opende haar ogen weer en zag van veraf dat de kleine Harrie Boons een voetbal doelgericht wegschopte. Door de felle verlichting die langs het voetbalveld brandde kon ze het allemaal precies zien. Andere jongens volgden zijn voorbeeld. De trainer gaf vervolgens allerlei aanwijzingen en de kereltjes gehoorzaamden gewillig.

Kom, het werd tijd om zelf een stukje hard te lopen. Haar benen trilden verdacht toen ze enkele stappen zette en zichzelf de opdracht gaf tweemaal om het voetbalveld heen te lopen. Dat moest in deze toestand maar voldoende zijn, vond Judith. Daarna zou ze een poosje in haar auto gaan zitten om uit te rusten en meteen op Harrie wachten.

Ze maakte snelheid en holde langs de zijkant van de voetbalkantine. Haar hart bonsde snel en haar ademhaling klonk piepend. Het leek wel alsof ze geen zuurstof genoeg binnen kreeg. Judith stopte even, ging voorover staan en steunde met haar handen op haar knieën. Ze voelde zich warempel nu al uitgeput. Dit was niet wat ze ervan verwacht had, maar ze wilde het voorlopig nog niet opgeven. Ze ging weer rechtop staan, liep met knikkende knieën verder en maakte opnieuw snelheid, ze zóu en ze móest tweemaal om dat veld heen lopen. Die calorieën móesten eraf.

Haar ademhaling maakte weer een piepend geluid, haar hoofd voelde zo pijnlijk aan alsof het elk moment kon ontploffen en haar benen trilden als rietjes.

Een schietgebedje flitste door haar zere hoofd. „O God, geef me toch kracht. Geef me kracht om hard te lopen en de állerbeste mannequin van Nederland te worden. De allerbeste van Parijs, Londen en... o Heer, ik mag níet ziek worden, wilt U daarvoor zorgen?" Dat haar lichaam het plotseling af liet weten en niet reageerde zoals zij dat wilde, beangstigd haar. Waarom trilden die benen nu zo? En haar hart ging ook al zo vreselijk tekeer! Er hing zoveel van haar lichamelijke gezondheid en een goede conditie af. Ze wílde helemaal niet ziek worden, ze moest over twee dagen weer een show lopen, ze had kracht nodig. Véél kracht om door te zetten. Tja, en nu het haar aan kracht ontbrak was er slechts Een aan wie ze om kracht kon vragen. God! Van oma had ze immers al op jonge leeftijd geleerd dat ze in alle situaties mocht bidden en om alles mocht vragen.

Judith maakte een bocht naar rechts, liep nog een stukje door en stopte daarna noodgedwongen omdat ze geen stap meer kon zetten. Hijgend en piepend ademde ze in en uit, in haar zij voelde ze een pijnscheut en voor haar ogen golfde het grasveld op en neer. Ze wankelde plotseling en viel uitgeput voorover in het gras. Haar lichaam kromde zich, de pijnscheuten in haar zij werden heviger en Judith hapte volslagen in paniek naar adem. Ze realiseerde zich plotseling dat er helemaal niemand in de buurt was die haar kon helpen. De kinderen en hun voetbaltrainer waren te druk bezig met hun spel. Wat moest ze nu doen? Ze had hulp nodig, ze kon niet eens opstaan.

Ze wilde gillen, roepen en schreeuwen, maar er kwam geen enkel geluid over haar lippen. Zelfs dáár had ze geen kracht meer voor. Ze sloot haar ogen waarin nu tranen van panische angst en onmacht sprongen. Maar wat ze niet verwacht had gebeurde, ze hoorde enkele minuten later tot haar grote opluchting doffe voetstappen in het gras klinken. Het geluid kwam snel dichterbij en er boog zich vervolgens iemand over haar heen die voorzichtig haar schouder aanraakte. „Wat is er gebeurd, mevrouw? Kan ik u misschien helpen?"

Judith was niet in staat om antwoord te geven, ze opende haar ogen en keek de persoon die over haar heen gebogen stond dankbaar aan. Het was een man met een voetbalfluitje aan een koordje om zijn hals, hij had een vriendelijk gezicht. Judith sloot opnieuw haar ogen, de pijn in haar zij ebde langzaam weg, ze voelde zich alleen nog vreselijk beroerd en kreunde zacht.

„Bent u soms gestruikeld?" vroeg de man en zijn blik gleed onderzoekend naar haar benen en voeten. Judith schudde haar hoofd. „Nee..." fluisterde ze nauwelijks hoorbaar, „zo ziek..."

Ze voelde direct daarna de hand van de vriendelijk ogende man langs haar wangen en voorhoofd strijken.

„U heeft koorts," stelde hij onmiddellijk vast. „Kom, dan breng ik u naar huis."

Judith voelde dat zijn sterke armen haar overeind hielpen, ze leunde zwaar op hem, haar benen voelden nog steeds onzeker en trillerig aan.

Na enkele meters moeizaam voortstrompelen moest Judith haar pogingen om door te lopen staken, haar benen wilden niet meer.

Zonder aarzelen tilde hij haar op en droeg haar behoedzaam naar de warme kantine.

Het was die middag al vroeg donker. Sinds de wintertijd enkele weken geleden zijn intrede had gedaan werden de dagen steeds korter. Dat de klok een uur was teruggezet, scheelde ineens veel.

Buiten was het nevelig, koud en vochtig. De straten lagen bezaaid met herfstbladeren van bomen die langs de kant van de weg stonden en er nu kaal en troosteloos uitzagen.

Robin fietste om zes uur de bekende route naar de voetbalvereniging. Normaal gesproken hoefde hij op woensdagavond geen trainingen van pupillen bij te wonen, maar deze avond was het voor een keer anders geregeld. Johan Mans had hem vorige week gevraagd of hij zijn training een keer wilde verzorgen. Sinds kort werkte Johan als conciërge op de school waar Robin gymleraar was en juist vanavond moest Johan op school aanwezig zijn vanwege een ouderavond. Van hem werd verwacht dat hij de schooldeuren op tijd opende, voor potten koffie en thee zorgde en na afloop de deuren weer afsloot.

Robin trof het, als gymleraar had hij doorgaans niets op ouderavonden te zoeken, ouders wilden hem bijna nooit spreken over hun kroost. Ze kwamen eerder voor de leerkrachten van andere vakken zoals wiskunde, geschiedenis, Nederlands en alle andere talen en vakken waarvoor de leerlingen aan het einde van hun schooltijd ook examen moesten afleggen.

Robin had ermee ingestemd om Johans training voor zijn rekening te nemen. Van half zeven tot half acht zouden de zes- tot negenjarigen op komen draven, de allerjongsten. Johan had hem enkele adviezen en instructies meegegeven, want er zouden een paar echte boefjes tussen zitten. Robin was benieuwd. In de kleedkamer zag hij een kwartier later al precies voor welke jochies Johan hem had gewaarschuwd. Met een strenge uitdrukking op zijn gezicht commandeerde hij het team om half zeven naar het voetbalveld te lopen. Twee raddraaiertjes had hij na enkele minuten al in hun kraag gegrepen en aan de kant van het veld gezet. Hij zou ze daar niet al te lang laten staan, maar ze op deze manier wel laten merken dat 'hij' vanavond de baas was. De anderen waren meteen onder de indruk en gehoorzaamden verder al zijn bevelen en aanwijzingen. De twee voegden zich na tien minuten weer bij het team. Robin had er binnenpretjes van gekregen, het was net een roedel jonge honden zoals ze over het veld heen renden en de ballen in het doel schopten.

Terwijl hij met een goedkeurende blik Johans jonge pupillen in de gaten hield, af en toe aanwijzingen gaf en hen corrigeerde, werd zijn aandacht afgeleid door een jonge vrouw die in een kleurig trainingspak aan de overkant van de voetbalvelden liep. Het gebeurde wel vaker dat 'joggers' om het voetbalterrein heen hun dagelijkse traject liepen. Maar deze hardloopster viel hem ineens op door haar eigenaardige houding. Haar loopbewegingen waren niet vloeiend, eerder stroef en houterig. En kijk, nu stopte ze en bleef ze voorovergebogen stilstaan. Robin fronste zijn wenkbrauwen. Deze jonge vrouw had op het eerste gezicht totaal geen conditie, haar houding verried dat ze op z'n minst erg moe moest zijn.

Robin floot op zijn fluitje en riep naar de groep jongens dat ze zich moesten opsplitsen in twee groepen. De jonge vrouw zag hij vanuit zijn ooghoeken weer verder lopen. „Jongens, we gaan een partijtje doen, we hebben nog een kwartier," zei hij toen ze in twee groepen voor hem stonden. Robin floot niet lang daarna voor de aftrap en de jongens buitelden over elkaar heen van enthousiasme. Hij liet ze hun gang maar gaan en zocht met zijn ogen de zijkant van het terrein af naar de jonge vrouw die hij even uit het oog was verloren. In de verte zag hij haar moeizaam vooruitkomen en even later weer opnieuw stilstaan. Maar deze keer bleef ze niet voorovergebogen staan. Nee, ze zakte tot zijn grote verbazing vrijwel meteen door haar benen en bleef in het gras liggen. Robin wachtte rustig af. Ze zou zo wel weer opstaan en verder lopen, ze was vast gestruikeld. Maar niets van dit alles gebeurde. Hevig verontrust floot Robin op zijn fluit. „Spelen jullie nog maar even verder, ik ben zo terug," riep hij tegen de jongens die hem even met een blik van teleurstelling aankeken omdat ze bang waren dat het kwartiertje er al opzat.

Dat hoefde Robin geen tweede keer te zeggen. Terwijl de jongens weer achter de bal aanholden liep hij haastig in de richting van de gevallen vrouw. Dat ze zo stil in het gras bleef liggen stond hem niet aan.

Het eerste wat hem opviel was haar ineengekrompen houding en de rochelende ademhaling. „Kan ik u helpen?" vroeg hij gealarmeerd. Zijn hand raakte haar schouder aan en zijn ogen gleden langs haar magere lichaam. Misschien was ze wel gestruikeld en had ze een gekneusde enkel. Hij zag dat ze reageerde en iets fluisterde. Automatisch gleed zijn hand langs haar hoogrode wangen. „U heeft koorts. Kom, ik breng u naar huis." Robin schudde misprijzend zijn hoofd. Dit was natuurlijk weer een of andere fanatiekeling die wilde joggen totdat ze er letterlijk bij neerviel. Moest je dat magere lichaam nu eens zien! Alhoewel... toen hij haar eenmaal omhoog had geholpen viel het hem meteen op dat ze er bijzonder verzorgd en aantrekkelijk uitzag. Dit was niet zomaar een doorsneemeisje. Aan haar opgemaakte gezicht, het piekfijn gekapte haar en de gelakte vingernagels kon hij wel duidelijk zien dat het uiterlijk erg belangrijk voor haar was. Ze strompelde voort, leunde zwaar op hem en na enkele meters gaf ze te kennen dat ze geen stap meer kon verzetten. Zonder nadenken tilde hij haar verzwakte lichaam op in zijn armen. Robin droeg haar naar de kantine waar hij aan een clublid vroeg of hij zo vriendelijk wilde zijn om Johans pupillen van het veld te gaan halen. Er werd meteen voor gezorgd. Robin zette het meisje op een stoel en zag duidelijk dat ze behoorlijk ziek was.

„Lust u misschien eerst iets te drinken?" informeerde Robin zorgelijk, „of zal ik u meteen naar huis brengen?"

Het meisje schudde haar hoofd, haar ogen keken hem koortsig aan. „Ik moet op Harrie wachten, ik heb beloofd om hem thuis te brengen."

Robin moest moeite doen om haar te verstaan, haar stemgeluid was niet meer dan een zwakke fluistering. Trouwens, alles aan dit meisje zag er even breekbaar en broos uit. „Waar is Harrie dan?" vroeg hij nieuwsgierig. Hij had niemand anders in haar nabijheid kunnen ontdekken toen hij haar langs het voetbalterrein zag lopen.

Moeizaam legde ze het hem uit en toen Harrie na een kwartiertje de kantine kwam binnengelopen herkende Robin hem meteen van de training. De kleine jongen vond het maar wat fijn dat de trainer hen naar huis wilde brengen omdat zijn buurmeisje Judith ziek was geworden.

Robin legde niet lang daarna zijn fiets in de achterbak van haar auto. Vanaf Judiths woonplaats, die niet ver van de zijne lag, kon hij dan weer naar zijn eigen huis fietsen. Judith heette ze; een mooie naam, vond hij. Precies een naam die bij haar paste. Hij hielp haar met instappen in haar auto en gebood Harrie om op de achterbank plaats te nemen. Judith bedankte hem meteen voor zijn bereidwilligheid om hen thuis te brengen.

„Het was niet zo verstandig van je om in jouw conditie te gaan joggen," merkte Robin diplomatiek op. „Volgens mij kun je zometeen maar beter een dokter waarschuwen, je hebt hoge koorts." Hij zag dat ze hem een ogenblik met verschrikte ogen aankeek en luisterde onderwijl naar Harries gesnater op de achterbank die vertelde dat zijn vader ook ziek was, evenals de buurman en de buurjongen.

Robin reed de auto van het parkeerterrein af. Halverwege de weg werden zijn ogen weer als magneten naar het naderende kruispunt getrokken. De boom waartegen de auto van de bejaarde mensen enkele maanden geleden was aangereden, stond er niet meer. De gemeentelijke plantsoenendienst had de zwaar gehavende boom niet lang na het ongeluk verwijderd. In een flits zag Robin het weer gebeuren. De onverwachte draai naar rechts, de klap tegen de boom, de rookontwikkeling onder de motorkap, het geroep om Anke. Krampachtig verstevigde Robin zijn greep om het stuur. Wat had die oude man eigenlijk bezield om zijn stuur naar rechts te draaien? Het was ook zo onverwacht geweest! Nee, nu niet meer aan denken. Hij wilde dit zieke jonge meisje zo snel mogelijk naar huis brengen.

Af en toe gaf Judith hem een aanwijzing hoe hij naar haar huis moest rijden, de meeste tijd zat ze echter met gesloten ogen naast hem en moest Robin het doen met Harries instructies. Diens priemende vinger wees op het laatst de straat aan waar ze moesten zijn. „Die kant op, coach... dáár woon ik... en dáár woont Judith."

„Goed gedaan, kereltje," prees Robin de glunderende Harrie en bracht de auto meteen tot stilstand. „ We brengen eerst Judith naar binnen en dan loop ik ook even met je mee naar jouw huis, afgesproken?" stelde hij vervolgens voor. Robin wilde toch voor alle duidelijkheid even aan Harries moeder doorgeven dat Judith ziek was geworden. Harrie vond het een machtig voorstel, hij was duidelijk erg trots op 'zijn coach' en keek hem met eerbiedige bewondering aan.

Met veel moeite kreeg Robin Judith uit de auto, ze tolde onzeker op haar benen. Haar voeten waren ook nauwelijks in staat om haar lichaam te dragen en Robin zwaaide haar opnieuw in zijn armen, bang dat ze anders zou vallen. Harrie had inmiddels aangebeld en de voordeur ging vrijwel meteen open.

De vrouw die in de deuropening verscheen slaakte een rauwe kreet: „Judith!" Ze bracht geschrokken haar beide handen naar haar mond. „O meneer. Kom binnen, alstublieft! Is mijn dochter er ernstig aan toe?"

Robin liep met Judith in zijn armen en Harrie in zijn kielzog naar binnen. „Uw dochter is behoorlijk ziek, mevrouw. Ze is onwel geworden tijdens het joggen en was daarna niet meer in staat om zelf naar huis te rijden. U kunt maar beter een dokter waarschuwen, ze heeft hoge koorts en haar ademhaling klinkt ook niet normaal." Robin legde Judith voorzichtig neer op een tweezitsbank in de woonkamer. Twee poezen kwamen één voor één nieuwsgierig dichterbij, de brutaalste van de twee sprong op een leuning van de bank.

Judiths moeder stond handenwringend naast haar dochter. „Judith, och kind toch! Ik bel meteen de huisarts." De daad werd bij het woord gevoegd, alhoewel Judith zwak protesteerde en met hese stem zei dat het allemaal wel mee zou vallen. Daarna besloot Robin om op te stappen. „Ik ga weer, mevrouw. Ik moet deze kleine voetballer ook nog even naar zijn moeder brengen."

„Tja, ik ben erg blij dat u Judith veilig en wel thuis heeft gebracht," antwoordde de vrouw vriendelijk, terwijl Robin duidelijk tranen in haar stem hoorde klinken. Hij knikte, pakte Harrie bij zijn hand en zijn blik gleed automatisch van Judith naar een lijst aan de muur die boven het tweezitsbankje hing. Er zat een familiefoto in met een heleboel mensen erop waaronder ook een oudere man en een vrouw die samen gelukkig lachten. Er voer plots een schok door hem heen. Die man… het gezicht van die man kende hij!

Robin bleef met een blik vol ongeloof en verbijstering naar de familiefoto kijken. Het klamme zweet brak hem uit. Het was haast niet te geloven, maar de man die op de bewuste augustusavond zijn stuur zo onverwacht naar rechts had gedraaid en daarbij uiteindelijk zijn vrouw had verloren, lachte hem vanaf die foto toe. Hij zou dat gezicht nooit kunnen vergeten!

„Dat is onze familie," hoorde hij plotseling naast zich zeggen. Hij was er zich niet van bewust geweest dat hij al even naar de familiefoto stond te staren, maar de stem van Judiths moeder verbrak zijn koortsachtige gedachtegang onmiddellijk. Robin keek haar gelaten aan.

„Sorry, ik eh… ik… wat een grote familie! Ja, mooie foto, hoor," stotterde Robin verward. Hij zag ineens dat Harries hand uit de zijne was gegleden en dat de jongen nu bij de deur stond te wachten. Zijn blik gleed weer naar Judith en hij probeerde angstvallig om niet opnieuw naar de foto te kijken. Beterschap, Judith. Ik ga Harrie even thuisbrengen. Het beste ermee."

Judith opende haar vermoeide koortsogen, haar ademhaling reutelde in haar keel, nog erger dan zo-even. „Bedankt…" fluisterde ze nauwelijks hoorbaar, ze knikte hem vriendelijk toe.

„Ja, hartelijk bedankt voor uw hulp, meneer," zei ook Judiths moeder toen Robin Harries hand voor de tweede keer vast pakte en met hem naar buiten liep.

Nadat hij Harrie naar huis had gebracht, fietste Robin diep in gedachten verzonken naar zijn eigen huis aan de Trompetstraat. Hij was zojuist in contact gekomen met de familieleden van Pieter Graafsma, terwijl zij op dit moment nog niet eens wisten dat híj de persoon was die getuige was geweest van het ongeluk. En dat was maar goed ook.

Een onbeschrijflijk gevoel van machteloosheid nam bezit van hem. Kon hij deze mensen maar overtuigen van het tegendeel en van zijn algehele onschuld. Maar hij wist op dit moment in de verste verte nog niet hoe.

Agnes had een drukke week achter de rug. Ruud en Fred waren inmiddels alweer opgeknapt van de griep, maar met Judith ging het nog steeds niet beter.

Ze had de griep flink te pakken, was de diagnose van de huisarts geweest, nadat hij Judith op die bewuste avond had onderzocht. De daarbij behorende verschijnselen zoals hoge koorts, bronchitis, keelontsteking en maag- en darmstoornissen hadden haar in enkele dagen tijd ernstig verzwakt. De eerste nachten had zij – Agnes – op een stoel naast haar bed zitten waken. Judith ijlde soms uren achter elkaar en sloeg dan allerlei wartaal uit. Het was beangstigend geweest.

De huisarts die na enkele dagen even langskwam voor controle had ook zorgelijk zijn hoofd geschud. „Het ijlen is een gevolg van de hoge koorts, dat gaat wel weer over. Maar uw dochter heeft op dit moment erg weinig weerstand, mevrouw Lankhaar. Dat komt ook omdat ze enigszins ondervoed is, het zal heel lang gaan duren voordat ze weer helemaal opgeknapt zal zijn." Met die mededeling en een recept voor de apotheek waar ze diverse vitamine- en voedingspreparaten kon gaan halen, liet de huisarts haar alleen achter.

Bij de woorden 'enigszins ondervoed' had er een alarmbel in haar hoofd gerinkeld. Judith at de laatste tijd wel héél erg slecht, dat wist ze. Sinds ze werkzaam was als mannequin ontliep ze de maaltijden zo vaak als ze kon, maar dat het zó ernstig met haar was gesteld had Agnes niet verwacht. Ze voelde zich vreselijk schuldig aan Judiths ziek zijn. Ze had als moeder ook veel beter op moeten letten en nog meer aan moeten dringen om haar te laten eten, maar ze had er niet genoeg oog voor gehad. Haar zorgen en gedachten waren nog te vaak bij het ongeluk en het overlijden van haar eigen moeder geweest.

Twee dagen, nadat Judith ziek thuis was gebracht, kreeg Agnes een telefoontje van Judiths couturier, Carl Romein. Waarom was Judith niet op de gemaakte afspraak verschenen? vroeg hij haar direct op de man af, zodat Agnes de hoorn even van haar oor weghield en er nijdig naar staarde. „Judith is ernstig ziek, meneer," verontschuldigde ze haar dochter daarna meteen. „Ze ligt momenteel met hoge koorts op bed en is niet in staat om op wat voor afspraak dan ook te verschijnen."

„Waarom weet ík daar dan niets van af? Ze heeft anders wel een contract getekend, hoor. En ik wil graag dat ze ondanks alles haar afspraken nakomt. Dit geintje gaat me anders handenvol geld kosten. Ze móet vanavond een modeshow lopen, het kan gewoon niet anders." De irritante stem van Carl Romein had ervoor gezorgd dat de rillingen over Agnes' rug liepen. Wat een walgelijke man was dat! Zijn woorden klonken verschrikkelijk dominant en opdringerig, alsof Judith een onbeduidend slaafje was. Agnes had de man meteen van repliek gediend. Judith was immers té ziek en voorlopig beslist niet in staat om een modeshow te lopen. Daarna had ze de hoorn er onmiddellijk opgegooid. Wat verbeeldde die kerel zich wel!

Nee, van de modewereld had Agnes nooit een hoge pet opgehad. Haar voorkeur ging uit naar gewone simpele kleding en ze was ook de eerste om toe te geven dat ze helemaal geen verstand had van chique kleding, maar Judith dweepte nu eenmaal met alles wat er op het gebied van mode te zien was. Net zoals Klazien Somers, die had ook al telefonisch contact opgenomen om naar Judiths gezondheid en haar nieuwe contracten te informeren. „Over een weekje zal ze wel weer op de been zijn," veronderstelde Klazien. „Soms kunnen ze een modeshow verzetten naar een andere datum. In dit geval zullen haar agent en ontwerper wel voor die oplossing kiezen, denk ik. Je dochter heeft een groot talent en een mooi lichaam, Agnes. Dat weten ze bij dat modellenbureau maar al te goed." Daarna babbelde Klazien gewoon door, ze ging er prat op dat ze bij een van Judiths modeshows aanwezig was geweest. Agnes voelde zich tijdens dit gesprek een vreemde, een buitenstaander. Soms leek het wel alsof Judith niet haar échte dochter was, maar die van iemand anders.

Iemand zoals Klazien, die de modewereld op haar duimpje scheen te kennen en die zelfs de moeite had genomen om een modeshow met Judith als mannequin bij te wonen. Agnes besefte dat ze als moeder ten opzichte van Judith schromelijk tekortschoot, ze was nog niet één keer bij een modeshow aanwezig geweest, terwijl het toch zóveel voor Judith betekende. Maar ze wilde er voorlopig niet aan denken. Het idee dat ze op zo'n avond die afschuwelijke opdringerige man, Carl Romein, tegen het lijf zou lopen, vervulde haar met weerzin en afschuw.

Nee, eerst moest Judith maar eens opknappen, en helemaal

gezond worden. Ze kon voorlopig toch nog geen modeshows lopen, want over een week zou ze vast nog niet beter zijn, zoals Klazien geestdriftig had geopperd. Misschien dat het malle droombeeld, om op een dag Nederlands beste mannequin te worden, nu vanzelf wel zou verdwijnen. Agnes koesterde die stille hoop eigenlijk tegen beter weten in.

Nadat ze Ruud had uitgezwaaid die na een weekje griep weer naar zijn werk ging, riep ze Fred uit bed. Ook hij wilde vandaag weer beginnen en naar Tilburg vertrekken. Hoewel de griep hem een langere nasleep bezorgde dan bij Ruud het geval was. Fred had nog steeds last van een gemene hardnekkige hoest. Toen Agnes door wilde lopen naar Judiths slaapkamer, werd ze gestoord door het gerinkel van de telefoon. Ze hoorde aan de andere kant van de lijn de deprimerende stem van haar vader. „Agnes, het huis blijft niet in de familie, hoor. Onze Rien en Mieke, en ook Stans hebben geen belangstelling om het huis te kopen. Ik bel vandaag nog naar een makelaar."

„Ach, wat triest..." Er schoot een brok in haar keel. „Ik dacht nog wel dat Rien... dat Rien... hij had het er steeds over om nog eens naar deze omgeving te verhuizen... ik snap het niet!"

„Dat wil Rien ook wel," hoorde ze haar vader antwoorden. „Maar Rien wil geen oud huis kopen, hij wil zijn geld liever in een nieuwbouwwoning steken, dat heeft hij me verteld. Nou ja, dit huis is al behoorlijk oud, dat weet jij toch ook wel! En er moet nodig wat aan het verouderde sanitair gebeuren."

Agnes knikte, met de hoorn stevig tegen haar oor gedrukt probeerde ze de teleurstelling weg te slikken. Ja, ze wist dat het een oud huis was met de nodige gebreken, maar het was wel een mooi huis met de geheel eigen sfeer van moeders aanwezigheid, en dát zou ze bij de verkoop aan vreemden moeten missen.

„U moet er eerst nog maar eens goed over nadenken, vader." Haar woorden leken hopeloos ontoereikend. Agnes probeerde zijn voornemen om een makelaar in te schakelen uit te stellen en verder voor zich uit te duwen.

„Ik weet wat ik wil. Ik blijf hier niet wonen, want ik kan er mijn rust niet meer vinden," zijn stem klonk besluitvaardig. „Agnes, luister eens. Ik weet dat jij het er erg moeilijk mee hebt, maar ik maak een goede kans op zo'n aanleunwoning bij het bejaardenhuis in Leerdam. Er staan er momenteel enkele leeg. „'k Heb gisteren nog geïnformeerd, ik móet dus wel snel handelen."

Het huilen stond Agnes nader dan het lachen toen ze de hoorn op de haak legde. Het onvermijdelijke ging gebeuren, wist ze. Vader zou hun ouderlijke woning verkopen, en zij kon momenteel geen oplossing bedenken om dat te voorkomen.

11

Het duurde drie weken voordat Judith helemaal koortsvrij was en uit bed mocht van de huisarts. Tijdens die drie weken had ze voornamelijk geslapen en zich verder veel te beroerd gevoeld om op te staan. In die periode had ze nieuwe medicijnen gekregen en dagelijks vitaminepillen ingenomen, maar die sloegen niet direct aan. Ze kon zich niet herinneren eerder zo ziek te zijn geweest als tijdens de afgelopen weken.

Van haar moeder hoorde ze dat Carl Romein telefonisch contact had gezocht omdat ze niet op hun afspraak was verschenen. Hij was niet erg aardig geweest en had ook geen begrip getoond voor haar ziekteverzuim, dat had Judith inmiddels wel begrepen. Haar afwezigheid zou hem zelfs handenvol met geld hebben gekost omdat ze de contracten en afspraken tijdens de afgelopen weken niet was nagekomen. Dat had hij haar moeder met dat ene telefoontje verweten. Nadien had hij niet meer opgebeld en Josien had evenmin iets van zich laten horen. Judith voelde zich ellendig. Ze was er vrijwel zeker van dat alles nu verloren was. De top in de modewereld zou ze nooit meer bereiken. Ze had gefaald door ziek te worden.

Deze negatieve gedachten hadden zich direct vastgezet in haar hoofd en ze was een moment de wanhoop nabij geweest. Haar grote droom, haar allergrootste wens, moest ze noodgedwongen opgeven omdat haar lichaam had gefaald. Haar volmaakte lichaam was uiteindelijk toch niet zo volmaakt geweest.

Toen Judith na drie weken haar gezicht weer eens in de spiegel bekeek, schrok ze van de diepe donkere kringen onder haar ogen en van haar ingevallen bleke wangen. Haar haar zag er dof en futloos uit en het viel soms met plukken tegelijk uit. Die griepperiode had haar de das omgedaan. Een voordeel van de griep was wel dat haar gewicht nog eens met enkele kilo's was gedaald. Uiteraard had ze tijdens de afgelopen weken weinig kunnen eten, want daar was ze veel te beroerd voor geweest. De huisarts had hier tijdens een controle zijn zorg en onrust over uitgesproken en moeder probeerde haar met nog meer druk op de ketel allerlei voedzame gerechten op te dringen.

Soms liet ze zich door moeder overhalen om iets lekkers te eten, maar zo vaak als dat gebeurde zocht Judith even later het toilet weer op. Ze at alleen maar wat ze zichzelf voorschreef. Dat was altijd voedsel met een minimum aan vet, suikers en calorieën en beslist geen al te grote hoeveelheden.

Na een paar dagen op de been te zijn geweest voelde Judith haar energie weer wat terugkeren, hoewel de vermoeidheid niet week. Daarbij had ze het ook voortdurend koud. Hoe warm en dik ze zich ook aankleedde, de kou was gewoon niet uit haar lijf weg te krijgen. Zelfs haar vingers zagen ijzig blauw.

In de kamer stond een aardig bloemstukje dat haar collega's van de supermarkt hadden laten bezorgen door een bloemist. Een vriendelijk gebaar dat Judith erg waardeerde.

Na nog een week van herstel begon ze zich te vervelen en gaf ze telefonisch door dat ze aanstaande maandag weer wilde beginnen met haar kassawerkzaamheden. Ze was er inmiddels al wel achter gekomen dat haar inkomen van de supermarkt flink was gekort sinds ze een part-time dienstverband had. Dat scheelde zowat de helft! En de afgelopen weken had ze als mannequin haar werk evenmin kunnen doen, dus waren er ook geen inkomsten uit die arbeid geweest. In de modewereld werkte ze immers op freelance basis. Daar verdiende ze alleen maar iets als ze ervoor werkte.

Na een eerste maandagochtend werken achter de kassa kwam ze afgepeigerd thuis, ze had zelf verwacht dat het veel beter zou gaan, maar 's middags moest ze alweer eieren voor haar geld kiezen en naar bed gaan om uit te rusten.

Haar plannetje om nog diezelfde dag naar de schoonheidsspecialiste te gaan voor een schoonheidsbehandeling en daarna contact op te nemen met Josien van het modellenbureau, moest ze vanwege vermoeidheid uitstellen. Ze was nog lang niet sterk genoeg.

Hevig verontrust, omdat ze niet snel genoeg naar haar zin opknapte, raadpleegde Judith de huisarts. „Als ik 's morgens wakker word en opsta dan denk ik dat ik de hele wereld aankan. Maar na slechts enkele uren werken ben ik al aan het eind van m'n Latijn. Ik voel me dan helemaal afgebrand. Waarom duurt het toch zo lang voordat ik weer de oude ben, dokter?"

Op die vraag had de arts haar met een ietwat meewarige blik aangekeken. „Het eetpatroon dat jij toepast is daar voornamelijk de oorzaak van, Judith. Je eet net genoeg om niet helemaal te verhongeren. Jouw lichaam heeft goed en gezond voedsel nodig, zoals een auto benzine nodig heeft om te rijden. Als je te weinig eet, is er namelijk niet genoeg energie om je lichaam zijn werk te laten doen." Bij deze mededeling kapte Judith het gesprek geschrokken af en ze beloofde onmiddellijk beterschap. Diep in haar hart wilde ze ook heel graag goed en gezond eten, maar ze wilde toch niet in gewicht aankomen. Ze nam zich voor om elke dag een stukje fruit extra te eten, als dat haar zou helpen om sneller op te knappen had ze dat extraatje er wel voor over. Maar thuis voor de spiegel keek ze opnieuw in haar bleke gezichtje en snapte niet, toen ze vervolgens haar ogen over haar lichaam liet glijden, wat de huisarts nu precies bedoelde. Zo te zien at ze meer dan genoeg voedsel! Haar buik en bovenbenen zagen er helemaal niet zo slank uit. Zenuwachtig probeerde Judith uit te vogelen welke andere gerechten ze eventueel nog zou kunnen missen nu ze dagelijks dat extra stukje fruit wilde eten. Het móest toch lukken om die dikke buik en stevige bovenbenen wat slanker te krijgen.

Ze ging volhardend verder op de ingeslagen weg. Soms at ze de ene dag meer voedsel dan ze zich had voorgenomen, maar dat compenseerde ze vervolgens de dag erna weer door praktisch niets te eten dan alleen maar een stukje fruit voor de nodige vitaminen. Inmiddels had ze ook de snelle werking van laxeermiddelen ontdekt. Haar eigen spijsvertering werkte veel te langzaam naar haar zin.

Maar wat ze ook deed, haar buik bleef dikker dan ze voor ogen had en ze was daardoor ook erg ontevreden over haar uitstraling. Ze zag er als een berg tegenop om zich weer bij het modellenbureau 'Beautiful Lady' te melden en Josien onder ogen te komen. Wat zou zíj wel niet van haar modderfiguur vinden?

Na een week die eindeloos lang scheen te duren nam Judith op een ochtend bij de supermarkt enkele uren vrij. Ze wilde niet langer wachten, het werd tijd dat ze op het modellenbureau haar gezicht weer eens liet zien. Haar dromen om op te klimmen tot topmannequin werden weer levendiger en verjoegen haar sombere gedachten dat alles met haar ziekte verloren was gegaan. Dat ze nog steeds niet helemaal opgeknapt was hoefde ze Josien natuurlijk niet aan haar neus te hangen. Zenuwachtig reed ze naar de stad en met pijn in haar maag van de spanning opende Judith de deur van het kantoor waarachter Josien zich bevond. Josien keek haar verrast, met grote ogen, aan. „Wel, wel. Daar hebben we Judith! Meisje toch! Kom verder..."

Josien stond meteen op van haar bureaustoel. De felrood geverfde lippen plooiden zich tot een hartelijke glimlach. Ze nam Judith onderwijl op van top tot teen. „Ga zitten," zei ze dan en wees naar een stoel terwijl ze Judiths hand drukte en zelf ook weer plaatsnam op haar stoel. „Gaat het met je? Ben je alweer opgeknapt?"

„Ja hoor," loog Judith en haar wangen kleurden ervan. „Het gaat weer prima met me."

Josien fronste haar wenkbrauwen en keek haar even doordringend aan. „Je bent wel héél erg ziek geweest, heb ik begrepen."

„Geweest… maar dat is verleden tijd, hoor. Nu ben ik weer in staat om werk aan te nemen."

Er viel een korte stilte waarna Josien zachtjes met haar hoofd schudde. Haar ogen keken ernstig. „Er is momenteel niet zoveel werk, Judith. Ik bel je wel zodra er weer iets binnenkomt." Judith slikte, ze voelde zich onzeker worden. Josien keek haar zo bedenkelijk aan. Zou het haar zijn opgevallen dat haar buik en bovenbenen wat aan de dikke kant waren?

„En Carl? Misschien heeft Carl iets voor me. Hoe is het afgelopen met die speciale outfit die ik voor hem moest showen?" Judiths stem trilde bij die vraag.

Josien rolde met haar ogen en maakte met haar hand een wuivende beweging.

„Ach Judith, het was wel even een dramatisch moment, hoor, toen jij niet op kwam dagen. Maar gelukkig verscheen er op het allerlaatste moment een model dat alle verplichtingen van jouw contracten op zich heeft genomen en uiteindelijk zijn die shows heel succesvol geweest. Carl is nog steeds laaiend enthousiast! Hij werkt graag met haar."

„O…" Judith slikte haar teleurstelling weg.

„Wacht maar rustig af, er komt heus wel weer wat voor je binnen," adviseerde Josien, maar Judith miste de overtuiging en het enthousiasme in haar woorden.

Niet veel later stond ze weer op straat. Josien en zij hadden maar weinig meer te bespreken gehad en Josien had tussen de regels door duidelijk laten merken dat ze ontzettend druk bezig was met haar administratie. Judith deed in eerste instantie alsof ze het begreep, maar weigerde Josiens smoesje te geloven. Dat ze op dit moment werd afgescheept kwam vast en zeker door haar veel te dikke buik en bovenbenen. Ze nam zich voor om vandaag maar helemaal niets meer te eten. Zelfs geen stukje fruit.

Thuisgekomen miste ze haar moeder. Wolletje en Pluis lagen dicht tegen elkaar op de tafel te slapen en op diezelfde tafel vond ze even later een kladbriefje waarop moeder had geschreven dat ze naar opa was gegaan. Er waren ontwikkelingen omtrent de verkoop van zijn huis, las Judith.

Ze vond het wel jammer dat opa wilde verhuizen, maar kon het ook heel goed begrijpen. Het huis was zo leeg zonder oma.

Lang kon ze er niet over nadenken, de telefoon rinkelde en Judith nam de hoorn op.

Aan de andere kant van de lijn hoorde ze Klaziens vrolijke stem die eerst naar haar gezondheid informeerde en vervolgens de tijd nam om te luisteren naar het verslag van haar teleurstellende bezoek aan het modellenbureau. Daarna hoorde Judith tot haar grote verbazing dat Klazien van plan was om te verhuizen naar een aanleunwoning van het bejaardenhuis in Leerdam.

„Dat is ook toevallig!" antwoordde Judith, „mijn opa gaat daar over enkele weken ook naar toe."

„Niks toevallig, kind! Dat hadden je opa en ik samen afgesproken. Kom je me voor Kerst nog eens bezoeken? Dan vertel ik je er alles over."

Judith beloofde dat en beëindigde het telefoongesprek. Een beetje merkwaardig vond ze het wel dat opa en Klazien dit samen hadden bekonkeld. Moeder wist waarschijnlijk nog van niets. Ze zou hier vast niet blij mee zijn, dat was zeker. Hongerig liep Judith daarna naar de keuken waar ze de koelkast opende en de inhoud inspecteerde. Wat er in lag zag er allemaal heerlijk uit, het water liep in haar mond.

Met een ferme duw sloot ze de koelkast en probeerde het hongergevoel te negeren. Ze walgde van haar lichaam dat steeds maar weer naar eten bleef vragen om dik te worden.

Het waren aardige jonge mensen die de ouderlijke woning wilden kopen. Met enige tegenzin moest Agnes dat toegeven, hoewel alles binnen in haar in verzet kwam tegen de verkoop ervan aan deze vreemde lui. Waarom bleef vader toch zo rustig, terwijl zij tot het allerlaatste moment nog naar een oplossing had gezocht om het huis voor een van de familieleden te reserveren? Uiteindelijk had toch niemand daar belangstelling voor gehad, zelfs enkele trouwlustige neven en nichten hadden ervoor bedankt.

„En wij, Ruud? Kunnen wij vaders huis misschien kopen?" had ze hem op een avond hoopvol gevraagd. Maar Ruud was ook niet erg enthousiast geweest. „Het huis van je ouders heeft geen garage en is veel kleiner dan het onze. Nee, ik ben geen voorstander, Agnes. Als niemand van de familie het wil kopen, dan moet de makelaar het maar aan derden verkopen. Daar is niets aan te doen."

Lijdzaam had Agnes toegezien hoe een makelaar het huis kwam taxeren voor de verkoop. Het pand had daarna nog geen twee weken te koop gestaan toen deze jonge mensen zich belangstellend hadden gemeld. Over de prijs waren ze het snel eens geworden, vader had gewoon voet bij stuk gehouden en de jongelui hadden snel toegehapt toen ze merkten dat er niets te onderhandelen viel. Daarna belde vader op om haar te laten weten dat deze ochtend alles zou worden afgehandeld. De jonge kopers hadden er belang bij dat hij zijn gordijnen liet hangen en wilden die voor een nader te bepalen prijs wel overnemen.

Agnes was na zijn telefoontje meteen op de fiets gestapt, de nieuwsgierigheid dreef haar naar het huis van haar ouders. Ze hoopte de kopers nog te ontmoeten. Ze wilde weten wie er straks in het huis kwam wonen.

Bij aankomst zag ze dat het 'Te Koop'-bordje van de makelaar al was verwijderd uit de tuin. Voor de buitendeur stonden twee onbekende fietsen geparkeerd. Binnen maakte ze op de valreep nog kennis met de nieuwe kopers, die juist op het punt stonden om te vertrekken. Vader stelde hen aan elkaar voor, de twee lachten haar vriendelijk toe en waren duidelijk in hun sas met de aankoop. Ze vertelden over hun grote plannen om het huis op korte termijn te renoveren en te verbouwen. Agnes kon slechts machteloos knikken.

Daarna liet vader hen uit terwijl Agnes de gebruikte koffiekoppen naar de keuken bracht.

Nog even, en dan zou ze hier nooit meer een voet over de drempel zetten. Nooit meer in moeders keukentje komen en haar aanwezigheid voelen. Ze slikte een paar keer. Vaders beslissing om afstand te doen van het huis greep haar meer aan dan ze toe wilde geven.

„Fijn, dat je even kon komen. Dat waren ze dan, de kopers. Aardige mensen. Ze wilden de gordijnen van de slaapkamers graag overnemen en ze betalen me ervoor wat ik hen heb voorgesteld," hoorde ze hem achter zich zeggen. „Nou, dat is dus mooi geregeld. Over drie maanden krijgen ze de sleutel."

Agnes draaide zich geschrokken om. „Over drie maanden al?" Ze zuchtte hartgrondig, ze had gehoopt dat alles niet zo snel zou gaan. „U vertrekt dus met ingang van februari. Nou ja, dan kunnen we kerst in ieder geval nog in dit huis vieren." Ze herinnerde zich de fijne kerstdagen van de afgelopen jaren weer, de familie was altijd compleet aanwezig geweest omdat moeder er altijd naar uitkeek en er eindeloos van kon genieten. Het was een soort traditie geworden om met kerst 's morgens gezamenlijk naar de kerkdienst in de grote kerk te gaan en daarna gezellig met elkaar te eten.

„Natuurlijk!" hoorde ze vader van ver zeggen. „Kerst moeten we samen blijven vieren, maar het zal nooit meer zijn wat het is geweest. Zonder moeder..." Vader greep een moment naar zijn hoofd en zuchtte diep. „Nou ja, begin januari krijg ik de sleutel van mijn nieuwe aanleunwoning al, ik wil hier zo snel mogelijk weg."

Agnes observeerde zijn grauwe gezicht, zag de trilling rondom zijn mond en voelde zich te zwak om hem te troosten. Ze knipperde even snel met haar ogen die ineens volstonden met tranen. Straks zouden zijn vertrouwde meubeltjes naar een kleinere vreemde woning worden verhuisd, een seniorenwoning waar ze nooit meer het gevoel van 'thuiskomen' zou beleven.

„Ik hoop dat u er nooit spijt van zult krijgen," fluisterde ze hees. Ze keek hem weer aan en lachte krampachtig.

„Nooit!" antwoordde hij beslist. „Ankes ogen kijken me vanuit elke hoek in dit huis aan. Ze verwijt het me elke dag nog dat ik op onze trouwdag zo roekeloos heb gereden. Als ik misschien wat langzamer... of...of... wat beter had opgelet, dan...dan was ze nu nog niet dood geweest en hadden we dit huis ook nog niet hoeven te verkopen."

Agnes keek hem met een blik vol medelijden aan, ze dacht er niet meer aan dat ze zich zwak voelde, een hevige verontwaardiging groeide.

„Het is úw schuld ook niet geweest, vader. Als die dronken chauffeur op dat moment niet dronken was geweest, was er waarschijnlijk ook niets gebeurd." Haar stem had harder geklonken dan ze wilde. Ze proefde het schuldgevoel in zijn woorden en kon moeders verwijtende rol, zoals vader het zag, niet direct plaatsen. Dat hij niet kon leven met alle herinneringen hier in huis, kon ze zich wel voorstellen. Maar dat hij moeders verwijtende ogen dagelijks op zich gericht voelde, vond ze heel erg verontrustend, temeer omdat vader volkomen onschuldig was aan dat auto-ongeluk. „Vader, moeder is dood, ze verwijt u helemaal niets. Dat kan toch ook niet meer! Het is niet reëel om dat te denken. Ik begrijp echt niet hoe u aan die hersenspinsels komt, we geloven toch immers dat ze nu bij onze Hemelse Vader is."

Hij knikte met zijn hoofd waarop zijn pluizige haar recht overeind stond, alsof het elektrisch geladen was. „Ja, dát geloof ik ook," zei hij op droefgeestige toon. „Maar toch zal ik blij zijn als de verhuizing achter de rug is. Ik ben zo dankbaar voor het advies dat Klazien me een tijdje geleden heeft gegeven."

„Klaziens advies? U bedoelt toch niet Klazien Somers?" Agnes keek haar vader ontsteld aan. Sinds wanneer kreeg vader adviezen van Klazien?

„Jawel, ik ken overigens maar één Klazien, en dat is Klazien Somers. De beste vriendin die je moeder ooit heeft gehad." Vader schoof achter haar langs naar het aanrecht en nam de koffiepot in zijn hand. „Koffie?" vroeg hij.

Agnes knikte. „Graag," zei ze verdwaasd terwijl ze zijn mededeling op zich in liet werken.

Nadat hij haar een kopje koffie had overhandigd gingen ze in de kamer tegenover elkaar zitten, zoals ze dat een tijdje geleden ook hadden gedaan toen hij haar had verteld dat hij wilde verhuizen.

„Wat voor advies heeft Klazien u dan gegeven? Weet u trouwens dat zij haar huis ook te koop heeft staan?" Agnes kon haar mond niet meer dicht houden. Allerlei vragen kwamen ineens in haar op, en met de beste wil ter wereld lukte het haar niet om nog langer te zwijgen. „Zij gaat toch zeker óók niet in zo'n aanleunwoning wonen?" Ze fronste haar wenkbrauwen en keek donker.

„Klazien heeft haar huis al heel wat langer te koop staan," antwoordde vader en zijn stem klonk ineens veel rustiger. Zijn wanhopige schuldgevoelens en verdriet omtrent moeders dood leek hij weer onder controle te hebben. „Het was Klazien die me enige tijd geleden tijdens een bezoekje heeft geadviseerd om hier weg te gaan, zodat ik los kan komen van al mijn dierbare herinneringen hier in huis en misschien ook wel van mijn schuldgevoelens. Ze vertelde me toen dat ze zelf al een poosje voor zo'n aanleunwoning stond ingeschreven en adviseerde mij om dat óók te doen. En om een lang verhaal kort te maken: ik heb na haar bezoek onmiddellijk geïnformeerd naar diezelfde aanleunwoningen, want het leek ons beiden heel leuk om binnenkort in elkaars buurt te wonen, vandaar... Misschien wordt Klazien straks wel mijn buurvrouw! Maar laat ik niet te hard van stapel lopen, haar huis is nog steeds niet verkocht en ze wil het wel eerst verkopen."

Agnes voelde zich vreemd licht in haar hoofd. Vader en Klazien hadden niet bepaald stilgezeten, ze hadden een tijd geleden alles al achter haar rug bekonkeld. Waarom had vader de adviezen van Klazien niet met haar gedeeld? Hij had haar gewoon in de waan gelaten dat het zíjn plannetje was geweest om te gaan verhuizen. Nu bleek Klaziens bemoeienis en invloed een grote rol te hebben gespeeld. Hij had háár adviezen ter harte genomen, zónder enig overleg met zijn kinderen.

„U had het eerder moeten vertellen," zei ze gespannen.

„Jij was de eerste aan wie ik het vertelde, Agnes! Ben je dat dan nu alweer vergeten?"

„Dát bedoel ik niet, vader. U had me óók moeten vertellen dat het Klaziens advies was geweest. Ik dacht dat u het zélf wilde, dat u de beslissing om dit huis te verkopen helemaal zélf had genomen." Er lag een emotionele trilling in Agnes' stem, ze was zo teleurgesteld in hem. Het deed haast lichamelijk pijn dat hij haar niet in vertrouwen had genomen. Ze had hem na moeders dood zo vaak geholpen, getroost en bijgestaan. Maar bij het nemen van de belangrijkste beslissing tot nu toe, had hij andermans adviezen blijkbaar belangrijker gevonden dan die van haar.

„Die beslissing heb ik uiteraard ook zelf genomen en je weet heel goed dat het niet gemakkelijk is geweest." Pieter dronk zijn kopje langzaam leeg, boven zijn neus lag een diepe rimpel, zijn ogen lieten haar geen moment los.

Ja, wat hij nu vertelde wist Agnes wel, maar Klaziens rol en adviezen hadden wel degelijk invloed gehad en dat stemde haar bitter. Moeder was nog maar enkele maanden geleden verongelukt en Klazien drong zich meteen op aan vader. Zou ze soms iets meer in hem zien dan alleen maar de echtgenoot van haar overleden vriendin? Agnes zuchtte en had het lef niet om haar vader op de man af naar zijn gevoelens te vragen.

„Je zit te tobben," constateerde vader. „Dat moet je niet doen, Agnes."

Agnes slikte moeilijk, haar koffie was inmiddels koud geworden en koude koffie lustte ze niet. Ze schoof het kopje van zich af.

„Weet je, op de receptie van ons vijftigjarige trouwfeest hebben je moeder en ik een tijdje gezellig met Klazien zitten praten. Het was al zo lang geleden dat we elkaar gesproken hadden. Ze vertelde ons tóen al, tijdens die receptie, dat ze ingeschreven stond voor een aanleunwoning bij het bejaardenhuis, niet ver hiervandaan. Later... veel later... op het moment dat je moeder en ik samen in de auto huiswaarts reden, hadden we het daar nog over. Je moeder zei dat ze ook wel in zo'n aanleunwoning zou willen wonen als ze ooit nog eens alleen achter zou blijven. Gezien onze leeftijd was dat namelijk niet ondenkbaar, Agnes, want tien minuten later moest ik uitwijken en reed ik met de auto tegen een boom, met alle afschuwelijke gevolgen van dien. Tja, en uiteindelijk was het moeder niet die alleen achterbleef, maar ik. Zodoende weet ik ook dat zij achter mijn beslissing staat. Ze had in mijn plaats namelijk precies hetzelfde gedaan."

Agnes bewoog zich niet, ze kon zich nauwelijks voorstellen dat moeder in dezelfde situatie voor andere woonruimte had gekozen. Moeder was altijd zo thuis geweest in dit huis.

Vader zuchtte diep, legde zijn hand op die van haar en zei met ietwat hese stem: „Ik hoop niet dat je nu allerlei vreemde gedachten krijgt over Klazien en mij, ze was vroeger je moeders beste vriendin en ik… nou ja, ik mag haar gewoon erg graag. Haar vriendschap betekent op dit moment erg veel voor me."

Agnes keek van hem weg, er stonden tranen in haar ogen. Ze zou hem wel voor zijn voeten willen gooien dat ze alles wist over zijn vroegere verloving met Klazien Somers en dat ze bang was voor háár bedoelingen op dit moment, maar er kwam geen woord over haar lippen. Ze wilde hem zo graag op zijn woord geloven en niet aan zíjn oprechte vriendschap voor Klazien twijfelen.

„Agnes… waarom zwijg je?"

Agnes schrok op uit haar gedachten, ze knipperde haar tranen weg en glimlachte krampachtig. „Sorry, ik vind het gewoon moeilijk om te accepteren dat dit huis straks overgaat in vreemde handen."

„Ach, het is maar een huis! Je komt er wel overheen, kind. Je bent nog jong. Je staat met Ruud nog midden in het leven en jullie hebben samen zo'n fijn huis."

Agnes knikte, maar zijn woorden brachten geen troost, ze voelde zich zielsbedroefd.

Er viel een zware last van Judiths schouders toen ze twee weken later een telefoontje kreeg van Josien. „Ik heb een opdracht voor je van een belangrijke klant, maar je moet wel in topconditie zijn. Ik hoop dan ook dat je weer helemaal de oude bent. Ik bedoel daarmee niet alleen dat je je fit voelt, maar het gaat om je lijf, om je uitstraling op het podium."

Judith hapte verheugd toe. „O ja, fijn! Natuurlijk ben ik weer helemaal de oude," antwoordde ze haastig, hoewel ze diep van binnen wel wist dat het niet helemaal de waarheid was. Moeheid en futloosheid waren nog steeds haar deel, zelfs haar ongesteldheid liet het sinds kort afweten. Maar daar was ze vanwege het ongemak niet echt rouwig om. „Wanneer verwacht je me op het bureau, Josien?"

Josien noemde een datum en een tijdstip, en Judith schreef in haar agenda alles met grote letters op. De verdere dag neuriede ze allerlei vrolijke melodietjes, ging nog vier keer op de weegschaal staan en fantaseerde over Josiens reactie bij het zien van haar sterk afgeslankte lichaam, want de wijzer van de weegschaal daalde nog wekelijks.

„Slank is mooi," hoorde ze Josien in gedachten steeds weer opnieuw zeggen als ze zichzelf in de spiegel bekeek. Alhoewel ze zelf bij lange na nog niet tevreden was over het resultaat.

De dag voordat ze op het modellenbureau verwacht werd liet ze zich nog eens behandelen door Barbara, de schoonheidsspecialiste, die haar altijd zo had bewonderd en steeds belangstellend meeleefde als ze deelnam aan een modeshow. In het verleden had Barbara haar enkele goede adviezen gegeven, daarom voelde Judith duidelijk de behoefte om nog eens met haar te praten. Ze verlangde zo naar een aanmoediging. De slopende moeheid maakte haar ook erg onzeker Zou ze een avondje intensief show lopen wel vol kunnen houden?

Maar deze keer miste Judith tijdens de behandeling Barbara's bewonderende uitlatingen. In plaats daarvan waren haar raadgevingen van een zorgzamere aard. „Zorg goed voor jezelf, Judith. Neem toch nog een poosje de tijd om op te knappen. Je zag er maanden geleden heel wat beter uit."

Maar Judith begreep het niet en eigenlijk wilde ze het ook niet begrijpen. Ze was toch al redelijk goed opgeknapt na de griep? Dat Barbara dat nu niet zag, maar ja, die begreep natuurlijk niet dat een mannequin op haar figuur moest letten. Judith voelde zich teleurgesteld.

Toen ze een dag later vol verwachting oog in oog stond met Josien merkte ze vrijwel meteen dat er iets niet in orde was. Josien keek helemaal niet blij, ze reageerde ook niet erg enthousiast en ze observeerde haar langdurig. Haar felrood geverfde lippen kneep ze even samen alvorens ze iets zei. „Zo te zien ben je nog níet helemaal in topconditie, Judith. En dat was wel de voorwaarde," hoorde ze Josien dan tot haar grote verbazing zeggen. „Ik kan je zó niet naar onze klant sturen, je moet nog een poosje wachten en snel weer wat aansterken."

„Maar... maar..." hakkelde Judith, totaal uit haar evenwicht gebracht door Josiens negatieve reactie.

„Ben je nog steeds onder doktersbehandeling?" onderbrak Josien haar en haar kritische ogen keken Judith ernstig aan, zoals alleen haar ogen dat maar konden doen.

„Dat is toch niet nodig," wist Judith uit te brengen. „Ik ben weer helemaal in orde!"

Josien schudde haar hoofd. „Kom over een maand of drie nog

maar eens terug, dan zie je er vast weer wat beter uit." Judiths mond viel open van verbazing.

„Maar je had werk voor me! Ik wil zo graag weer aan de slag, Josien. Mag ik het dan alsjeblieft proberen?" Judith keek met smekende ogen naar de vrouw tegenover haar. De vrouw die haar een tijdje geleden nog zo had bewonderd. De vrouw die haar lichaam 'volmaakt' had genoemd.

„Nee, dat is tegen mijn principes. Het zou ook geen reclame zijn voor mijn klanten en het bureau. Neem jij nu maar een poosje de tijd om verder aan te sterken, want voor dit klusje vind ik vast wel een ander model."

Tien minuten later stond Judith weer buiten, de schrale decemberwind blies langs haar bleke ingevallen wangen. Ze was teleurgesteld, het huilen stond haar nader dan het lachen. Ze voelde zich afgewezen. Een grote mislukkeling, want een belangrijke opdracht was zojuist aan haar neus voorbijgegaan. En waarom? Ze was toch kerngezond! Toen ze al piekerend naar de parkeerplaats liep waar haar auto stond, keek ze via de weerspiegeling van de winkelruiten naar haar lange postuur. Met een schok realiseerde ze zich opeens dat ze zelfs dóór haar winterjas heen de zwelling van haar veel te dikke buik kon zien! Ze wendde abrupt haar hoofd af. Ze durfde niet langer naar zichzelf te kijken, want nu zag ze zelf dat Josien wel degelijk gelijk had. Zo kon ze inderdaad niet over de catwalk paraderen, ze moest er de komende tijd nog hard aan werken om die dikke buik kwijt te raken. Dat betekende dus dat ze vanaf vandaag nóg minder moest gaan eten. Maar ze at al zo weinig, er waren dagen dat ze alleen maar water dronk en zelfs helemaal niets meer at. Het zou heel moeilijk worden om nog wat extra kilo's kwijt te raken, dat besefte Judith maar al te goed. Maar het veelbelovende vooruitzicht op een glansrijke carrière als model stelde haar in staat om aan haar figuur te werken. Zo pepte Judith zich op. Ze wilde, hoe dan ook, de top in de internationale modewereld bereiken. Dat was nog steeds haar grootste droom en die moest uitkomen.

12

Vanaf het moment dat Robin de zieke Judith Lankhaar naar huis had gebracht en tot de ontdekking kwam dat zij bij de familie van het verongelukte echtpaar hoorde, was het gedaan met zijn rust. Als hij niet in beslag werd genomen door de gymlessen op school en zijn vrijwilligerswerk bij de voetbalvereniging, dwaalden zijn gedachten steevast af naar het auto-ongeluk en alle familieleden van het verongelukte echtpaar. Hij piekerde er dagelijks over en sliep slecht. Naderhand had hij nog wel een enkele keer de telefoon opgepakt om belangstellend naar Judiths gezondheid te informeren, maar een zekere vrees weerhield hem ervan om persoonlijk contact met de familie op te nemen. Als Judith en haar familie erachter zouden komen dat hij op die bewuste avond de enige ooggetuige van het auto ongeluk was geweest, zouden ze hem vast en zeker openlijk beschuldigen en dan had je de poppen aan het dansen.

Het was Denise inmiddels ook opgevallen dat zijn stemmingen anders waren dan normaal, zijn afwezige tobberige buien schreef ze maar al te graag toe aan hun ophanden zijnde huwelijk. Een huwelijk dat tot in de kleinste details was geregeld door Robins aanstaande schoonvader, die er geen gras over had laten groeien en binnen een week alles voor het feest en de receptie had besproken bij de allerbeste horecagelegenheden van het Betuwse land. Denise had zelfs haar trouwjurk al besteld en praatte honderduit over wat de mooiste dag van haar leven moest worden, zodat het Robin tegen ging staan en hij er tureluurs van werd.

„Heb je mijn bruidsboeket al besteld?" vroeg ze hem gisteravond bij haar afscheid fluisterend in zijn oor, nadat hij het hele reilen en zeilen van hun ophanden zijnde huwelijksdag voor de zoveelste keer had aangehoord. „Want dat is nog het enige wat je moet regelen, lieverd!"

Robin had haar daarna plechtig moeten beloven dat hij er onmiddellijk werk van zou maken. Hij had het zelf wel wat overdreven gevonden, want het duurde nog ruim een halfjaar voordat de grote dag aan zou breken, maar hij had het lef niet om haar tegen te spreken. Ze was zo enthousiast, zo verschrikkelijk gelukkig met alles wat Frank voor hen had geregeld. Hij kon niet als spelbreker achterblijven en was daarom vanmiddag na werktijd naar het centrum van de stad gegaan waar een gerenommeerde bloemenzaak gevestigd was.

Een koude wind blies langs zijn warme wangen. Met zijn rechterhand zette hij de kraag van zijn jas omhoog en hij keek vervolgens naar de feestelijk versierde etalages van de speelgoedwinkel waarlangs hij liep. Hij ving de woorden van een sinterklaasliedje op toen de winkeldeuren werden geopend en mensen met hun aankopen naar buiten liepen: „Vol verwachting klopt ons hart, wie de roe krijgt, wie de gard..."

Nog twee nachtjes slapen en dan was het weer zover voor alle kinderen in Nederland. Met plezier dacht hij terug aan zijn eigen kinderjaren. Zijn schoen bij de schoorsteen was altijd gevuld geweest, evenals de zak van sinterklaas die elk jaar op vijf december bij de voordeur van zijn ouders werd afgeleverd. Een zak, waarin altijd de cadeautjes hadden gezeten die hij zich had gewenst.

Robin grinnikte bij die herinnering en keek naar de andere winkeletalages. Deze tijd van het jaar bracht ook zoveel gezelligheid met zich mee, over een week zouden de kerstballen en kerstversieringen vast weer in alle etalages hangen voor het ophanden zijnde kerstfeest. De winkeliers wisten daar altijd zo handig op in te spelen.

Vanaf een afstand zag hij de bloemenzaak al opdoemen, hij hoopte maar dat het personeel in staat was om hem goed te informeren, want erg veel kijk op bruidsboeketten had hij niet.

Juist toen hij de straat wilde oversteken zag hij haar opeens lopen. Judith Lankhaar! De persoon waaraan hij de laatste weken regelmatig had gedacht.

Met een schok realiseerde hij zich dat ze er helemaal nog niet gezond uitzag. De met zorg opgemaakte ogen keken eveneens in de etalageruiten en haar gezicht zag doordringend wit, met koude ingevallen wangen. Haar lange magere benen leken haar lichaam nauwelijks te kunnen dragen, zo fragiel zagen ze eruit.

Vertwijfeld keek Robin haar na. Even kreeg hij de neiging om haar aan te spreken en spontaan naar haar welzijn te vragen. Maar hij bedacht zich, in plaats daarvan keek hij haar na totdat ze om de hoek van de straat uit zijn gezichtsveld verdween.

Verward stak hij over, met zijn gedachten weer bij het proces-verbaal. Waarom twijfelde haar familie toch aan zijn eerlijke verklaring? Zou Judith hem misschien wél willen geloven? Robin zuchtte diep en duwde de glazen deur van de bloemenzaak open. Dat hij niet met deze beschuldigingen verder kon leven werd hem heel langzaam duidelijk, hij zou er nóóit helemaal los van komen, het zou hem steeds blijven achtervolgen. Maar als hij klaarheid in de zaak wilde brengen moest hij wel zelf het initiatief nemen, of de familie hem nu te woord wilde staan of niet. Hij nam zich voor om binnenkort opnieuw contact met Judith te zoeken en haar ergens mee naartoe te nemen voor een kopje koffie of iets dergelijks. Bij Judith had hij misschien nog een kleine kans om geloofwaardig over te komen, het contact met haar kon weleens van doorslaggevend belang zijn.

Robins aandacht werd in beslag genomen door een jongeman die vriendelijk aan hem vroeg waarmee hij hem van dienst kon zijn. „Ik wil graag een bruidsboeket bestellen," antwoordde Robin, alsof hij slechts een simpel bosje snijbloemen kwam kopen. Hij was er trouwens ook niet helemaal bij met zijn hoofd en liet uiteindelijk de definitieve keuze voor het bruidsboeket aan de jongeman over. Opgelucht verliet hij na een halfuurtje de bloemenzaak. Zo, nu had Denise voorlopig niets meer te zeuren, hij had zijn plicht gedaan. Hij had haar bruidsboeket besteld.

„Ik weet niet wat jij ervan vindt, maar ik maak me ernstige zorgen om Judith."

Agnes, die juist binnenkwam met een mand vol kleding om te wassen, keek met ingehouden adem naar Ruud die de tafel inmiddels al voor twee personen had gedekt.

„Ze heeft zeker alweer ergens anders gegeten?" wist ze alleen maar uit te brengen en ze keek hem daarbij vragend aan. Ruud knikte. „Dat zegt ze altijd, maar ik geloof haar niet meer. Ze ziet er niet uit, Agnes. Het lijkt wel alsof ze één of andere ernstige ziekte onder de leden heeft. Ze is zo vreselijk mager, zie jij dat niet?"

Agnes knikte en slikte. Wat de dokter tijdens de griepperiode had geconstateerd was haar steeds bijgebleven. Judith was ondervoed geweest en zo te zien was ze dat nog steeds. Het werd er niet beter op, ondanks alle voedingspreparaten die de huisarts haar had voorgeschreven. Maar misschien slikte ze die ook al niet meer? Het beangstigde Agnes dat ze geen greep op haar dochter kon krijgen.

„Ze is zojuist naar haar kamer gegaan, misschien moeten we eens met haar praten," opperde Ruud. „Dit kan zo niet blijven voortduren, wat wil ze hier eigenlijk mee bereiken?"

„De top!" antwoordde Agnes meteen. „Onze Judith wil graag de top in de modewereld bereiken."

Ruuds spottende lach schalde door de kamer. „Dat wil ze toch niet als het ten koste gaat van haar gezondheid, zó verstandig is ze toch wel?"

Agnes schokschouderde vertwijfeld. „Ik weet het niet, Ruud. Judith is al maanden een vreemde voor me, ze verzint talloze uitvluchten om maar niet met ons aan tafel te hoeven eten. En daarbij... ze is ook zo verschrikkelijk rusteloos."

„Hier móet een einde aan komen, dan maar níet aan de top van de modewereld. In mijn huis wordt in ieder geval géén honger geleden. Want dat ze weinig of niets meer eet is me inmiddels wel duidelijk en ik kan het ook niet langer aanzien. Ik ga nú met haar praten, want ik wil graag dat de huisarts haar ziet zoals ze nu is. Ze is zó verschrikkelijk mager... foei, die goede man krijgt de schrik van zijn leven als ze op zijn spreekuur verschijnt. Ik zal er bij Judith op aandringen dat ze zo snel mogelijk een afspraak maakt."

Agnes keek Ruud na die verongelijkt de kamer uitliep en de trap op stommelde. Even later hoorde ze de luide stemmen van Judith en Ruud tegen elkaar schreeuwen, ze kon het niet verstaan, maar haar hart kromp ineen. Ruud had ongetwijfeld gelijk, ze had het zelf al veel te lang op z'n beloop gelaten. Ze was dagelijks nog te veel met vaders leven bezig en te weinig met dat van haar dochter. En Judith had blijkbaar zelf niet in de gaten dat ze er met de dag slechter uit ging zien. Met een zucht liet Agnes zich in een stoel zakken, ze hoopte er maar op dat de kerstdagen over drie weken vredig zouden verlopen. Het zou haar laatste kerstfeest in de ouderlijke woning zijn. Vader wilde voor iedereen wat lekkers in huis halen en hij rekende er ook op dat Judith daarbij aanwezig zou zijn.

Langzaam stond Agnes weer op om de aardappels af te gieten, Ruud had het vlees al gebraden en de groenten opgezet. Ze hoorde boven gelukkig geen boze stemmen meer naar elkaar schreeuwen, en niet veel later kwam Ruud in de keuken achter haar staan. Hij zag er verhit uit.

„Morgenvroeg gaat ze naar de huisarts, Agnes," zei hij. „Zover heb ik haar al gekregen. Uiteraard wel met enige tegenzin, maar ze gáát in ieder geval. Ze blijkt zich overigens al enkele weken vreselijk moe te voelen. Ze denkt zelf aan bloedarmoede of zoiets. Het lijkt me heel verstandig als jij morgen even met haar meegaat, ik vertrouw het namelijk niet erg. Ze is pasgeleden nog zó ziek geweest!"

Agnes knikte. „Goed!" antwoordde ze. „Eet ze nu dadelijk wel met ons mee?"

Ruud keerde zich om, duwde zijn handen in zijn broekzakken en ging voor het raam staan.

Hij keek naar buiten en staarde in de duisternis. „Ze heeft al gegeten, zegt ze. Ze eet ook nu niet met ons mee." Ze hoorde de machteloosheid in zijn bezorgde stem en allebei wisten ze dat het een leugen was.

Judith was verschrikkelijk boos, ze voelde zich diep gekwetst en vernederd. Nadat ze een halfuurtje geleden was thuisgekomen en van teleurstelling en kou in bed was gaan liggen omdat het modellenbureau haar bij nader inzien toch geen opdracht wilde geven, was vader plotseling in haar kamer verschenen. Hij nam er geen genoegen meer mee dat ze zelden of nooit meer met hen aan tafel wilde eten. „Ik héb toch al gegeten!" had ze hem voor zijn voeten geworpen, maar ze had hem daarbij niet in zijn ogen durven kijken. Na die grote teleurstelling van vanmiddag had ze zichzelf voorgenomen om vandaag, en ook morgen, helemaal niets meer te eten. Vaders bezorgdheid negeerde ze. Ze draaide zich vervolgens om in bed en ging met haar rug naar hem toe liggen. Voor haar was de discussie gesloten.

„Je bent ziek, Judith! Eet je daarom soms zo slecht?" Vader liet zich niet zomaar wegsturen door haar afwerende houding.

Ze had zijn vraag onmiddellijk ontkend. Ze was helemaal niet ziek, ze was sinds de griep van een tijd geleden juist heel erg goed opgeknapt. Maar vader had geroepen dat hij daar niets van zag, dat hij haar elke dag verder zag afvallen. Ze werd veel te mager naar zijn zin. Zag ze dat dan zelf niet in de spiegel? Judith wist niet wat hij bedoelde, ze was niet van plan zich vet te laten mesten met allerlei calorierijk voedsel. Haar carrière als model kon ze dan wel vergeten. Maar vader liet zich niet met een kluitje in het riet sturen.

Ze had hem moeten beloven om de huisarts zo snel mogelijk te raadplegen, aarzelend had Judith toegegeven dat ze zich nog wel eens moe voelde en dat ze waarschijnlijk last had van wat bloedarmoede. Als ze hem daarmee gerust kon stellen, wilde ze de huisarts best nog een keer raadplegen. Een tijdje geleden had ze dat op eigen initiatief ook nog gedaan, ze had zelfs zijn advies om iets beter te eten opgevolgd door tijdelijk een klein extra stukje fruit te eten om de nodige vitamines binnen te krijgen. Vader was gelukkig direct tevreden geweest met haar belofte om de huisarts opnieuw te raadplegen en hij had er ook niet langer op aangedrongen dat ze die avond samen met hen aan tafel zou eten. Dat had ze trouwens toch niet gedaan, moeder kookte altijd vrij stevige kost met veel vet en calorieën erin. Als ze dat voedsel zou eten viel er niets meer te dromen over een carrière als model, ze wilde er niet eens aan denken.

Ze had er een hekel aan om dikker te worden. Nou ja, haar ouders konden dat toch niet begrijpen, maar in de toekomst zouden ze de waarheid wel onder ogen krijgen als de top van haar carrière in zicht kwam. Judith droomde ervan om die top te bereiken. Ze had er letterlijk alles voor over.

De volgende morgen belde ze naar de supermarkt om te vertellen dat ze wat later kwam vanwege een controleconsult en even later vertrok ze samen met moeder naar de praktijk van hun huisarts. Vader had erop gestaan dat moeder ook meeging en Judith probeerde koortsachtig na te denken over wat ze de huisarts zometeen precies moest vertellen. Ze zou hem niet het achterste van haar tong laten zien en voor die moeheid zou hij haar vast wel weer iets geven, om daarna haar hand te schudden en de volgende patiënt bij zich te roepen.

Zenuwachtig liep ze zijn spreekkamer in, terwijl moeder achter haar aan liep. Judith voelde zich zweverig en licht in haar hoofd en haar benen voelden wiebelig aan. Ze was blij dat ze in de spreekkamer op een stoel kon plaatsnemen. De arts begroette hen vriendelijk, daarna monsterde hij Judith enkele ogenblikken en vroeg dan naar haar klachten. Ze vertelde hem meteen dat ze nog steeds moe was, maar dat het verder allemaal uitstekend met haar ging. Een kuurtje voor de bloedarmoede, waar ze waarschijnlijk last van had, zou het vermoeidheidsprobleem vast snel oplossen, adviseerde ze hem. „U hoeft alleen maar een recept uit te schrijven," glimlachte ze.

„Mag ik misschien aan je moeder vragen wat zij ervan vindt?" Met opgetrokken wenkbrauwen keek de huisarts haar aan. Judith voelde het klamme angstzweet in haar koude handen lopen. Het gesprek verliep anders dan ze zich had voorgesteld.

Waarom wilde de arts haar moeder eigenlijk in dit gesprek betrekken? Dat was toch helemaal niet nodig! Ze was toch volwassen genoeg om voor zichzelf op te komen.

Ze haalde aarzelend haar schouders op. „Mijn moeder weet ook wel dat ik nog steeds erg snel moe ben." Ze keek Agnes daarbij indringend aan en probeerde op deze geraffineerde manier de woorden in haar mond te leggen. „Dat klopt, hè mam?"

Agnes keek van haar weg. „Ja, dat is zo! Maar... ze wordt ook broodmager, dokter. Mijn man en ik zijn erg bezorgd omdat Judith er zo slecht uitziet."

Daarna gebeurde alles in een sneltreinvaart. De dokter onderzocht haar, door naar haar hart en longen te luisteren. Hij legde een zwarte band om haar arm, pompte die vol met lucht en nam haar bloeddruk op, hij controleerde vervolgens haar lichaamstemperatuur. Onderwijl vuurde hij enkele vragen op haar af en als laatste vroeg hij haar om even op zijn weegschaal te gaan staan.

Met een wild kloppend hart gehoorzaamde Judith. Ze kneep haar ogen angstvallig dicht en durfde niet te kijken. Ze vertrouwde immers alleen haar eigen weegschaal. Straks, als dit routine-onderzoekje achter de rug was, zou ze zich thuis opnieuw wegen.

Maar zover kwam het niet. De huisarts sommeerde haar weer op een stoel te gaan zitten en vertelde daarna dat hij een ziekenhuisopname absoluut noodzakelijk achtte.

Geschokt liet Judith deze onbegrijpelijke mededeling over zich heen komen. De huisarts keek haar ernstig aan. „Het gaat de verkeerde kant op met je gezondheid, Judith. Zo te zien ben je jezelf al een tijdje aan het uithongeren. Meisje toch! Je gewicht is véél te laag en omdat je zo weinig weegt zijn je bloeddruk en je lichaamstemperatuur ook niet goed. En je vertelde me zojuist dat je menstruatiecyclus twee maanden geleden is gestopt! Tja, het spijt me echt voor je, maar het ziet er niet goed uit. In het ziekenhuis zullen we dan ook voorlopig gedurende een week vloeibaar voedsel door middel van een sonde toedienen. Het is van groot belang dat we geen dag meer verliezen. Het risico dat nog meer lichamelijke systemen gaan falen is levensgroot aanwezig."

„Maar dokter..." wist Judith alleen uit te brengen terwijl een onzichtbare hand haar keel zowat dichtkneep.

„Ja?" De huisarts keek haar aan, met oprechte deernis in zijn ogen.

Er liepen tranen over Judiths wangen en ook Agnes hield haar ogen niet langer droog. Gelukkig dat Ruud aan de bel had getrokken. Dat Ruud had ingezien dat Judith er heel erg slecht aan toe was. Ze had de situatie zelf duidelijk onderschat. Ze had voor de zoveelste keer gefaald. O ja, ze had zich vreselijk veel zorgen gemaakt, maar handelen... ho maar!

„... hoe moet het dan met mijn baan? Ik wil zo graag iets bereiken in de modewereld. Het modellenbureau heeft zulke grote verwachtingen..." Judiths stem klonk luid en schril.

De dokter schudde langzaam zijn hoofd. „Het gaat nu om je gezondheid, Judith. Voorlopig kun je niet gaan werken," zei hij zachtjes. Het was nu duidelijk te zien dat Judith haar hoofd boog en wat voor haar lag gelaten over zich heen liet komen.

Terwijl de huisarts het ziekenhuis telefonisch informeerde dat er een patiënt met spoed opgenomen moest worden, hielp Agnes Judith in haar jas. Ze zou haar er zometeen zelf naartoe brengen en daarna Ruud bellen. Ze hoopte maar dat ze straks de juiste woorden zou kunnen vinden om hem het nieuws te vertellen, dat hun dochter zich aan het uithongeren was.

Ruud reageerde zoals Agnes had verwacht. Verslagen! Hij begreep niets van het nieuws dat Judith zich aan het uithongeren was. Dat het zó erg met haar gesteld was had hij niet verwacht. Hij had er rekening mee gehouden dat ze medicijnen voor haar bloedarmoede zou krijgen en een goed dieet van een diëtiste om sneller op te knappen. Maar een ziekenhuisopname waarbij ze vloeibare voeding via een slangetje door haar neus naar haar maag zou krijgen, vond hij afschuwelijk.

Met een trilling in haar stem vertelde Agnes, nadat Ruud om half een weer naar zijn werk was vertrokken, telefonisch aan Fred wat zijn zusje was overkomen. „Dan lijdt ze vast en zeker aan anorexia nervosa, mam," had hij geopperd. „De laatste keer dat ik haar zag moest ik er zelfs nog aan denken. Ze werd zo verschrikkelijk mager en ze wilde ook helemaal niets eten."

„Dus jij wist het?" had Agnes hevig verbaasd tegen hem geschreeuwd.

„Nou nee, dat niet. Ik heb het alleen maar een ogenblik gedacht, dat modegedoe is er waarschijnlijk de oorzaak van. Ze leeft in een gevaarlijke droomwereld."

Agnes was na het gesprek met Fred helemaal overstuur geweest. Hij had de woorden anorexia nervosa uitgesproken, terwijl de huisarts daar zelf met geen woord over had gerept.

's Middags, tijdens het bezoekuur in het ziekenhuis, had Agnes nog staan trillen op haar benen. Helaas was Judith nauwelijks aanspreekbaar geweest. Er zat een slangetje in haar neus en een doorschijnende zak met melkachtige witte vloeistof hing aan een standaard boven haar bed, en was verbonden met het slangetje. Dat was dus de sondevoeding waarover de dokter hun had verteld. Vertwijfeld keek Agnes ernaar. Moest Judith van dit goedje aankomen? Vreemd! Een stevige stamppot of een bord erwtensoep zou in haar ogen veel voedzamer zijn. Maar ja, zoiets weigerde haar dochter keer op keer te eten! Die had het zover laten komen dat ze met een slangetje werd gevoed. Wat vernederend! Agnes begreep er helemaal niets van. Judiths gevaarlijke hongerstaking maakte haar plotseling boos. Het was zó onbegrijpelijk dat ze dit had laten gebeuren! Alsof ze wist dat Agnes aan haar dacht, opende Judith ineens haar ogen en keek haar heel even aan. Er gleed zelfs een flauwe glimlach over haar gezicht zodat Agnes' boosheid meteen wegsmolt, als sneeuw voor de zon. Vervolgens deed Judith haar ogen weer dicht, waaruit Agnes kon opmaken dat ze liever nergens over wilde praten. Haar hart liep nu over van verdriet en medelijden. Judith had haar hulp en support juist nodig om op te knappen, met boosheid zou ze vast niets bereiken. Ruud kwam ook nog onverwacht vanuit zijn werk op bezoek. Zijn baas had hem voor het bezoekuur vrijaf gegeven omdat hij zijn aandacht nauwelijks bij zijn werk had kunnen houden. Hij bleef even naast Judiths bed staan, keek naar het slangetje en pakte Judiths hand vast. Maar Judith hield zich slapende. Agnes zag Ruuds betraande ogen en zijn worsteling, ze kon het niet langer uithouden. Ze draaide zich om en mompelde dat ze wel op de gang op hem zou wachten.

Later liep ze met Ruud naar het kantoortje van de hoofdverpleegkundige waar ook Judiths behandelend specialist aanwezig was. „Wat is de prognose, dokter? Hoe lang denkt u dat het gaat duren?" vroeg Agnes met een angstige ondertoon in haar stem.

De arts fronste peinzend zijn voorhoofd toen hij snel enkele gedeelten uit Judiths dossier doorlas. „Tja, dat is nu nog moeilijk te zeggen. Er lopen bij het laboratorium nog enkele belangrijke bloedonderzoeken waarvan we de uitslag op dit moment niet weten, maar we hopen uiteraard dat uw dochter zelf wil meewerken. Zolang ze de sondevoeding niet weigert knapt ze elke dag wat meer op en zal het gewicht toenemen. In haar geval is dát nu het allerbelangrijkste."

Agnes knikte begrijpend en zuchtte diep, ze beet op haar lip en stelde toch de vraag die steeds voor in haar mond had gelegen na het telefoongesprek met Fred. „Heeft mijn dochter nu anorexia nervosa, dokter?"

„Tja, dat is wel de juiste diagnose. Hoe lang is uw dochter al zo streng aan het lijnen?"

Agnes keek Ruud aan die twijfelend zijn schouders ophaalde. „Vanaf het moment dat ze als model voor een modellenbureau is gaan werken. Dat klopt toch, hè Agnes?"

„Ja, ongeveer een maand of vijf," antwoordde Agnes. „Maar het kan zijn dat het lijnen al veel eerder is begonnen, ze deed daarvoor al een jaar enorm haar best om in de modewereld aan een baan te komen. Maar mijn man en ik dachten steeds dat het een bevlieging was." De arts knikte, herkende blijkbaar de situatie.

„Ach, meneer en mevrouw Lankhaar, dat is de bekende 'droomvlucht'. Meisjes van Judiths leeftijd vluchten nu eenmaal graag in een droomwereld van glitter en glamour. Niet dat er iets mis is met het beroepswereldje van mode en mannequins, maar sommige meisjes verliezen de realiteit uit het oog. Ze hebben een enorme drang en een grote behoefte om zichzelf te bewijzen voor de buitenwereld. Ze vluchten in die droom en doen hun lichaam daarbij geweld aan door het ernstig te verwaarlozen, zoals bij uw dochter het geval is. Ze zijn ervan overtuigd dat ze veel te dik zijn, zelfs als ze in de spiegel kijken zien ze hun lichaam niet zoals het in werkelijkheid is. Een verstoord zelfbeeld, noemen we dat. Maar ik zorg ervoor dat uw dochter zo snel mogelijk hulp krijgt van een maatschappelijk werkster."

Nadat ze het ziekenhuis weer hadden verlaten hoorde Agnes het woord 'droomvlucht' onophoudelijk door haar hoofd flitsen. Wat had de dokter Judiths situatie goed verwoord. Maar hij had ook de ernst van de situatie niet onderschat. Het zou voor Judith heel moeilijk worden om na haar ontslag uit het ziekenhuis weer een normaal leven te gaan leiden, een terugval in haar slechte eetpatroon was niet ondenkbaar. Maar daar wilde Agnes voorlopig nog niet over tobben. Terwijl ze terugreed naar huis zette ze de ruitenwissers aan, fijne natte sneeuwvlokjes benamen haar het uitzicht. Ze stond nog even in tweestrijd om bij haar vader langs te gaan. Bij die gedachte stokte plotseling de adem in haar keel. Het was maar goed dat moeder dit allemaal niet meer hoefde meemaken, flitste het door haar heen. Moeder had Judith op haar allerlaatste levensdag nog zoveel geluk gewenst! Er sprongen tranen in Agnes' ogen, want het model-zijn had Judith helemaal geen geluk gebracht, ze was erdoor in het ziekenhuis beland. Agnes besloot om naar huis te gaan, ze zag ertegenop om vader het hele verhaal te vertellen. Dat klusje moest Ruud vanavond maar voor z'n rekening nemen. Zij zou de woorden toch niet over haar lippen kunnen krijgen, en daarbij was ze bang dat ze ter plekke in zou storten. Nee, ze wilde dit eerst zelf verwerken. Het was al moeilijk genoeg om te accepteren dat Judith hun al maandenlang allerlei smoesjes had voorgehouden.

Had zij dit nu niet kunnen voorkomen? vroeg ze zich vertwijfeld af. Was ze misschien te halfslachtig geweest door Judiths smoesjes elke keer opnieuw te slikken? Maar nee, Judith was toch geen baby meer, ze was een jonge volwassen vrouw en zelf verantwoordelijk voor haar eigen keuze om wel of niet te eten! Agnes had er toch ook regelmatig bij haar op aangedrongen dat ze iets moest eten, ze had elke dag lunchpakketjes klaargemaakt in de hoop dat ze die op zou eten, en ze had haar nota bene voor ziektes gewaarschuwd als ze zo slecht bleef eten.

Thuis gaf Agnes zich over aan haar machteloosheid en verdriet. Ze bad ernstig tot God om hulp en een spoedig herstel. Het was een grote troost voor haar dat ze dat kon doen, en ze hoopte erop dat Judith in het ziekenhuis hetzelfde zou doen. Ze hadden Judith immers gelovig opgevoed, ze kende de weg en de noodzaak van het gebed. Agnes had het woord 'amen' nog niet eens uitgesproken toen ze gestoord werd door het gerinkel van de telefoon.

Ze aarzelde even om de hoorn op te nemen omdat ze niet wist wie ze aan de andere kant van de lijn kon verwachten. Ze had zichzelf nog niet helemaal in de hand en wilde tijdens een gesprek niet opnieuw in huilen uitbarsten. Maar nadat ze de telefoon tien keer had laten rinkelen maakte het haar zenuwachtig en nam ze de hoorn alsnog op. Met een trilling in haar stem noemde ze haar naam.

Aan de andere kant van de lijn hoorde ze een vriendelijke mannenstem vragen: „Is Judith thuis, mevrouw? Ik ben de persoon die haar enige tijd geleden ziek naar huis heeft gebracht, kunt u zich dat misschien nog herinneren? Ik bel op om naar haar gezondheid te informeren."

„O..." zuchtte Agnes verward. Ze schrok van deze aardige man die ze nauwelijks kende, vaag kon ze zich wel iets van hem herinneren.

„Met... met Judith gaat het wel, hoor. Maar... eh, ze is er momenteel niet. Ze is niet... nee, ze is nu niet te bereiken. Misschien over een paar weken..." Agnes legde de hoorn prompt neer. Ze kon deze jongeman toch niet vertellen dat Judith in het ziekenhuis was opgenomen, omdat ze al een hele tijd niets wilde eten. Dat zou Judith haar hoogstwaarschijnlijk ook niet in dank afnemen. De onvermijdelijke tranen braken opnieuw los.

Als Judith er maar weer bovenop zou komen en als de lust om te eten nu maar weer terug wilde keren. Ze nam zich voor om straks, als Judith over een tijdje weer thuiskwam uit het ziekenhuis, allemaal lekkere gerechten voor haar te maken. Gerechten die ze niet zou kunnen weigeren. Zo praatte Agnes zichzelf moed in. Ze wilde het beeld van haar dochter met een sonde in haar neus niet steeds voor zich blijven zien, en dat lukte alleen maar door aan positieve dingen te denken.

Voor het huis zag ze na een kwartiertje haar buurvrouw Ans met kleine Harrie voorbijlopen. Ans had hem zojuist van school gehaald, wist ze met een blik op de klok. Het ventje had een papieren pietenpet op met een veer erin. Zijn wangen waren zwart geschminkt. Agnes glimlachte door haar tranen heen. Judith was dol op Harrie! Ze zou het haar vanavond vertellen dat hij er als een heuse zwarte Piet had bijgelopen. Dat nieuwtje zou haar vast en zeker opvrolijken. Trouwens, ze had boven op haar slaapkamer ook nog een pakje voor Judith in de kast liggen, een doosje met een mooie zilveren armband erin. Ze had het haar op sinterklaasavond cadeau willen doen, maar ze nam zich voor om het vanavond al mee te nemen en het haar te geven. Judith zou er vast heel blij mee zijn.

Judith lag op een eenpersoonskamer. Daar was ze gezien de omstandigheden blij om. Ze moest er niet aan denken dat andere patiënten haar met hun nieuwsgierige blikken zouden bekijken en haar ook allerlei lastige vragen zouden stellen. Ze sloot haar vermoeide ogen en slikte moeilijk. Het slangetje dat de specialist zojuist via haar neus naar haar maag had getransporteerd voelde naar aan. Net of er een dikke bobbel in haar keel zat die ze met de beste wil niet kon wegslikken.

Het scheen haar toe alsof ze de hoofdpersoon was in een akelige nachtmerrie. Haar afspraak met de huisarts en de onverwachte ziekenhuisopname leek niet de werkelijkheid te zijn. Ze had alles gelaten over zich heen laten komen, te geschokt om ertegenin te gaan. Maar toen ze zich realiseerde dat ze helemaal niet droomde maar klaarwakker was, voelde ze zich van binnen opstandig en boos worden. Het was zelfs al een paar keer in haar gedachten opgekomen om dat dunne slangetje er gewoon met een ruk uit te trekken. Ze wilde helemaal niet gevoed worden met vloeibaar voedsel. Volgens de arts zou haar gewicht dan over enkele dagen weer wat toenemen, maar dat was nu juist iets wat zij helemaal niet wilde. Een bijkomend probleem zorgde eveneens voor de nodige hoofdbrekens en stond haar ook al niet aan. De specialist had haar een volle week verplichte bedrust voorgeschreven, en daarom kon ze zich nu ook niet even terugtrekken op het toilet om haar maag te ledigen van dat vieze goedje dat er langzaam maar zeker indruppelde en haar weer dik wilde maken. Terwijl ze zich ernstig bezorgd maakte over haar gewicht dat nu méér werd in plaats van minder, brak het bezoekuur aan. Omdat ze geen zin had om zich te verdedigen en over haar situatie te praten, hield Judith zich slapende voor haar ouders die enige tijd aan haar bed zaten. Eigenlijk was dat ook niet zo moeilijk geweest, want vanaf het moment dat ze in een ziekenhuisbed was beland had een intense moeheid zich van haar meester gemaakt. Zelfs haar oogleden voelden zwaar aan. Ze doezelde dan ook regelmatig weg. Maar ze kon haar ouders natuurlijk niet blijven negeren, daarom kwam het de volgende dag tijdens het avondbezoek tot een confrontatie.

„Ik snap niet dat je het zover hebt laten komen, Judith," begon haar moeder met een licht verwijt in haar stem toen ze zag dat Judith aanspreekbaar was.

„Nee, ik ook niet," viel vader haar meteen bij. „We leven hier in een welvaartsland met volop eten en drinken, maar jij... jij bent blijkbaar al maanden bezig geweest om jezelf uit te hongeren!"

„Dat is niet waar!" zei Judith verontwaardigd. „Ik probeer juist iets te bereiken, maar dat snappen jullie toch niet."

Agnes en Ruud gingen vervolgens naast haar bed zitten, ze drongen er bij haar op aan dat ze hun eerlijk moest vertellen wat ze nu precies wilde bereiken. Als ze zichzelf wilde uithongeren zou ze als model immers ook niet kunnen functioneren. Terwijl Judith haar best deed om alles duidelijk uit te leggen, concludeerde Agnes meteen dat er ergens iets was misgegaan. Judith wilde namelijk nog steeds aan het afslanken van haar buik en benen werken.

„Maar Judith, volgens de specialist lijd je nu aan anorexia nervosa. Weet je wel wat dat betekent?" Judiths gelaat werd spierwit, ze ontkende heftig. „Heus, zo ernstig is het niet, hoor. Ik wil als model gewoon heel graag de top bereiken, en in de modewereld is 'slank zijn' nu eenmaal hét ideaalbeeld. Dat het bij mij wat uit de hand is gelopen komt waarschijnlijk door de griep. Ik heb het een tijdje geleden goed te pakken gehad, dat weet u toch nog wel?"

Agnes knikte, maar ze zei er niet bij dat de huisarts toen al tot de conclusie was gekomen dat ze ernstig ondervoed was. Judith had zelf niet eens in de gaten in wat voor benarde situatie ze verkeerde. Ze hoopte maar dat de specialist genoeg overredingskracht zou hebben om haar op andere gedachten te brengen.

Na een kwartier ging de deur open en stapte Fred Judiths kamer binnen. Hij kuste haar en legde een pakje op het bed neer. „Een sinterklaascadeautje," kondigde hij vrolijk aan, terwijl hij zijdelings omhoog keek, naar de sondevoeding in de zak boven haar bed.

Judith glimlachte verrast. „Wat aardig! Dank je wel, broertje."

Agnes rommelde meteen in haar tas en haalde er eveneens een pakje uit. „Ach, dit zou ik bijna vergeten zijn, als Fred er niet was geweest. Hier, een presentje van je pa en mij. Ik had het je gisteravond al willen overhandigen, maar toen sliep je tijdens het bezoekuur." Agnes legde het pakje naast Freds pakje.

Judith opende de beide pakjes met een nieuwsgierige uitdrukking op haar gezicht. Ze was blij dat Fred zo vrolijk was binnengekomen, dat leidde de aandacht tenminste even af en ze waren allemaal reuze nieuwsgierig naar de inhoud van de pakjes. De zilveren armband van haar ouders deed ze meteen om haar pols en Freds kleurige oorbellen legde ze bewonderend op haar nachtkastje. Die zou ze goed kunnen combineren met haar allernieuwste kleding. Een halfuurtje later namen ze alle drie weer afscheid. „Snel beter worden, hoor!" had Fred haar nog toegefluisterd voordat hij vertrok.

Terwijl ze de nieuwe zilveren armband van haar ouders steeds maar weer om en om draaide dacht ze aan de diagnose van de specialist: anorexia nervosa. Tegen haar ouders had ze het in alle heftigheid ontkend omdat ze het zelf ook niet wilde geloven, maar vanmorgen was er een maatschappelijk werkster aan haar bed verschenen die haar een heleboel vragen had gesteld en haar een poosje wilde begeleiden totdat ze weer een normaal eetpatroon had ontwikkeld. Of Judith daaraan wilde meewerken, was haar vraag geweest. Om zo snel mogelijk te bewijzen dat ze helemaal niet aan anorexia nervosa leed wilde Judith niets liever dan al haar medewerking verlenen. Tegen die tijd had ze vast wel weer iets bedacht om zo snel mogelijk af te vallen. Josien had haar immers drie maanden de tijd gegeven om weer op te knappen, en tegen die tijd wilde ze toch echt weer geschikt zijn om modeshows te lopen.

De dagen regen zich aaneen. Judith kreeg na drie dagen weer wat vast voedsel aangeboden en na een week werd het slangetje voor de vloeibare voeding door de specialist uit haar maag weggenomen. Toen de verpleegster haar zei dat ze op de weegschaal moest gaan staan, kneep Judith haar ogen dicht. Ze wilde niet zien hoeveel ze in gewicht was aangekomen en ze durfde al helemaal niet in de spiegel naar haar figuur te kijken.

„Een pondje meer!" riep de verpleegster triomfantelijk, toen Judith gewogen was. „Je bent in ieder geval op de goede weg."

„Een pondje?" herhaalde Judith benauwd. „Maar... maar gaat dat dan zó snel?" Haar voorhoofd voelde ineens klam aan. Dat pondje zou dan vast en zeker voor een grotere omvang van haar buik en benen hebben gezorgd. Ze had het gevoel dat ze tijdens de afgelopen week weer moddervet was geworden.

„Jazeker, en als je de komende tijd regelmatig goed en gezond blijft eten, mag je weer snel naar huis." De verpleegster verdween en liet Judith in verwarde toestand achter.

Ze twijfelde ineens aan zichzelf. Zou ze wel in staat zijn om weer normaal met elke maaltijd mee te eten? En wilde ze dat wel? Zou het dan toch waar zijn van die anorexia nervosa?

Judith werd moe van het vele nadenken, het voedsel dat haar werd aangereikt zag er beangstigend calorierijk en vet uit. Meerdere malen deponeerde ze heimelijk haar maal in een afvalzakje, dat ze vervolgens weer in een grotere prullenbak liet verdwijnen. Op deze manier had niemand van de verpleging iets in de gaten. Maar een week later was haar gewicht slechts met een onsje toegenomen. De specialist keek bedenkelijk, maar hij liet verder weinig merken. „Ik verwacht niet dat je met Kerst thuis zult zijn," zei hij slechts. „Het hangt namelijk van je medewerking af."

Judith schrok van deze mededeling en nam zich voor om in het vervolg geen eten meer weg te gooien. Ze wilde vanaf nu ook niet meer denken aan calorieën en vettigheden. Ze wilde het liefst zo snel mogelijk uit het ziekenhuis worden ontslagen. De dagen die volgden at ze haar maaltijden gehoorzaam op, en er brak zelfs een dag aan dat ze naast haar maaltijden nog twee repen chocolade met een stukje cake naar binnen werkte. Ze voelde zich overgelukkig. Het was zo'n overwinning om gewoon te eten en te snoepen zonder aan calorieën en vet te denken! Ze zou iedereen weleens laten zien dat ze helemaal niet aan anorexia nervosa leed.

Maar later die dag, bij het zien van een fotoreportage waar enkele slanke mannequins stonden afgebeeld, kreeg ze al snel spijt van haar voornemens om aan te komen. Ze voelde zich verschrikkelijk schuldig vanwege al het voedsel en de lekkernijen die ze had opgegeten. Als ze zo door zou gaan moest ze straks afzien van een carrière als model. En dat was iets wat ze niet wilde. Het was haar droom! Een droom die ze maar niet los kon laten.

Terwijl ze uren had liggen worstelen met zichzelf zodat ze er haast depressief van werd, zag ze langzaam haar kamerdeur opengaan. Om het hoekje verscheen eerst een pluim met witbruine veren, daarna verscheen Klaziens lachende gezicht dat schuilging onder een enorme hoedenrand die versierd was met veren en eieren, vastgebonden door diverse kleuren lint. Achter Klazien ontdekte Judith opa, van wie ze al enkele kaarten had ontvangen maar die haar nog niet eerder had opgezocht. De tranen sprongen in haar ogen van blijdschap.

Ze had zich zo eenzaam en alleen gevoeld in haar strijd met de calorieën en al het eten dat haar hier werd opgedrongen. Misschien dat Klazien begrip had voor haar situatie, ze zou haar misschien om advies kunnen vragen.

Judith had niet in de gaten dat de twee oudjes elkaar ongerust aankeken. Klazien overhandigde haar een boeketje bloemen terwijl opa schutterig zei dat ze ook namens hem waren. Judith wist dat het voor opa moeilijk was geweest om haar op te zoeken, oma was immers op weg naar dit ziekenhuis overleden en hij had er zelf ook een paar dagen gelegen. Die nare herinneringen maakten het hem heel moeilijk om te komen. Hij gaf haar een onhandige knuffel, klopte haar op haar schouder en kuchte. „Sorry, dat ik zo lang ben weggebleven, kind. Maar... maar..."

„Ik weet het toch, opa! Het is goed, ik ben blij dat u er nu bent, samen met Klazien," stelde Judith hem gerust met een brok in haar keel.

„Ja hoor, ik heb hem over de streep gehaald. Samen sta je sterker dan alleen, zo is het toch, hè Pieter?" glunderde Klazien, waarop opa bevestigend knikte en wat onduidelijke woorden mompelde. Judith zag zijn gezicht zachter worden toen hij zijn ogen op Klazien liet rusten. Het was goed dat opa zo'n fijne vriendin had getroffen, ze bracht wat fleur in zijn leven. Judith wees naar twee stoelen. „Gaat u zitten," zei ze bezorgd toen ze vernam dat opa en Klazien met het openbaar vervoer waren gekomen. Opa nam plaats, maar Klazien bleef pal naast Judiths bed staan. „Zeg, Judith! Wil jij je werk als model straks weer oppakken?" Haar ogen twinkelden olijk.

Er brak een glimlach door op Judiths gezicht. „Niets liever dan dat," antwoordde ze met hartstocht in haar stem, „zodra ik beter ben, dan..." Klazien drukte een vinger op haar lippen, zodat Judith onmiddellijk zweeg.

„Kind, dat is geweldig! Ik wist het wel, je moet woekeren met de talenten die je van God hebt ontvangen, maar..." Klazien boog haar hoofd nog wat naar Judiths hoofd. „Zorg er dan vanaf vandaag in ieder geval voor dat je goed én verantwoordelijk eet, zonder voedsel kom je er niet, meiske," fluisterde ze, terwijl Judiths ogen opeens glansden van opkomende tranen. „Ik ben zo bang dat het me juist dán niet meer lukt om terug te komen als model," zei ze hees, en ook danig in de war gebracht door dit advies.

„Waar een wil is, daar is ook een weg," antwoordde Klazien. „Je moet alleen wel met beide benen op de grond blijven staan en je eigen verantwoordelijkheden kennen. Laat je vooral niet opjagen door je agent of een ontwerper, dat zijn doorgaans mensen die toch niet snel tevreden zullen zijn." Klazien deed een klein stapje terug en nam plaats op een stoel naast opa. Ze spraken samen nog over het komende kerstfeest en opa's ophanden zijnde verhuizing, terwijl Judith er nauwelijks met haar gedachten bij kon blijven. Nu wist ze helemaal niet meer wat ze moest doen. Gewoon met elke maaltijd mee-eten, of uitkijken bij elke hap die ze tot zich nam om zodoende zelf de controle over haar lichaamsgewicht te houden. Het werd er niet gemakkelijker op. Klazien, die zelf vroeger als mannequin in 'het modewereldje' had gewerkt, maakte haar verwarring nog groter. Het advies kon ze ook niet zomaar accepteren, het druiste in tegen haar gevoelens. Zodra ze zichzelf toestond om volop mee te eten, spatte haar droombeeld over een glorieuze toekomst als model uiteen. Tijdens het volgende bezoekuur kwam de buurvrouw met Harrie bij haar kijken, en een dag later twee aardige collega's van de supermarkt. Fred kwam om de dag op bezoek, en haar ouders elke dag. Het gebeurde niet dikwijls dat ze tijdens een bezoekuur alleen lag te wachten.

Een week voor Kerst moest Judith opnieuw op de weegschaal gaan staan, de verpleegkundige staarde met een gefronst voorhoofd naar het gewicht dat het apparaat aangaf. „Je bent helemaal niets aangekomen, Judith. Er is zelfs weer een onsje afgegaan."

Het was op dat moment dat alle moed Judith in haar schoenen zonk. Huilend kroop ze in bed. Ze had de laatste week zó haar best gedaan om af en toe iets te eten, maar het was klaarblijkelijk niet genoeg geweest. En ze verlangde zo ontzettend naar huis.

Snikkend nam ze een zakdoek uit haar nachtkastje en snoot luidruchtig haar neus. Een zacht gerucht bij de deur deed haar plotseling opkijken. Waarschijnlijk had de verpleegkundige de specialist ingelicht over haar teleurstellende gewicht, ze verwachtte hem te zien in de deuropening. Misschien wilde hij haar wel weer van die afgrijselijke zakken met sondevoeding toedienen! Maar door haar tranen heen zag Judith het bekende gezicht van een jongeman met kortgeknipt blond haar.

13

Het was zaterdag, vijf dagen voor Kerst. Robin pakte geconcentreerd zijn sporttas in, want vandaag zou het een spannende dag worden voor zijn tweedejaars leerlingen. Het volleybaltoernooi stond deze middag als afsluiter van het jaar op de agenda, daarna mochten hij en zijn leerlingen van een welverdiende kerstvakantie gaan genieten.

Hij had de jongelui tijdens de afgelopen weken goed getraind en geïnstrueerd en volgens zijn inschattingen maakten ze dan ook een goede kans om te winnen. Er waren enkele talentvolle speelsters bij van wie hij grote verwachtingen had. Het was een sterk gemotiveerd team dat per se wilde winnen; een team om trots op te zijn.

Ondanks zijn enorme enthousiasme voor dit toernooi lag er toch een schaduw over de komende dag. Denise had hem gisteravond opgebeld en dringend verzocht om vandaag vrij te nemen. De tegeltjes voor de badkamer van hun nieuwe huis konden om de een of andere dubieuze reden plotsklaps niet worden geleverd, en er moesten vanmiddag nog nieuwe worden uitgekozen om te worden besteld. Haar stem had paniekerig geklonken aan de telefoon. Toen ze hoorde dat hij vandaag écht niet in de gelegenheid was om met haar mee te gaan, jammerde ze van teleurstelling. „Kan die andere collega, Tijs de Bever, het toernooi morgen dan niet overnemen?"

Robin had daar niets van willen weten. Tijs had overigens wel beloofd om als sportieve toeschouwer naar het toernooi te komen kijken, maar Robin wilde zijn team niet teleurstellen. Ze kenden Tijs slechts van gezicht en ze hadden ook geen volleybaltrainingen van hem gehad. Het team rekende nu eenmaal op 'meester Robin', zoals ze hem noemden. Hij zou ze tijdens de wedstrijden vanaf de zijlijn aanmoedigen, adviseren en als het nodig was ook bekritiseren. Hij had het eerder al aan de jongelui beloofd, dat hij ze zou coachen. Nee, dát moest Denise maar begrijpen!

Maar Denise wilde van geen begrip weten, ze verweet hem dat hij totaal geen belangstelling had voor hun huis.

Robin voelde zich na het telefoongesprek oprecht schuldig. En na een nacht van woelen en draaien in zijn bed was zijn schuldgevoel nog steeds niet verdwenen. Het lag als een schaduw over de komende dag. Hij kon er niets aan doen, maar met de bouw van het huis voelde hij zich helemaal niet gelukkig, hij voelde zich schuldig omdat Denise gelijk had. Hij kon weinig of geen belangstelling opbrengen voor hun toekomstige woning. Het kon hem eigenlijk ook helemaal niets schelen wat voor tegeltjes er in de badkamer zouden worden bevestigd. „Neem je vader mee," had hij nog geadviseerd, want Frank regelde immers altijd alles. Waarom kon hij dat dan deze keer niet doen? Waarom maakte Denise daar nu zo'n ophef van?

Maar haar vader was eveneens verhinderd. Toen Denise dat had gezegd verbrak ze de verbinding, ze was duidelijk heel erg boos op hem. Robin had haar om die reden ook niet meer teruggebeld. Hij was voornemens om dat vanavond te doen, als haar boosheid wat was gezakt. Hij wilde nu alleen maar aan het toernooi denken en zijn leerlingen naar de overwinning leiden, om daarna te delen in de feestvreugde. In het grote sportcomplex proefde hij de competitiesfeer al bij binnenkomst. Zijn team stond inmiddels in sporttenue op hem te wachten en hij verkleedde zich ook snel. De schaduw die over deze dag lag verdween toen hij zijn speelsters het veld op zag lopen. Alle wedstrijden verliepen in een snel tempo, de tegenstanders waren duidelijk veel sterker dan hij had verwacht en met één punt voorsprong op de valreep won zijn team de eerste wedstrijd. Er volgden meer wedstrijden en uiteindelijk belandde zijn team in de grote finale.

Met een warm gezicht van spanning sloeg Robin het verdere verloop van de finalewedstrijd gade. De tegenstander had een bijzonder goede speelster, want waar de bal was, stond zij met haar armen omhoog om hem op te vangen. Zijn team moest er hard voor knokken, maar uiteindelijk was het geluk aan hun kant, ze scoorden opnieuw en kwamen een puntje voor te staan. De spanning steeg, en tijdens de laatste vijf minuten struikelde geheel onverwacht de meest favoriete speelster van zijn team, Marina Brok. Ze viel ongelukkig op haar arm. Een man van de EHBO die zich op Robins aanwijzingen meteen over haar ontfermde nam haar mee naar de kant van de sportzaal. „Waarschijnlijk een kneuzing," oordeelde Robin waarna hij zich weer helemaal op de wedstrijd concentreerde. Daarna scoorde de tegenstander nog een punt, maar Robins team nam in de laatste minuut een buitengewone kans waar en scoorde het winnende punt.

Robin slaakte luid een overwinningskreet. Ze hadden er een hele middag voor moeten knokken, maar uiteindelijk werden ze beloond voor hun inzet. Ze wonnen de eerste prijs. Terwijl het team zich gereedmaakte om de felbegeerde beker in ontvangst te nemen werd Robin op zijn schouder getikt. Het was de man van de EHBO, die

Marina met haar blessure had meegenomen naar een aparte ruimte.

„De speelster van uw team heeft geen kneuzing zoals we aanvankelijk dachten, maar ze heeft haar bovenarm gebroken. Ze moet naar het ziekenhuis worden gebracht," zei hij.

„Ach, wat erg! Waar is ze?" vroeg Robin, duidelijk geschrokken van dit bericht. De man loodste Robin door de drukte heen naar de kamer waar de EHBO-post zich gedurende het toernooi had gestationeerd. Daar trof hij Marina Brok aan met sporen van tranen op haar gezicht.

„Ach meester Robin, ze denken dat mijn arm gebroken is," jammerde Marina, „het doet zo ontzettend pijn!" Robin knikte. „Tja, het spijt me voor je, Marina. Dan breng ik je nu meteen maar naar het ziekenhuis. Ze zullen eerst wel een röntgenfoto van je arm maken en er daarna gips omheen doen," zei hij met ervaring. Als gymleraar had hij eerder al eens te maken gehad met dergelijke blessures.

Hij hielp Marina voor het sportcomplex in zijn auto en bracht haar naar de eerstehulpafdeling van het ziekenhuis. Voordat hij bij de receptie melding maakte van Marina's ongeval hoorde Robin vanuit de verte zijn naam roepen. „Coach... Coach Robin..."

Robins ogen speurden de omgeving af en bij de ingang van het ziekenhuis ontdekte hij het ondeugende gezichtje van Harrie Boons. Hij stak als blijk van herkenning zijn hand op naar de kleine voetbalpupil die op een drafje naar hem toe kwam hollen, met zijn moeder achter hem aan. „Harrie, loop nu niet weg! Waar ga je nú weer naartoe?" hoorde Robin Harries moeder ongeduldig roepen. Inmiddels was Harrie hijgend bij Robin aangekomen. „Judith is nog steeds ziek, coach. Ze ligt al héél lang in het ziekenhuis. En eh... volgend jaar wordt u mijn trainer, dan voetbal ik voortaan in uw voetbalteam. Fijn hè?"

Er gleed een royale glimlach over Robins gezicht. „Fantastisch, Harrie," zei hij. „Maar wat is er nu precies met Judith aan de hand?"

Ans Boons kwam naast Harrie staan en vertelde in het kort dat Judith een tijdje geleden was opgenomen om wat sneller op te knappen. „En ik mag haar élke week een keer bezoeken, ze is mijn beste vriendin," vulde Harrie nog aan, toen zijn moeder zweeg.

Peinzend keek Robin moeder en zoon even later na. En nadat hij Marina had overgedragen aan een assistent-arts die met haar naar de röntgenafdeling liep, vroeg hij zich nieuwsgierig af op welke kamer Judith zou liggen. Een tijdje geleden had hij nog telefonisch contact met haar gezocht, maar haar moeder had de telefoon opgenomen en was duidelijk in de war geweest, ze had hem gezegd dat hij het over enkele weken nog maar eens moest proberen.

Hij had zich toen voorgenomen om dat dan maar na de jaarwisseling te doen. Maar nu wist hij meteen waarom ze thuis niet te bereiken was geweest. Ze was wel degelijk ernstig ziek en haar moeder had het hem niet verteld. Dat Judith er niet goed uitzag was hem die middag voor het sinterklaasfeest al opgevallen, toen hij haar in de winkelstraat had zien lopen. Nu lag ze hier, in dit ziekenhuis. Robins ogen bleven op de receptioniste rusten en hij liep naar haar toe. Toen ze hem had verteld op welke afdeling en kamer Judith Lankhaar was opgenomen, bedacht hij zich geen moment. Hij wilde haar heel even zien, haar heel even spreken. Niet over het auto-ongeluk van haar grootouders, maar gewoon om te informeren naar haar herstel. Marina was voorlopig toch nog niet terug.

Twee verdiepingen hoger liep hij op Judiths kamernummer af, er kwam juist een verpleegkundige uitgelopen. Zou zijn bezoekje nu wel gelegen komen? vroeg hij zich af. Hij aarzelde nog even bij haar deur, maar klopte dan zachtjes en duwde de deur meteen open.

Hij keek verbaasd naar het magere meisje op bed, dat haar wangen met een zakdoek afveegde. Ze keek op toen hij binnenkwam. Huilde ze nu? Haar ogen zagen zo rood!

Robin begreep onmiddellijk dat hij op een bijzonder slecht moment was binnengelopen.

„Dag Judith," groette hij schutterig, en sloot de deur achter zich. Ze keek hem verdrietig aan, over haar wang liep nog een verdwaalde traan.

„Hoi!" fluisterde ze verlegen. „Jij bent... o ja, jij hebt me die avond thuisgebracht! Nu weet ik het weer! Ga zitten." Er brak een waterige glimlach door op haar gezicht terwijl ze een snik onderdrukte.

„Sorry, ik kom erg ongelegen. Zal ik..." Robin greep de deurklink weer vast. Misschien was het toch beter om een andere keer terug te komen. Hij stoorde haar duidelijk in haar verdriet, het greep hem aan. Ze zag er zo slecht uit, zo beangstigend mager.

„Nee, niet weggaan..." Ze legde haar zakdoek weg, haalde diep adem en zei: „Alsjeblieft, blijf nog even." Robin gehoorzaamde en ging op een stoel naast haar bed zitten.

„Ik vroeg me al een hele tijd af hoe het met je gezondheid was gesteld nadat ik je had thuisgebracht. Maar je bent nog steeds ziek." Judith knikte. „Misschien dat ik over een paar weekjes... als ik wat sterker ben... en ook wat dikker... ja, dan mag ik naar huis. Het kerstfeest en de jaarwisseling breng ik hier door." Robin zag duidelijk dat ze opnieuw een snik onderdrukte.

„Wat ellendig," antwoordde hij meelevend en vroeg zich af wat ze nu precies mankeerde, maar Judith deed geen moeite om hem daarover in te lichten. Hij vertelde vervolgens om het gesprek op gang te houden over het volleybaltoernooi deze dag, het ongelukje waarbij Marina haar arm brak, en dat hij op de eerstehulpafdeling Harrie Boons had ontmoet, die hem had verklapt dat zij – Judith – in het ziekenhuis lag. Judith was een en al belangstelling toen ze hoorde dat hij naast voetbaltrainer ook gymleraar was aan de middelbare school. Toen Robin aanstalten maakte om terug te gaan naar de EHBO waar Marina Brok waarschijnlijk op hem zat te wachten, realiseerde hij zich dat Judith hem een halfuur lang had zitten uithoren over zijn beroep en hobby en dat hij op zijn beurt nog vrij weinig wist van haar persoontje. „Mag ik je nog eens opzoeken?" vroeg hij, toen hij haar hand wilde schudden. Ze stak haar goedverzorgde smalle hand naar hem uit. „Ja, als jij dat wilt... prima!" Lag er nu een aarzeling in haar stem? Robin keek haar bedachtzaam aan. Er lag een glimlach op haar gezicht toen hij haar hand drukte. Ze boeide hem mateloos en hij zou alles wel van haar willen weten. Jammer, dat ze zo gesloten was.

„Afgesproken, binnenkort zie je me weer," beloofde hij. „Tot ziens dan maar!"

Met die belofte verdween hij en nam de trap naar beneden waar hij zich weer bij de eerstehulppost meldde. Maar Marina was nog niet terug. Dat gaf hem even de tijd om aan zijn onverwachte bezoekje aan Judith te denken. Er hing iets raadselachtigs om haar heen, ze had heel oppervlakkig iets over zichzelf verteld en zijn belangstellende vragen naar haar herstel ontweken. Ze had het vaag gehad over wat sterker worden, en ook over het feit dat ze eerst weer wat dikker moest worden om naar huis te mogen. Tja, wat kilootjes erbij leek hem bepaald geen overbodige luxe. Hoe kwam het eigenlijk dat ze toch zo mager was? Had ze soms een of andere levensbedreigende ziekte onder de leden? Hij huiverde opeens. „Laat dat niet het geval zijn, God!" bad hij vurig in een opwelling. Haar familie had een paar maanden geleden al een verschrikkelijk verlies geleden en hij hoopte intens dat hun nog meer tegenslagen bespaard zouden worden. En Judith ook, ze zag er zo verschrikkelijk broos, zo kwetsbaar uit. Ze maakte zo'n diepe indruk op hem, hij kon het nauwelijks verklaren.

Hij hoorde plots zijn naam noemen en Robin schrok op uit zijn gedachten. Marina stond voor hem met haar arm in het gips. Om haar hals was een mitella geknoopt, die de gebroken arm van de nodige steun moest voorzien. „Ik mag weer naar huis," kondigde ze opgelucht aan, haar ogen lachten alweer.

Twee etages hoger lag Judith op haar rug naar het plafond van haar kamer te staren. Het was net alsof Robins aanwezigheid de ruimte nog steeds vulde. Wat had ze zich voor haar tranen geschaamd toen hij onverwacht na een klop op de deur was verschenen. Ze was ervan geschrokken, maar had hem wel meteen herkend als de man die haar 's avonds doodziek had thuisgebracht. Robin, de voetbaltrainer van voetbalclub 'Victorie'. Naderhand, toen de eerste schrik voorbij was en haar tranen gedroogd, had ze genoten van zijn gezelschap. Zijn vragen naar haar herstel had ze handig weten te omzeilen, ze wilde over van alles en nog wat praten, maar niet over wat haar momenteel dag en nacht bezighield. Hij zou het vast raar vinden dat ze alle calorieën in haar voedsel telde en dat ze zichzelf nu alweer te dik vond. Ze had het van zijn gezicht afgelezen, hij staarde meer dan eens bevreemd naar haar gezicht, haar hals en armen. Armen, die ze snel onder de dekens had gestopt omdat ze zich niet op haar gemak voelde. Misschien vond hij haar wel lelijk vanwege haar rode huilogen. Nee, over zichzelf wilde ze zo min mogelijk kwijt.

Ze had het heel leuk gevonden dat hij zomaar ineens spontaan over zichzelf begon te vertellen. Dat brak het ijs een beetje, de onzekerheid die haar in zijn greep hield ebde vanaf dat moment langzaam weg. Ze herinnerde zich dat hij op die avond, toen hij haar ziek naar huis had gebracht, ook zo attent en joviaal was geweest. Een leuke voetbaltrainer voor de jongelui, had ze toen nog gedacht. En nu bleek er achter die leuke voetbaltrainer ook een bijzonder aardige gymleraar te schuilen. Een gymleraar die op een middelbare school werkte. Ja, de school waar hij lesgaf kende ze wel.

Hij vertelde zo enthousiast en gedreven over zijn werk als gymleraar, dat ze wel een halfuur lang aan zijn lippen had gehangen. Zijn volleybalteam had vandaag de eerste prijs gewonnen, had hij trots verteld, waarbij hij tevens elk gescoord punt nauwgezet beschreef. Judith had direct iets geproefd en herkend van de gedrevenheid voor zijn werk.

Zo beleefde ze dat zelf ook. Zij was ook dol op haar werk als mannequin en beleefde veel plezier aan het showen van allerlei creaties. Ze zou met dezelfde animo over haar werk, haar grote droom willen vertellen.

Toen Robin opstond om weg te gaan was ze heel even teleurgesteld geweest, ze had nog wel uren met hem willen praten over zijn beroep en hobby. Of hij haar nog eens mocht bezoeken? vroeg hij. Ze was even in de war geweest. Ze wist nog niet precies wanneer ze naar huis mocht. Maar Robin vond het blijkbaar niet erg om haar hier, in het ziekenhuis, op te zoeken. Hij beloofde haar meteen om binnenkort weer te komen. Jammer, dat ze zijn achternaam niet kende. Ze kon zich niet herinneren dat hij zich op die bewuste avond had voorgesteld. Trouwens, daar was ze toen ook te ziek voor geweest om dat allemaal te onthouden. En dat hij 'Robin' heette wist ze van Harrie, dat ventje dweepte gewoon met zijn favoriete voetbaltrainer.

Judith draaide zich weer op haar zij, de eenzaamheid was er ineens niet meer. Ze nam zich voor om vanaf nu te gaan vechten voor haar herstel, zoals Robins team vanmiddag had gevochten om te winnen. Dat ze daarom wat dikker moest worden, nam ze er voorlopig maar op de koop toe bij.

Agnes had alles voor het komende kerstfeest geregeld. De ouderlijke woning was klaar voor de ontvangst van alle kinderen en kleinkinderen op eerste kerstdag. Het eten, de sfeervolle kerstversieringen, een lange tafel voor het aangekondigde etentje, niets was aan het toeval overgelaten, want ze zouden allemaal komen. Een huis vol mensen, van klein tot groot. Alleen Judith niet, zij moest dit gezellige samenzijn missen.

De specialist hoopte haar over een week of twee uit het ziekenhuis te ontslaan. De afgelopen week was haar gewicht wonder boven wonder weer wat toegenomen, ze at nu met meer regelmaat dan voorheen haar voorgeschreven portie eten op. Agnes kon het zelfs aan de terugkerende kleur op haar ingevallen wangen zien, en Judiths ogen keken sinds enkele dagen ook weer wat helderder in het rond.

Na alles te hebben geregeld om de kerstviering met de familie in vaders huis te laten plaatsvinden, had ze afgelopen week ook een middag vrij kunnen maken om naar de stad te gaan. Ze had al een tijdje rondgelopen met het plan om modellenbureau 'Beautyful Lady' eens op te zoeken. Judiths agent en ontwerper, van wie ze regelmatig haar opdrachten had gekregen, waren nog steeds niet op de hoogte gebracht van haar opname in het ziekenhuis. Agnes wilde het hun zelf gaan vertellen en daarbij was ze natuurlijk uiterst nieuwsgierig naar de mensen op dat bureau, mensen die een grote invloed op Judiths leven hadden. Wisten ze eigenlijk wel dat Judith zich al lange tijd aan het uithongeren was geweest?

Agnes maakte bij binnenkomst direct kennis met Josien Klarenbeek, zoals deze dame zich vriendelijk voorstelde. Het was een zelfbewuste vrouw met een zakelijke instelling, goed gekleed en gekapt, keurig gemanicuurd en wat overdadig opgedirkt. Maar de zakelijke Josien was niet echt onder de indruk van Judiths slechte conditie en haar ziekenhuisopname. „Er was onlangs nog een opdracht voor Judith binnengekomen, mevrouw. Een van onze grootste klanten had haar speciaal op het oog. Ze wilden haar graag inzetten voor enkele grote modeshows, maar Judith zag er inderdaad niet zo florissant uit. Ze was vanwege die nare griep véél te mager geworden. Ik kon haar op dat moment ook niet in die belabberde conditie een modeshow laten lopen, want dat zou afbreuk doen aan mijn zaak én mijn goede naam. En dat is iets wat ik me pertinent niet kan veroorloven. Nee, het verbaast mij niet dat ze nu in het ziekenhuis ligt."

Dat Judith al maanden buitengewoon streng aan het lijnen was geweest, liet Josien volkomen koud. Ze fronste slechts haar wenkbrauwen. „Weet u, mevrouw Lankhaar, alle meisjes die bij ons werken denken bij alles wat ze eten aan hun lijn. In de modewereld gaat het nu eenmaal alleen maar om mooie en slanke meisjes, dat geef ik ruiterlijk toe. Wij stimuleren dat ook. Mannequins bereiken erg veel, áls ze tenminste verantwoordelijk met hun lichaam en gezondheid omgaan. Ik vrees dat Judith die balans uit het oog is verloren. Het spijt me werkelijk, maar dat strenge lijnen is wel haar eigen beslissing geweest. 't Is erg jammer, want ze was een talentvol model met een gouden toekomst."

Agnes kreeg kippenvel van de wijze waarop Josien over Judith en haar andere modellen sprak, ze kreeg medelijden met de superslanke meisjes die op diverse posters aan de muur stonden afgebeeld. „De specialist in het ziekenhuis denkt dat de modewereld voor Judith een soort 'droomvlucht' is geweest, vindt u dat ook?"

Josien knikte, alsof ze het probleem onmiddellijk herkende. „Jazeker, voor sommige meisjes is het inderdaad een mooie droom waarin ze vluchten. Kijk, de modewereld is een fantastische wereld, maar niet alle mannequins kunnen het veeleisende zware werk aan. Judith is daarvan een typisch voorbeeld. Ik hoop dat ze snel uit die droom zal ontwaken."

Agnes had het modellenbureau met gemengde gevoelens verlaten. Ze vond het moeilijk te accepteren dat Judith helemaal verzot was op dat afschuwelijke modegedoe en hoopte met haar hele hart dat die droom van voorbijgaande aard zou zijn.

Ruud had op zijn beurt tijd vrijgemaakt om eens naar camping 'De Vogelkooi' te rijden. Judith had tijdens de afgelopen maanden zo vaak de avondmaaltijd overgeslagen met allerlei vreemdsoortige smoesjes, dat bij hem de gedachte was opgekomen dat ze in die tijd ook regelmatig haar toevlucht in de caravan had gezocht. Hij was thuisgekomen met diverse lege verpakkingen van laxeermiddelen die hij in een overvolle prullenbak had gevonden. „Er lagen ook weggegooide beschimmelde lunchpakketjes in..." vertelde Ruud met vlakke stem. „Al die maanden heeft het haar leven beheerst, Agnes. Ze gaat een moeilijke tijd tegemoet, en dat geldt ook voor ons." Agnes proefde het verdriet in zijn woorden en dacht opnieuw aan de vele lunchpakketjes die ze steeds te goeder trouw had klaargemaakt, in de hoop dat Judith ook alles op zou eten. Maar Judith had ze gewoon weggegooid! Ze moest even slikken om dit te verwerken. Wat voor strijd had Judith eigenlijk te strijden? Het was niet slechts een strijd om als model hogerop te komen bij een exclusief modellenbureau, maar het was evengoed een strijd tegen zichzelf. Een strijd waarbij ze haar lichaam ernstig verwaarloosde. Ze was duidelijk niet tevreden met haar uiterlijk, en dat was onbegrijpelijk, want Judith werd vanwege haar knappe uiterlijk en haar mooie figuur juist altijd door iedereen bewonderd. Waarom deed ze dit zichzelf aan?

Agnes zuchtte diep en keek rond, ze controleerde daarna de woonkamer van haar ouders nog eens voor de laatste keer. Haar zelfgemaakte kerststukjes sierden de tafel op. Alles stond inmiddels kant en klaar voor de visite en daar moest ze nu haar aandacht even bijhouden. Niet steeds haar gedachten af laten dwalen naar hun zorgenkind, Judith. Ruud zat al op zijn plaatsje te wachten op de rest van de familie, net als vader. Het was hun eerste Kerst zonder moeder. Agnes knipperde een paar lastige tranen weg en zuchtte nogmaals. Het hielp, het zware gevoel op haar borst verdween daardoor enigszins. Ze kreeg weer wat meer lucht om te ademen, maar het schrijnende gemis bleef. Haar gedachten werden nu alweer naar een ander zorgengebied gestuurd. Moeder... het huis was zo leeg zonder haar, maar anderzijds ademde het huis moeders aanwezigheid nog steeds uit. Alsof ze op dit moment in de keuken kopjes koffie stond in te schenken! Wat waren gevoelens toch vaak tegenstrijdig.

Agnes rilde. De koffiegeur trok door het huis en niet lang daarna snerpte de voordeurbel door de gang. Het duurde vijftien minuten voordat het huis bomvol mensen was. Agnes serveerde met haar zussen de koffie en het kerstbrood en tegen half tien liepen ze gezamenlijk, zoals ze al jaren gewend waren te doen, naar de kerk. De kerkklokken beierden luid en zwaar. Het was fijn om alle vertrouwde kerstliederen opnieuw te zingen, Agnes had de laatste weken niet veel tijd gehad om aan het ophanden zijnde geboortefeest van Christus te denken. Er waren zoveel andere zaken geweest die haar aandacht hadden opgeëist. Judith in het ziekenhuis, moeder die er niet meer was en vader die al veel te snel naar haar zin wilde verhuizen. Maar het meest stoorde ze zich nog aan zijn vriendschap met Klazien, waar ze nog steeds geen vrede mee kon vinden. Hè, nu niet aan denken! Het was kerstfeest vandaag. Een kinderkoor zong op het podium enkele liederen en de dominee sprak over het goede nieuws dat Jezus naar deze wereld was gekomen om mensen te redden en over de liefde van God in Johannes 3:16. Agnes kende die tekst uit haar hoofd. „Want alzo lief heeft God de wereld gehad, dat Hij zijn eniggeboren Zoon gegeven heeft, opdat een ieder, die in Hem gelooft, niet verloren ga, maar eeuwig leven hebbe." Ze hoefde het niet eens op te zoeken in haar bijbeltje. Mieke, die naast haar zat, stootte haar aan. „Moeders lievelingstekst," fluisterde ze zachtjes in Agnes' oor. Agnes knikte bij die herinnering, ze voelde zich vreemd ontroerd. Het was moeder geweest die al haar kinderen, en ook haar kleinkinderen, zoveel bijbelteksten had aangeleerd. Als zondagsschooljuf had moeder vroeger haar taak altijd met veel toewijding uitgevoerd, en haar eigen kroost had daarvoor steeds model moeten staan.

De dominee sprak het 'Amen' uit en daarmee werd de dienst afgesloten. Stilletjes liep Agnes met Ruud en de anderen naar vaders huis, waar ze opnieuw gezamenlijk koffie dronken en later het kerstdiner gebruikten. De gezelligheid kende geen grenzen, hun samenzijn stond in het teken van de talloze herinneringen die ze hadden aan moeder en hun ouderlijk huis. Toen ze klaar waren met eten vroeg vader nog even om hun aller aandacht. Hij is de laatste maanden oud geworden, flitste het door Agnes heen toen ze hem in zijn nette kostuum aan het hoofd van de tafel zag staan. „Ik ben erg blij dat jullie er vandaag allemaal zijn," begon hij plechtig, en probeerde daarbij blijmoedig te kijken. Maar dat mislukte jammerlijk, zijn lippen trilden ineens verdacht en hij wachtte rustig af, totdat hij zichzelf weer in de hand had. „Ik hoop dat met de verkoop van dit huis jullie herinneringen aan onze moeder en oma niet zullen verdwijnen. Over een paar weken woon ik hier niet meer, maar in een aanleunwoning bij het bejaardenhuis, zoals jullie inmiddels allemaal weten. Ik ben dan ook dankbaar voor de hulp en steun die jullie me met de verhuizing hebben beloofd, ik zou trouwens niet weten wat ik zonder jullie hulp moest beginnen." Hij stopte en keek de kring met kinderen en kleinkinderen om de tafel één voor één aan.

„Dat is toch vanzelfsprekend, pa!" antwoordde Rien, en de anderen vielen hem bij.

Vader knikte aarzelend. „Nou ja, zo vanzelfsprekend is dat niet altijd. Jullie hebben ook allemaal je werk en je gezinsleven... en eh... dat gezinsleven heb ik dus niet meer nu moeder er niet meer is. Ik ben na het auto ongeluk en de dood van moeder een oude alleenstaande man geworden. Dat geeft me vaak zo'n naar gevoel van eenzaamheid..."

Stans viel hem in de rede. „Ach vader, in het nabijgelegen bejaardenhuis kunt u waarschijnlijk zo af en toe een partijtje biljarten met anderen, of eens aan een sjoelwedstrijd deelnemen. Heus, aan die eenzaamheid kunt u best wel wat doen, er wordt tegenwoordig zoveel georganiseerd in bejaardenhuizen."

Boven vaders neus verscheen een diepe rimpel. „Ja, maar Stans, ik kán helemaal niet biljarten, en ik geef ook niets om sjoelen."

Stans haalde verongelijkt haar schouders op. „U kunt toch wel léren biljarten! Het lukt mij echt niet om u elk weekend op te zoeken, hoor. Ik weet niet of de anderen dat kunnen, want Rien en Mieke wonen ook niet zo dichtbij! Ja, misschien Agnes... die woont het dichtst in de buurt. Kun jij vader dan wat vaker bezoeken, Agnes?"

„Nee, nee. Dat is de bedoeling niet, Stans," onderbrak vader haar haastig. „Agnes doet al meer dan genoeg voor me en ze heeft straks tijd nodig om Judith op te vangen als die uit het ziekenhuis wordt ontslagen. Dat meiske heeft haar aandacht ook nodig. Maar wat ik jullie wil vertellen is..." Vader wreef met zijn zakdoek langs zijn voorhoofd, zijn hand bibberde, „...dat Klazien Somers, moeders allerbeste vriendin, binnenkort ook in zo'n aanleunwoning vlak bij mij in de buurt komt wonen. Klazien is een alleenstaande dame, en als we elkaar bezoeken of eens samen op stap gaan dan verdwijnt die eenzaamheid een beetje voor ons beiden. We kunnen samen goed praten, ze heeft me enorm gesteund in het verdriet om jullie moeder, en eh... nou ja, ik hoop dan ook dat jullie je in de toekomst niet al te veel aan Klaziens aanwezigheid zullen storen. Ik vertel jullie dit liever nu meteen, om allerlei nare praatjes en roddels te voorkomen. Mijn relatie met Klazien is puur vriendschappelijk." Vader ging weer zitten en Agnes voelde haar hart in haar keel bonzen. Ze keek de kring rond. Waren haar zussen en broer nu niet geschrokken van vaders openhartige mededeling?

Mieke reageerde als eerste. „Dat is fijn voor u, vader. Wij kennen Klazien nog wel van vroeger, ze was altijd een knappe vrouw, wat excentriek gekleed en met een rare tic voor bijzondere hoeden. Op de receptie van uw huwelijksfeest hebben we haar voor 't laatst gezien. Ja, een leuk mens!"

„Puur vriendschappelijk, zei u?" baste Rien er plotseling bovenuit. Vader knikte en Agnes hield haar adem een ogenblik in. Zou Rien hetzelfde voelen als zij?

„Ja, hoor eens, Rien," zei Stans op haar beurt met lichte wrevel in haar stem. „Het is vaders leven, hoor! We kunnen niet van hem verwachten dat hij de komende jaren achter de geraniums gaat zitten wegkwijnen. Dat zou moeder ook niet hebben gewild."

„Tja, als het nu maar gewoon vriendschappelijk is... moeder is pas vier maanden geleden overleden! Is het nu niet wat snel van u, vader?" Agnes zag Riens verongelijkte ogen, hij was net als zij altijd een moederskindje geweest. Vaders mededeling kwam bij hem ook hard aan, dat zag ze wel.

„Het is gewoon vriendschap, Rien. En niets anders," antwoordde vader. „Daarom wil ik jullie daar ook eerlijk over inlichten. Klazien zal namelijk nooit de plaats van jullie moeder kunnen innemen. Ze is een goede gesprekspartner voor mij en ik geniet van haar aanwezigheid. De dagen zijn ook niet meer zo eenzaam, als we elkaar over en weer kunnen bezoeken."

Rien knikte. Vaders woorden hadden hem klaarblijkelijk gerustgesteld, en Stans' scherpe tong wilde hij niet opnieuw tegen zich hebben. Stans en Mieke waren voorstanders van vaders vriendschap met Klazien, dat was duidelijk. Maar misschien bekeken ze dat wel vanuit praktische overwegingen. Als Klazien zich straks over vader wilde ontfermen, zou hij vanwege die vriendschap ook niet snel kunnen vereenzamen. Agnes vroeg zich ongerust af of zij de enige persoon was aan deze tafel die iets van vaders verleden afwist, van zijn vroegere verloving met Klazien en van moeders vertwijfeling.

Maar haar broer en zussen namen zonder verder weerwoord genoegen met vaders mededeling.

Zou Klazien er ook zo over denken? vroeg Agnes zich zorgelijk af. Of had ze wellicht andere bedoelingen? Was vader wel opgewassen tegen de wilskracht van deze vrouw, die misschien wel veel meer van hem verwachtte dan alleen maar 'gewone vriendschap'?

Met groeiende onrust in haar hart staarde Agnes peinzend naar de kerstboom, die in een hoekje van de voorkamer stond. De glanzende lichtjes schitterden fel, maar het kerstfeest had opeens zijn glans voor haar verloren.

Neuriënd kwam Robin thuis. In de keuken stond een volle boodschappentas met levensmiddelen op hem te wachten die hij nog moest opruimen. Vanmiddag na schooltijd had hij snel zijn wekelijkse boodschappen gedaan en meteen een prakkie eten van de vorige dag opgewarmd en verorberd. Daarna was hij naar het ziekenhuis vertrokken om zijn belofte aan Judith na te komen en haar te bezoeken. Hij kwam net van haar vandaan. Het was een genoeglijk halfuurtje geweest en deze keer was hij wat meer te weten gekomen over haar.

Hij had er bij haar tactisch op aangedrongen om eens iets van zichzelf te vertellen, waarop ze hem vertelde dat ze parttime aan de kassa van een supermarkt werkte en in opdracht van een modellenbureau af en toe een modeshow moest lopen. Tja, vooral dat laatste was haar op het lijf geschreven, vond Robin. Haar verzorgde handen en uiterlijk, maar ook haar houding maakte ieder duidelijk dat ze oog had voor schoonheid en modieuze zaken. Maar waarom was ze dan toch zo vreselijk mager? Toen hij opnieuw voorzichtig naar haar gezondheid had geïnformeerd, was ze handig overgestapt naar een ander onderwerp. Robin had onmiddellijk begrepen dat ze iets voor hem verborgen hield en daar niet over wilde praten. En dat was natuurlijk ook haar goed recht, want ze kende hem nauwelijks en ze waren bij lange na nog niet echt vertrouwelijk met elkaar. En toch wilde Robin dat vertrouwen snel winnen, niet om zijn nieuwsgierigheid te bevredigen en inzicht in haar ziektebeeld te krijgen, maar juist om met haar te praten over dat afschuwelijke ongeluk met haar grootouders waarvan hij getuige was geweest.

Robin graaide in de boodschappentas naar de levensmiddelen die hij her en der in de keukenkastjes opborg. Gelukkig had Judith bij zijn afscheid enthousiast gereageerd op zijn uitnodiging om eens ergens iets met hem te gaan drinken als ze eenmaal uit het ziekenhuis was ontslagen. Dat ontslag liet overigens niet zo lang meer op zich wachten, had ze verteld. De specialist had de verwachting uitgesproken dat hij haar na deze eerste nieuwjaarsweek weer naar huis kon sturen, hoewel Robin daar stilletjes zijn twijfels over had. Er was dan wel wat meer kleur op haar wangen gekomen sinds hij haar voor het laatst had gezien, maar die magere armen en holle oogkassen maakten dat ze er nog steeds ziek en kwetsbaar uitzag.

Robin zette zijn lege boodschappentas weg en dacht na over het verdere verloop van zijn vrije avond. Hij sloeg er de televisiegids op na en zag tot zijn grote verrassing dat een belangrijke voetbalwedstrijd aangekondigd stond. Hij zette snel een potje koffie en nestelde zich daarna in zijn riante stoel voor de tv. Hij kon echter niet lang genieten van het spannende duel, want de telefoon rinkelde.

„Robin Arendonk," baste zijn stem terwijl zijn ogen het spannende voetbalspel gewoon bleven volgen. „Robbie, liefje. Met mij, Denise," hoorde hij haar sprankelende stem zeggen.

„Denise! Fijn om je stem even te horen," antwoordde Robin afwezig, een glimlach speelde daarbij om zijn mond want zijn favoriete voetbalclub scoorde met een voltreffer het eerste doelpunt.

„Wat zit je te doen, Robin?"

Hij bespeurde ineens een lichte wrevel in haar stem. Denise had het direct in de gaten dat hij er met zijn aandacht niet helemaal bij was. „O, ik... ik kijk naar een voetbalwedstrijd op de tv en ik luister onderwijl naar jou," zei hij haperend, en voelde zich betrapt. Met tegenzin zette hij meteen daarna het toestel uit. Hij wist dat ze zijn aandacht volledig op zou eisen, ze verafschuwde sportprogramma's. Wat dat betreft hadden ze niet zoveel gemeen. „De tv is nu uit, schat. Waarom bel je me eigenlijk?"

Robin zuchtte onhoorbaar en nam zich voor om na zijn telefoongesprek met Denise het toestel onmiddellijk weer aan te zetten, zodat hij zo min mogelijk van de wedstrijd hoefde te missen.

„Heb je de tv écht uitgezet?" pruilde ze aan de andere kant van de lijn. „Je weet dat ik een hekel heb aan al die dwaze sportprogramma's als we in gesprek zijn."

„De tv ís uit, Denise," zuchtte Robin, met enig ongeduld in zijn woorden.

„Dan is het goed, want ik heb een belangrijk nieuwtje voor jou."

„Vertel het me!" moedigde Robin haar nieuwsgierig aan.

„Papa heeft een opkoper ontmoet van tweedehands meubels, die man heeft erg veel belangstelling voor jouw huisraad. Hij wil morgen na schooltijd even bij je langskomen om het een en ander te inventariseren."

„Wát!" stootte Robin verbijsterd uit, en hij zat als door een wesp gestoken meteen rechtop in zijn stoel.

„Je hoeft heus niet zo overdreven te reageren, Robin. Je weet zelf net zo goed als ik dat we over een paar maanden getrouwd zijn en overal nieuwe meubelen krijgen in ons nieuwe huis. Die spullen van jou passen beslist niet in ons nieuwe interieur. Je zult ze een dezer dagen toch moeten opruimen, zo eenvoudig is dat."

„Ja maar.... Denise! Je loopt wel erg hard van stapel! Trouwens, ik ben helemaal niet van plan om alles op te ruimen."

„Je kunt niets meenemen, Robbie. Ik heb een heel andere smaak wat betreft inrichting. Die stoelen en kast van jou..." Robin liet Denise maar praten, hij luisterde slechts met een half oor naar haar geklets en zijn ogen gleden daarbij verontwaardigd langs zijn mooie meubelen. Het fraaie stoeltje van zijn overleden grootouders en het handgemaakte dressoir van oudtante Aaltje vond hij zo aandoenlijk mooi. Dat zou hij voor geen geld willen missen.

„... opruimen die handel!" hoorde hij Denise ineens uitroepen. „Het is toch allemaal ouwe troep!"

Voor het eerst sinds zijn verloving met Denise voelde Robin een enorme boosheid in zich omhoog borrelen. Hij was al eens eerder boos geweest op haar en ze hadden in het verleden al enkele woordenwisselingen gehad, maar nu was hij écht boos. „Wat denk jij wel?" brieste hij. „Ik ben heus niet van plan om voor jou én je vader al mijn mooie meubeltjes op te ruimen, hoor. Die opkoper is hier niet welkom. Denise van Oosterbeek, wil jij je in het vervolg niet meer met mijn zaken bemoeien?" Met een beslist gebaar wierp Robin de hoorn op de haak van zijn telefoon, hij was witheet van woede. Wat een bemoeizuchtig en egoïstisch krengetje was Denise toch bij tijd en wijle. Dacht ze nu echt dat hij zijn mooie spullen aan een of andere opkoper wilde verkopen? Geen haar op zijn hoofd die daarover dacht.

De telefoon rinkelde weer. Dat was Denise, wist Robin meteen. Met tegenzin drukte hij de hoorn tegen zijn oor, zijn naam hoefde hij niet eens meer te noemen want aan de andere kant van de lijn hoorde hij Denise huilen. „O, Robin. Het spijt me zo. Maar papa en ik... we bedoelden het zo goed. Toe, wees nu niet langer boos. Ik zal me nergens meer mee bemoeien."

Robin voelde zijn boosheid langzaam wegzakken, haar gesnik ontroerde hem. „Stil maar, liefje. Nee, ik ben niet boos meer," suste hij. „Voor mijn meubilair vinden we straks vast wel een goede oplossing."

„Afgesproken. Hou je nu toch nog een beetje van me, Robbie?" vleide ze bedelend om een paar lieve woordjes van hem.

„Natuurlijk hou ik nog van je," antwoordde Robin en legde niet veel later de telefoon neer. Daarna bleef hij nog lang peinzend naar het dressoir van oudtante Aaltje kijken. Hij kon zich niet voorstellen dat straks al zijn spullen weg moesten vanwege zijn huwelijk met Denise. Het leek wel alsof zij en Frank hem werkelijk alles wilden ontnemen en hij zichzelf en alles wat hem dierbaar was steeds opnieuw moest verdedigen. Zijn baan, zijn gevoel van eigenwaarde, en nu ook nog zijn interieur waar hij zich zo prettig bij voelde. Dit was zijn eigen honk, zijn thuis. Begreep Denise dat nu niet? Er gleed een rilling over zijn rug toen hij aan haar laatste vraag terugdacht. „Hou je nog een beetje van me?"

Hij had haar bevestigend geantwoord, maar hij twijfelde ineens heel sterk aan zijn eigen antwoord op die vraag. Hield hij nog wel genoeg van haar?

Robin streek met zijn vingers door zijn haren en zuchtte diep. Ach, misschien kwam het wel door alle rompslomp rondom hun huwelijk dat zijn gevoelens zo in de war waren. Natuurlijk hield hij nog van haar. Ze moest alleen niet zoveel voor hem willen regelen, want daar had hij een hekel aan. Hij hoopte dat het na hun huwelijk toch echt afgelopen zou zijn met haar bemoeienissen.

Robin drukte weer op de knop van het televisietoestel, maar hij kon zijn aandacht niet meer bij de voetbalwedstrijd houden. Die nare gevoelens van twijfel hadden een vreemde onrust wakker gemaakt in zijn binnenste.

14

Judith gaf de specialist een hand. „Bedankt dokter," zei ze met een dankbare blik in haar ogen. De man knikte kort, zijn ogen keken haar ernstig aan. Ze mocht vandaag naar huis en ze voelde zich zo blij en opgelucht. Het leek wel alsof ze maanden in het ziekenhuis had gelegen in plaats van vijf weken. Ze verwachtte haar ouders nu elk moment, want ze zouden haar ophalen en naar huis brengen. Ze kon nauwelijks wachten.

„Ik wens je het allerbeste, Judith. Zorg de komende weken goed voor jezelf, want het is nog steeds een wedloop tegen de tijd om je gezondheid weer honderd procent in orde te krijgen. Je bloeduitslagen zijn momenteel wel wat beter dan enkele weken geleden, maar het ijzer en suikertekort vind ik nog steeds erg verontrustend. Ik wil je over twee weken graag weer terugzien tijdens mijn spreekuur op de polikliniek." Judith liet zijn hand los, de man klonk oprecht bezorgd. Was hij nu nog niet tevreden? Ze had de afgelopen week zo haar best gedaan om alles van elke maaltijd op te eten, terwijl ze al dat vreselijke geprop verafschuwde. Ze had na elke maaltijd steeds opnieuw een hekel aan zichzelf gehad en aan dat onvermijdelijk volle gevoel in haar buik.

„Dokter, ik voel me juist heel goed en mijn gewicht is inmiddels ook wat toegenomen, dat is precies wat u graag wilde. Zo slecht gaat het toch niet meer met me?"

„Ja, dat klopt, het gaat ook de goede kant op. Maar juich niet te vroeg, jongedame! Er zijn vast en zeker anorexiapatiënten die nog veel minder wegen, maar voor jóuw lichaam kan het beslist niet minder. Je zit nog steeds op de grens van minimaal lichaamsgewicht, dus neem mijn advies ter harte en zorg goed voor jezelf."

De specialist verdween en Judith was blij dat direct daarna haar ouders in de deuropening verschenen. Ruud nam haar weekendtas in zijn hand en Judith stak haar arm door die van Agnes. „'k Ben zo blij dat ik weer naar huis mag," zei ze, met tranen van opluchting in haar stem.

Thuis zat Fred op hen te wachten. Wolletje en Pluis miauwden klaaglijk toen Judith alle aandacht kreeg en ze bovendien nog op hun favoriete stoel ging zitten.

Nadat Agnes de koffie ingeschonken had wilde ze gaan zitten. Judith zag haar echter aarzelen en tobberig rondkijken. „Is er deze keer niets lekkers bij de koffie, mam?" informeerde ze, omdat het tijdens bijzondere dagen en gebeurtenissen gebruikelijk was om taartjes bij de banketbakker te halen voor bij de koffie. Judith wilde zichzelf plotseling bewijzen in het bijzijn van haar familieleden, en hun meteen duidelijk laten zien dat ze op de goede weg was. Dat ze zelfs durfde te snoepen!

„Ach ja, natuurlijk. Er is een stukje kwarktaart voor ons allemaal," antwoordde Agnes verrast, „dat zou ik nu door alle drukte bijna vergeten." De tobberige blik week van haar gezicht en ze liep direct met haastige tred naar de keuken waar ze vier gebaksbordjes uit de kast nam.

„Fijn, dat je weer thuis bent, zusje," knipoogde Fred. „Je ziet er stukken beter uit."

Enthousiast at Judith vervolgens haar puntje kwarktaart op en dacht na over Freds complimentje dat ze er beter uitzag. Maar wat bedoelde Fred eigenlijk met 'je ziet er stukken beter uit'? Was het misschien zijn manier om haar te zeggen dat ze er gewoon 'stukken dikker' uitzag? Een ogenblik dreigde Judith geheel onverwacht volledig in paniek te raken, haar gedachten cirkelden slechts om dat ene woord: dikker. Maar ze wílde helemaal niet dikker worden! Het was haar bedoeling om binnen afzienbare tijd weer als model te gaan werken. Daarom móch ze ook beslist niet dikker worden! Judiths adem stokte in haar keel, ze moest snel aan iets anders denken, iets positiefs. Wat had haar maatschappelijk werkster ook weer gezegd? Dat ze juist helemaal niet dik was en als ze normaal met alle maaltijden mee zou eten zou ze ook niet dik worden, maar gewoon slank blijven. Op dit moment was ze nog veel te mager, hoewel ze dat zelf niet kon zien. Ze ontweek daarom ook al een week lang angstvallig de spiegel en wilde niet met de omvang van haar eigen lichaam worden geconfronteerd.

En de weegschaal? Daar moest ze zometeen nog maar eens op gaan staan. Josien had haar bij hun laatste gesprek enkele maanden de tijd gegeven om weer op te knappen, daarna mocht ze weer aan het werk. Er was inmiddels al een behoorlijke tijd verstreken en Judith popelde van ongeduld om zichzelf ten opzichte van haar ouders en Fred te bewijzen.

„Heeft het gesmaakt?" informeerde Ruud belangstellend toen ze haar gebaksbordje weer op de salontafel zette. Met een ruk draaide Judith haar hoofd geschrokken opzij en keek hem ontredderd aan. Een naar gevoel van onbehagen kwam opzetten toen ze ineens besefte dat ze zojuist een heel gebakje had verorberd. „Ja, ja... ik eh..." Ze stond op, het duizelde een ogenblik in haar hoofd. „Even naar het toilet," mompelde ze verward. Daar aangekomen stak ze voor het eerst sinds een hele tijd weer een vinger achter in haar keel.

De resten van het gebakje spoelde ze daarna snel weg terwijl haar benen trilden als rietjes.

Wat waren haar gevoelens toch tegenstrijdig! Aan de ene kant wilde ze haar familie laten zien dat het weer goed met haar ging, maar aan de andere kant wilde ze haar grote droom ook niet verloochenen. Ze wilde Nederlands beste model worden, en méér nog dan dat. Beroemd worden in Parijs, Londen en New York… Maar een model moest modieus slank zijn. Slank en mooi! Dus voorlopig geen gebak en andere zoetigheid, schreef ze zichzelf voor. Judith knipperde de tranen weg uit haar ogen en wachtte totdat ze zich weer rustig voelde.

Terug in de kamer keken ze haar alle drie vragend aan toen ze weer plaats nam op de stoel waar Wolletje en Pluis zich inmiddels ook hadden genesteld. Judith legde de beide spinnende diertjes voorzichtig op haar schoot. „Gaat het weer?" vroeg Fred als eerste, waarop Judith meteen knikte. Terwijl Agnes nog een kop koffie inschonk liep Ruud naar de voordeur waar hij een boeket bloemen in ontvangst nam van een jongeman die de plaatselijke bloemenzaak vertegenwoordigde.

„Voor jou, Judith!" kondigde hij verrast aan. „Dit boeket is van een onbekende afzender."

Judith nam de bloemen in haar armen. De poezen sprongen blazend van haar schoot af toen ze letterlijk in de verdrukking kwamen door de flinke ruiker. „Judith, van harte beterschap! Groeten van Robin…" las Judith hardop van het kaartje dat aan een van de bloemen was bevestigd. Een warme glimlach gleed daarbij over haar gezicht. „Van Robin… wat aardig!" fluisterde ze, danig in verlegenheid gebracht.

„Wie is Robin?" vroeg Ruud meteen en ook de anderen keken haar nieuwsgierig aan. „Is het misschien een verpleger uit het ziekenhuis die een oogje op je heeft?" lachte hij plagerig. „En hoe luidt de achternaam van deze jongeman?"

Judith schudde haar hoofd, tal van gedachten flitsten door haar heen. Dat Robin haar niet was vergeten, maar aan haar had gedacht, maakte haar blij. Hij had beloofd om haar te bellen als ze weer thuis was uit het ziekenhuis, en nu… nu stuurde hij een mooi boeket bloemen. „Vertel eens," drong Fred aan. „Wie is Robin?"

Judiths ogen glansden toen ze aan hen vertelde wie Robin was, maar dat ze zijn achternaam niet meer wist. Dat hij haar een keer op een avond doodziek had thuisgebracht en later in het ziekenhuis had opgezocht.

„Ach ja, nu herinner ik me die jongen weer," zei Agnes. „Hij had op die avond ook al belangstelling voor onze familiefoto aan de muur." Judith keek haar moeder verbaasd aan, daarna dwaalde haar blik naar de familiefoto waarop ze zelf ook stond afgebeeld. „Die foto?" vroeg ze met een gebaar naar de lijst aan de muur. „Dat wist ik niet, het is me die avond waarschijnlijk ontgaan."

„Je had hoge koorts en was te ziek om dergelijke dingen op te merken. Zal ik die bloemen even in een vaas zetten?" Agnes kwam al op haar toegelopen om het kleurige boeket van haar over te nemen, maar Judith stond zelf op. „Laat maar, mam. Dat wil ik zelf graag doen." In de keuken schikte ze elke tak zorgvuldig in een grote vaas. Ze was nog nooit zo blij geweest met een boeket bloemen.

Januari deed zijn intrede met veel te zachte temperaturen voor de tijd van het jaar, maar na de tweede week daalde het kwik ineens en bleef ver beneden het vriespunt steken. Een strenge vorstperiode kondigde zich aan. Al snel zochten de liefhebbers hun schaatsen op en kreeg het landschap een mooie winterse uitstraling. Af en toe viel er wat sneeuw en waarschuwden de weermannen tijdens elke nieuwsuitzending via radio en tv voor gladheid op alle Nederlandse wegen. Met aangepaste snelheid reed Agnes met Pieter voor de laatste keer naar de Bremstraat om de ouderlijke woning een laatste keer te inspecteren. Alleen de gordijnen hingen nog voor de ramen en waren bestemd voor de nieuwe bewoners.

Verder zagen alle kamers er kaal en leeg uit. Een gedeelte van Pieters meubelen stond al in zijn aanleunwoning. Wat vanwege de kleinere woonruimte overbleef, was inmiddels verdeeld onder de kinderen en kleinkinderen.

Het afscheid van haar ouderlijk huis deed minder pijn dan Agnes had verwacht, de sfeer was weg, evenals moeders aanwezigheid. In de leegte proefde ze weinig van het nostalgische verleden, de kaalheid gaf haar zelfs een onbehaaglijk gevoel. „Kom, zullen we gaan?" stelde ze voor. Zonder omkijken trok ze achter Pieter de voordeur in het slot.

Het ging allemaal zo gemakkelijk, het verwonderde haar. Ze had de afgelopen week samen met Mieke en Stans flink schoongemaakt in zijn nieuwe aanleunwoning, zodoende had ze haar sombere gedachten aangaande zijn verhuizing en de zorgelijke toestand rondom Judith ook wat van zich af kunnen zetten. Hard werken was op dit moment een heilzame bezigheid voor haar. Judith was nu al een week thuis uit het ziekenhuis en met haar thuiskomst hadden de problemen zich opnieuw aangediend. De dagelijkse maaltijden waren nog steeds moeizame momenten, en een ongezellig onderdeel van de dag geworden. Enkele dagen geleden was Agnes er achter gekomen dat Judith haar maaltijden regelmatig bewust in het toilet uitbraakte, ze was volkomen van slag geweest toen ze dat ontdekt had. Maar wat kon zij daar als moeder nu aan doen? Toen ze Judith met de waarheid confronteerde had die zich er met een vaag smoesje van afgemaakt. Ze was misselijk geweest en had maagpijn gehad, zei ze. Maar de volgende dag had Agnes dezelfde akelige geluiden vanuit het toilet gehoord. Sindsdien liep ze met een gevoel van onmacht rond, dat ze alleen wist te verdringen door hard te werken. Want die zogenaamde misselijkheid en maagpijnen waren gewoon leugentjes om bestwil geweest. Judith zat nog steeds met een levensgroot probleem, waar zij als ouders geen enkele oplossing voor hadden. Ze konden haar alleen maar steeds opnieuw stimuleren om toch vooral gezond en goed te eten. Het onschuldige lijnen was een jaar geleden haast ongemerkt haar leven binnen geslopen en de anorexia nervosa had na niet al te lange tijd de touwtjes stevig in handen genomen. Agnes vond het afschuwelijk om haar kind zo te zien lijden.

Terwijl ze de auto startte en Pieter naast haar zijn autogordel vastklikte keek ze voor de laatste keer om naar de woning. Ze hoopte maar dat de verkoop ervan hem nooit zou berouwen, hij liet talloze herinneringen aan vijftig jaar lief en leed zonder blikken of blozen achter zich. Realiseerde vader zich wel dat het definitief voorbij was en dat er nu een hele nieuwe episode in zijn leven aanbrak?

Na tien minuten rijden parkeerde Agnes haar auto voor Pieters nieuwe huisje. Aan de zijweg zag ze het grote moderne bejaardenhuis staan waartoe de aanleunwoningen behoorden.

„Mijn nieuwe huisje ziet er gezellig uit," zei Pieter met een klank van trots in zijn stem. „Vind je ook niet, Agnes?" Vanaf een afstand keken ze naar de nieuwe vitrage die voor het raam hing.

„Jazeker," antwoordde Agnes. „En u bent tevens van alle gemakken voorzien. Bij nood is er zelfs een bel om het verzorgend personeel uit het bejaardenhuis op te roepen. Dat is voor mij een hele geruststelling."

„Ja, en tussen de middag eet ik voor een schappelijk prijsje elke dag een warme maaltijd van 'tafeltje dek je', dus ik zal hier niets tekortkomen." Pieter opende zijn voordeur en Agnes liep achter hem aan zijn woning binnen waar de geur van verf en schoonmaakmiddelen hen tegemoet kwam. Zijn kleine woonkamer zag er knus en gezellig uit, moeders foto prijkte op de kast en of ze het nu wilde of niet, Agnes moest voor het eerst toegeven dat vader een goede keuze had gemaakt.

„Ik zet een potje koffie," bedisselde Pieter. „Jij hebt de laatste weken zo veel voor me gedaan, nu is het mijn beurt. Ga zitten, kind. Ik heb er ook iets lekkers bij." Hij verdween opgewekt naar zijn kleine keukentje.

Agnes glimlachte, ze keek naar moeders gezicht in het lijstje op de kast. „Pa heeft het goed gedaan, mam," zou ze haar willen zeggen. „Hij woont heel mooi, je zult vast trots op hem zijn." Ze sprak de woorden niet uit want moeder kon het niet meer horen, ze stelde zichzelf alleen maar gerust met die mooie gedachten. Toen ze even later samen een kopje koffie dronken rinkelde de telefoon.

„Dag Klazien," hoorde ze vader zeggen. „Is jouw huis nu óók verkocht... wat fijn! Wanneer verhuis je nu naar hier? Heb je misschien hulp nodig? Je weet dat ik altijd voor je klaarsta... Ja hoor, ik bel je morgen terug... Daaag."

Agnes' gezicht betrok, ze had er zo op gehoopt dat de verkoop van Klaziens huis nog lang op zich zou laten wachten. Maar het tegendeel gebeurde.

„Over ongeveer drie weken komt Klazien," vertelde Pieter en hij keek zichtbaar opgelucht door zijn voorraam naar buiten. „Kijk, Agnes... kijk... dáár aan de overkant komt Klazien te wonen."

Agnes keek en zag schuin tegenover vaders huisje een leegstaande aanleunwoning. „Zó dichtbij?" wist ze alleen maar verslagen uit te brengen.

„Ja, zó dichtbij! Klazien wordt mijn overbuurvrouw." Pieter klonk tevreden en zijn gezicht straalde haast kinderlijk blij. Agnes wist ineens niets meer te zeggen.

Robin keek in de spiegel een ogenblik heel kritisch naar zichzelf. Zijn wangen en kin had hij zojuist geschoren en daarna een heerlijk fris ruikende aftershave opgedaan. Zijn vrijetijds kleding combineerde goed. Hij keek tevreden naar zijn spiegelbeeld. Over een halfuurtje had hij een afspraak met Judith Lankhaar. Ze zou op het parkeerterrein van een groot winkelcentrum op hem wachten. Daar in de buurt was een leuk eetcafeetje waar ze van plan waren om samen een kopje koffie te gaan drinken. Robin voelde zich een beetje nerveus. Hij had zich voorgenomen om haar tijdens hun ontmoeting meteen op de hoogte te brengen van het feit, dat híj getuige was geweest van het auto-ongeluk van haar grootouders. Tja, maar eerst zou hij naar haar gezondheid informeren, en misschien even over koetjes en kalfjes praten. Daarna moest het beladen onderwerp hem zo snel mogelijk van het hart. Hij hoopte vurig dat ze zijn verhaal zou geloven, maar als ze dat niet deed, dan... het zweet brak hem uit.

Robin keerde zijn spiegelbeeld de rug toe. Hij wilde niet verder nadenken over de mogelijkheid dat Judith hem niet wilde geloven en niets meer met hem te maken wilde hebben. Hij nam zijn dikke winterjas van de kapstok en trok die aan. Buiten had het winterweer toegeslagen, de temperaturen waren tot ver beneden het vriespunt gedaald, en een ijskoude oostenwind zorgde ervoor dat de vorst onverminderd bleef aanhouden. Terwijl de kinderen en de jeugd zich vermaakten op het ijs dat alle sloten en grachten had dichtgevroren, liep Denise al twee weken rond met een rothumeur. De bouw van hun nieuwe woning lag helemaal stil. De bouwvakkers hadden hun werk gestaakt vanwege de strenge vorst en Denise kon geen greintje begrip opbrengen voor de ontstane situatie. „Ze komen nóóit op tijd klaar met de bouw, Robin. Er moet nog zoveel gebeuren!"

Dagelijks viel ze hem lastig met haar gemopper, en nu was het al zover dat hij elke ontmoeting met Denise zo veel mogelijk uit de weg ging.

Hij was het gezanik en gemopper over dat huis meer dan zat. Elke reactie die hij gaf lokte bij Denise nog meer geklaag en gejammer uit.

„Dan trouwen we toch een maandje later," was zijn eerste nuchtere opmerking geweest, maar dat had hij achteraf gezien beter niet kunnen zeggen. Denise had ziedend gereageerd. „De receptie, het stadhuis, de kerk en het feest zijn allemaal al besproken, hoor. Dat kúnnen we niet meer verzetten en dat wil ik ook niet. Ik wil gewoon dat het huis op tijd klaar is!" had ze hem boos toegeschreeuwd. Robin had zijn hoofd geschud en medelijden met haar gekregen. Haar hele leven was ze al door haar vader op handen gedragen en afschuwelijk verwend, ze hoefde slechts met haar vingers te knippen en haar wensen werden onmiddellijk vervuld. Tegenslag kwam in Denises woordenboek niet voor, ze kon er ook helemaal niet mee omgaan. Maar dit heerlijke winterse vriesweer had gelukkig geen mens in de hand. Zelfs de machtige Frank van Oosterbeek niet, dacht Robin triomfantelijk terwijl hij de voordeur achter zich dichttrok en zijn auto startte om naar het winkelcentrum te rijden.

In de verte zag hij haar al staan. Judith Lankhaar. Lang, mager en met een wit gezicht waarop slechts kleine rode blosjes van de kou zichtbaar waren.

Haar ogen en mond had ze met make-up van een zachte pastelkleur bewerkt en ze glimlachte haar witte tanden bloot toen ze hem aan zag komen.

Hij gaf haar een hand. „Sorry, ben ik misschien te laat?" vroeg hij en voelde zich meteen schuldig omdat ze er zo koud uitzag.

„Hoi Robin. Nee hoor, ik ben veel te vroeg." Judiths hand voelde ijskoud aan in de zijne. Heel even kwam bij hem de gedachte op om haar handen in de zijne warm te wrijven, maar dat zou te ver gaan. Met een ernstige blik in zijn ogen keek Robin naar Judiths pipse snoetje. „Kom, we gaan snel naar dat cafeetje om iets warms te drinken, dan kun je me daar meteen vertellen hoe het met je gaat." Heel even legde hij zijn arm op haar schouder om haar zodoende in de goede richting mee te nemen, daarna liet hij haar los.

Robin zocht een plaatsje achter in het cafeetje. Op het tafeltje flikkerde de vlam van een sfeervolle kaars, de warmte was behaaglijk en allebei trokken ze hun jas uit. Hij bestelde voor zichzelf een beker warme chocolademelk met een flink stuk appelstrüdel erbij. Op zijn vraag of Judith ook iets lekkers bij haar thee wilde eten, schudde ze onmiddellijk haar hoofd. „O nee, alleen een glas warme thee." Robin keek haar een moment ernstig aan, een stuk appelstrüdel met een flinke dot slagroom erop zou haar meer goed dan kwaad doen, dacht hij toen hij haar smalle polsen zag. Wat zag ze er toch nog steeds fragiel uit!

„Nog bedankt voor het boeket," zei ze met een glimlach, terwijl haar wangen rood kleurden van verlegenheid. „Ach Robin, ik ben je achternaam vergeten. Hoe heet je ook weer?"

Robin voelde de spanning van binnen oplopen. Hij kon zich niet herinneren dat hij zich eerder officieel aan haar had voorgesteld, maar nu moest hij zijn naam wel voluit bekendmaken. Dit ogenblik leek hem ineens het meest geschikte moment om haar alles te vertellen.

„Arendonk, Robin Arendonk. Ik eh... ik steek trouwens meteen van wal, Judith. Ik moet je namelijk iets opbiechten." Hij vergat alles om zich heen en ook om eerst naar haar gezondheid te informeren. Een ober bracht onderwijl de bestelling en Robin wachtte ongeduldig tot de man met zijn dienblad naar het volgende tafeltje liep.

„Opbiechten?" vroeg Judith kalm met een verbaasde blik in haar ogen. „Is het dan zo ernstig?"

Robin knikte. „Ja, het is bijzonder ernstig. Ik durfde je er in het ziekenhuis niet mee lastig te vallen."

„Je maakt me wel nieuwsgierig."

„Mijn naam... komt mijn naam je niet bekend voor?" vroeg hij, waarop Judith diep nadacht en dan haar hoofd schudde. „Nee, ik geloof het niet. Moet dat dan? Ben je misschien een beroemde sportman of zo? Of kom je soms regelmatig op tv?"

Robin schoof zijn bordje met appelstrüdel opzij en boog zich wat voorover. „Nee, niets van dat alles. Ik was op twintig augustus 's avonds laat de enige getuige bij het auto-ongeluk van je grootouders."

„Jij?" Er klonk ongeloof door in haar stem, Robin zag de verbaasde blik in haar ogen versomberen. „Ja, ik zag het allemaal gebeuren. Het was afschuwelijk."

„Mijn moeder hecht totaal geen waarde aan het proces-verbaal, Robin. Ze heeft het er erg moeilijk mee." Judiths ogen keken hem bezeerd aan. „Ze denkt namelijk dat de politie een grote fout heeft gemaakt."

„Tja, maar dat snap ik nou niet! Waarom heeft ze mij geen kans gegeven om het uit te leggen."

„Omdat opa's verhaal niet klopt met dat van jou. Opa schrok namelijk van jouw auto die met hoge snelheid het kruispunt naderde, daarom heeft hij direct zijn stuur naar rechts gedraaid zodat zijn auto tegen een boom aanreed. En vlak na het ongeluk, toen je hem uit zijn auto hielp, rook hij een alcohollucht om je heen. Opa vertelde dat je dronken was, maar dat je hem ondanks je dronkenschap toch goed hebt geholpen. En dát staat allemaal niet in het procesverbaal vermeld."

„Dat is niet waar! Dat klopt helemaal niet! Ik drink nooit iets sterks als ik moet rijden." Robin was geschrokken van haar aantijgingen. „Ik heb die avond ook geen druppel alcohol gedronken."

„Wat vreemd!" antwoordde Judith. Een ogenblik leek ze diep in gedachten verzonken en nipte ze voorzichtig van haar glas hete thee. „Ik snap het niet," fluisterde ze dan ontzet.

„Judith, ik reed die avond nog wel op een voorrangsweg en was nog niet eens bij het kruispunt aangekomen! Van schuld door mijn toedoen is geen sprake, mijn auto was ook niet betrokken bij het ongeluk, dát staat namelijk allemaal in het proces-verbaal beschreven en dat is de waarheid. Ik heb er heus niets bij verzonnen of informatie achtergehouden."

Robin zag dat Judith haar koude handen om het warme theeglas klemde, haar bleke gezichtje zag er bedrukt uit. Zijn mededeling had haar zichtbaar geraakt. „Weet je, Robin, op die bewuste dag, twintig augustus, waren mijn grootouders vijftig jaar getrouwd. Het was een ontzettende mooie zonnige dag geweest, met een drukbezochte receptie en 's avonds een feestelijk diner voor de familieleden. Die avond, op de terugweg naar huis, is opa de macht over zijn stuur kwijtgeraakt en tegen een boom aangereden, met alle afschuwelijke gevolgen van dien, want ik had een hele lieve oma die het ongeluk niet overleefde." Judith pinkte een lastige traan weg uit haar oog. „We waren er allemaal kapot van. Vijftig jaar getrouwd… en uitgerekend op díe dag… Het was één doffe ellende. Een dag later kwam de politie met het proces-verbaal, een verklaring van jou. Jij was immers de enige getuige van het ongeluk geweest. Op dat moment kon niemand daar wat tegenin brengen, want mijn opa heeft nog twee dagen last gehad van geheugenverlies. Hij kon zich tijdens die dagen totaal niets meer herinneren van het ongeluk. Dat kwam voornamelijk door een hersenschudding die hij had opgelopen. Pas toen hij zich alles weer herinnerde heeft hij mijn moeder verteld dat hij geschrokken was van jouw auto die het kruispunt naderde, en dat jij hem naderhand met een alcohollucht om je heen had geholpen."

„Vijftig jaar getrouwd!" kreunde Robin, alle kleur was inmiddels ook van zijn gezicht verdwenen. Hij sloot een ogenblik zijn ogen en moest moeite doen om zich te beheersen. Het gekerm van de oude man kon hij weer horen. De roep om zijn zwaargewonde vrouw galmde na al die tijd nog steeds na in zijn hoofd. „O, Judith… Wat afschuwelijk… wat een drama!"

Ze zat daar maar en keek hem aan. „Robin, als jij zegt dat je die avond niets hebt gedronken, dan wil ik je graag geloven."

„Ik héb ook niets gedronken. Geen druppel, Judith. Niets! Maar met deze beschuldigingen kan ik niet leven, hoor. Ik móet hierover praten, met je opa of met je moeder. Zij geven mij namelijk de schuld van het ongeluk en dat is niet terecht."

„Mijn moeder zal je niet geloven, Robin. Ze wil niet dat opa zich ook maar enigszins schuldig gaat voelen aan oma's dood, begrijp je? Die schuldgevoelens zou hij dan zijn verdere leven met zich mee moeten dragen en daar is hij niet tegen opgewassen."

Robin keek haar met stijgende verbazing aan. Opeens begreep hij waar het probleem lag. Ze hadden hem gemakshalve gewoon opgezadeld met 'de schuld' aan het ongeluk, om de oude man te ontzien. Zodoende zou hij zich in ieder geval niet schuldig hoeven voelen aan de dood van zijn vrouw. En de lucht van alcohol? Hoe kwam die oude man erbij dat hij naar alcohol rook? Misschien had meneer Graafsma op die feestavond zélf wel een borreltje gedronken.

„En je opa? Denk je dat hij me zal geloven als ik hem vertel dat ik geen druppel alcohol heb gedronken tijdens die bewuste avond?"

Judith haalde aarzelend haar schouders op. „Dat weet ik niet. Maar ik ga morgen met mijn opa praten over het ongeluk. Wat ik op dit moment weet heeft mijn moeder me verteld. Ik wil opa's kant van het verhaal nu ook weleens horen."

Robin haalde opgelucht adem. „Dat zou ik bijzonder op prijs stellen. En als het kan... als je opa het aankan, wil ik hem zelf ook graag een keer spreken."

Judith glimlachte. „Ik laat het je weten, dat beloof ik." Ze dronk haar glas thee leeg en wees naar zijn onaangebroken stuk appelstrüdel. Maar Robin schudde zijn hoofd. „Nee, dank je. Mijn eetlust is weg, misschien wil jij nog een stukje?" Hij zag dat ze aarzelde, haar ogen keken begerig naar de appelstrüdel op het bordje en haar lippen perste ze op elkaar. Daarna schudde ze vastberaden haar hoofd. Hij vond het vreemd dat ze er zo mager uitzag en helemaal niets wilde eten. Langzaam dronk hij zijn beker chocolademelk leeg.

Diezelfde avond probeerde Judith tijdens het avondeten naar de verhalen van haar moeder te luisteren die deze dag voor de laatste keer met opa naar zijn oude woning was teruggekeerd om alles nog eens te controleren. Morgen zouden de nieuwe bewoners de sleutels krijgen, wist Judith. Agnes rebbelde erop los.

„Ik voel me nu toch wel opgelucht, hoor. Vader woont vlak bij het bejaardenhuis, hij heeft een gezellig ingerichte woning en is van alle gemakken voorzien. Hij kan in geval van nood altijd een beroep doen op het verzorgend personeel, dat geeft me ook wel een prettig gevoel." In de woorden van Agnes lag nu een klank van volkomen berusting, ze sprak er zelfs opgetogen over.

„Fijn, dat je de situatie nu eindelijk hebt geaccepteerd," antwoordde Ruud. „Je vader is een dappere man, hij heeft een sterk karakter, dat bewonder ik in hem."

Judith spitste haar oren bij de woorden 'sterk karakter'. Sinds haar ontmoeting met Robin Arendonk deze middag, had ze zich suf gepiekerd over haar voornemen om met opa te gaan praten over zijn auto-ongeluk. Het had haar geen moment losgelaten. Ze was zo geschrokken van Robins bewering over zijn onschuld in deze zaak. Maar daar tegenover stond toch ook dat opa erg oud was en waarschijnlijk niet meer over dat dramatische moment wilde praten, het misschien niet eens meer kón vanwege de heftige emoties. Daarom had hij immers ook zo lang gewacht om haar in het ziekenhuis op te zoeken, hij had het er erg moeilijk mee gehad. Hij wilde wel altijd dolgraag over oma praten, en hoe gelukkig hij met haar was geweest, maar het fatale ongeluk waarvan Robin nu de schuld kreeg, was een veel pijnlijker onderwerp. En nu meende vader dat opa een sterk karakter had. Dat kwam op dit moment natuurlijk goed van pas en daar wilde ze zich ook aan vastklampen. Het gaf haar de nodige moed om aan opa te vertellen dat Robin niet betrokken was geweest bij het auto-ongeluk en dat hij die avond geen druppel alcohol had gedronken.

Judith was zo met haar gedachten bij Robins verklaring dat ze automatisch haar bord met eten oplepelde. Ze had weliswaar niet zoveel aardappels en groenten opgeschept, maar haar ouders keken haar heel verbaasd aan.

„Het is de eerste keer sinds je thuiskomst uit het ziekenhuis, dat je je bord leeg eet," constateerde Agnes tevreden en haar gezicht straalde van trots. „Volhouden, Judith!"

„O... nou ja, het was lekker!" zei ze gemeend, en verbaasde zich erover dat ze zich niet eens schuldig voelde over het feit dat ze zo had zitten proppen en nu een volle buik had. Ze voelde zelfs niet de behoefte om naar het toilet te vluchten.

Later op de avond werd ze daar alsnog onrustig van, maar toen ze op de weegschaal ging staan zag ze tot haar grote opluchting dat haar gewicht niet was toegenomen. Volgende week werd ze weer voor controle verwacht bij de specialist in het ziekenhuis, dan moest ze minstens een pond zijn aangekomen, had hij gezegd. Daar wilde ze de komende dagen wel rekening mee houden want ze wilde niet opnieuw opgenomen worden. Maar meer dan een pondje extra mocht het beslist niet worden. Dat was absoluut de grens! Ze droomde ervan om over niet al te lange tijd weer over de catwalk te flaneren en allerlei nieuwe modetrends te showen. Die inspirerende droom hield haar nog altijd dagelijks op de been, hij gaf haar kracht en doorzettingsvermogen als ze weer eens overvallen werd door ernstige vermoeidheidsklachten.

De volgende dag reed ze 's middags naar opa in zijn nieuwe aanleunwoning.

„Klazien komt over enkele weken schuin tegenover me wonen," vertelde hij enthousiast toen Judith zijn huisje had bewonderd. Ze keek naar de overkant, hij wees haar de leegstaande woning aan. „Nou, dat is fijn voor u, en natuurlijk ook voor Klazien," antwoordde Judith bij dit nieuws. Moeder had er gisteren tijdens het avondeten niets over gezegd, maar volgens opa had hij het haar inmiddels ook al verteld. Nee, die affaire met Klazien zat moeder helemaal niet lekker. Dat beloofde niet veel goeds voor de toekomst, want opa en Klazien zouden elkaar vast en zeker heel vaak bezoeken.

„Wat wil je drinken, kind?" informeerde opa toen ze op een door hem aangewezen stoel ging zitten. Ze bestelde water, maar na enig aandringen nam ze een kopje thee aan met het allerkleinste koekje uit de koektrommel, dat ze zeker niet van plan was om op te eten. Straks, als opa even naar zijn keukentje zou lopen voor een tweede kopje thee, zou ze van die gelegenheid gebruik maken en het koekje snel in haar handtas stoppen.

Onderwijl piekerde ze over het doel van haar bezoek. Het was zo moeilijk om op tactvolle wijze een begin te maken en hem opnieuw te confronteren met het auto-ongeluk. Ze wist vooraf niet precies hoe hij daarop zou reageren.

„Opa, ik wil graag eens met u praten over het auto-ongeluk." Ze keek met onderzoekende ogen naar zijn reactie op haar vraag. Er gleed direct een bezeerde blik over zijn gezicht en ze zag dat hij slikte. Was ze nu toch te ver gegaan? Het was niet haar bedoeling om hem overstuur te maken.

„Ach kind..." fluisterde hij nauwelijks verstaanbaar. „Daar valt toch niets meer over te vertellen." Judith boog zich voorover, raakte zijn warme verweerde handen aan. „Het gaat over de man die u direct na het ongeluk uit de auto heeft geholpen."

„Je bedoelt die dronken man?" Opa's ogen keken haar donker aan. „Hij was de enige getuige van het ongeluk. Volgens je moeder klopt zijn verklaring niet. En ik... ach... ik heb de moed niet om me daarin te verdiepen. Het roept ook zoveel afschuwelijke herinneringen op."

Judith trok haar hand terug. „Die man was helemaal niet dronken, opa."

„O nee?"

„Nee, hij had die avond zelfs geen druppel alcohol gedronken."

„Vreemd! Hij rook wel helemaal naar de sterke drank. Dat begrijp ik niet." Judith fronste haar voorhoofd. Opa's antwoord klonk heel beslist en liet aan duidelijkheid niets te wensen over.

„Weet u het zeker?"

„Absoluut." Hij wees met een vinger naar zijn hoofd. „Ik heb het hier allemaal nog goed op een rijtje zitten, Judith. Ik weet het pertinent zeker!"

„En toch beweert Robin dat hij onschuldig is aan uw auto-ongeluk. Het zit hem vreselijk dwars dat u... en dat mijn moeder hem daarvan de schuld geven."

Opa sprong overeind van zijn stoel. „Nee, dat heb ík nooit gezegd. Die beschuldigende woorden heb ik nooit uitgesproken. Ik eh... ik was zelfs erg blij met zijn eerste hulpverlening. Ik was namelijk erg in paniek na die klap, maar het was een aardige jongeman die op dat moment erg zijn best deed. Hij heeft zelfs nog naar Anke... naar je oma gekeken. Maar hij rook wél naar alcohol. Ken je die jongeman soms persoonlijk, Judith?"

Judith knikte. „Ja, enige tijd geleden heb ik hem ontmoet. Hij wil graag een gesprek met u."

Opa ging weer zitten en sloot zijn ogen. „Ik probeer juist om zo min mogelijk aan het auto-ongeluk terug te denken. Ik ben zelfs naar deze woning verhuisd om niet langer met alle tastbare herinneringen te leven." Judith hoorde de wanhoop in zijn stem, ze had medelijden met hem.

„Het is voor Robin heel erg belangrijk. Hij is ervan overtuigd dat er een misverstand in het spel is. Wilt u er alstublieft nog eens over nadenken?" fluisterde ze dan met een brok in haar keel. „En het mij even laten weten?"

De oude man zuchtte diep. „Goed," zei hij, en keek daarbij naar het fotolijstje van oma, alsof hij om haar toestemming vroeg.

Een uurtje later stond Judith op en liet hem met een triest gevoel achter. Hij wuifde, toen ze wegreed. Ze was tevreden over haar gesprek met hem, maar het had hem duidelijk erg aangegrepen. Volgens vader had opa een sterk karakter en dat gaf haar het gevoel dat het niet voor niets was geweest. Opa had zich kranig gehouden en ruimte gelaten voor een gesprek. Het intrigeerde haar overigens ook dat opa zich zo goed wist te herinneren dat Robin wél naar alcohol had geroken, terwijl Robin het zelf heftig had ontkend. En dat was vreemd.

Piekerend stapte Judith thuis uit de auto en opende de voordeur. Ze huiverde, bij binnenkomst kwam de behaaglijke warmte haar tegemoet en buiten vroor het onverminderd voort. Op de deurmat zag ze de post liggen en raapte die meteen op. Reclamefolders, rekeningen en... Een brief met het embleem van modellenbureau 'Beautyful Lady' sprong er meteen uit. Ze trok hem uit het stapeltje en met haar jas nog aan scheurde ze de envelop open. Misschien had Josien wel een belangrijke opdracht voor haar?

Haar ogen vlogen over de regels en tot haar grote schrik las ze dat het modellenbureau in de toekomst geen gebruik meer wilde maken van haar diensten. Bij de nieuwe uitgave van het modellenjaarboek, dat binnenkort weer zou verschijnen, hadden ze haar gegevens en foto's niet opnieuw opgenomen. Op dit moment hadden ze een groot aantal succesvolle modellen die inzetbaar waren en uiteraard wilde de directie haar geen valse hoop meer geven. Ze wensten haar in de laatste zin van de brief nog van harte beterschap toe, en veel geluk in de toekomst.

Met knikkende knieën liet Judith zich in een stoel zakken. Ze hadden haar als model niet meer nodig, andere modellen hadden haar toekomstdroom en werk overgenomen. Dat dit zou gebeuren was nooit eerder in haar gedachten opgekomen. Josien had haar zelfs toegezegd dat ze het over een tijdje nog eens mocht proberen!

De teleurstelling woog loodzwaar. Was dan alles voor niets geweest? Al haar dromen, al haar verwachtingen, en al haar moeite en strijd om toch vooral een mooi figuur te krijgen waren inderdaad voor niets geweest. Ze zou nooit Nederlands beste model worden en ook haar hoop op een carrière in de modewereld van Parijs, Londen en New York werd door deze brief in een klap weggevaagd en van haar afgenomen.

Gedesillusioneerd bleef ze voor zich uit staren. Hoe lang ze daar had gezeten, wist ze achteraf niet meer. Maar Agnes stapte op een gegeven moment de woonkamer binnen met een volle boodschappentas in haar hand en trof Judith in totale ontreddering en tranen aan.

15

„Hoe gaat het met je arm, Marina? Wanneer mag het gips eraf?" Robin bleef halverwege de schoolgang stil staan toen hij zijn succesvolle volleybalspeelster volop babbelend met haar vriendinnen voorbij zag lopen. Jammer, dat het meisje tijdens het toernooi zo'n pech had gehad en die armblessure opliep. Ze had nog menig puntje voor de ploeg in de wacht kunnen slepen als die lelijke val niet had plaatsgevonden.

Marina draaide zich om en lachte vrolijk naar hem. „Het gaat prima, meneer," zei ze, terwijl ze haar gegipste arm demonstratief omhoog hield. „Morgen mag het gips eraf. U laat me toch wel weer meespelen tijdens het pinkstertoernooi?"

„Reken er maar op!" antwoordde Robin. „Je staat boven aan mijn deelnemerslijst."

Robin liep verder, zijn lessen voor vandaag zaten er alweer op. Hij moest de absentielijst van deze dag nog afgeven bij de administratie en daarna was hij vrij om te gaan.

Bij de administratie liep hij Johan Mans tegen het lijf. „Ha, die Johan. Alles goed met je?" groette hij. Johans gezicht klaarde op. „Ach Robin, dat komt nu even goed uit! Ik wilde je net iets vragen." Robin gaf zijn lijst af aan de administrateur en liep samen met Johan het kantoor weer uit. „Nou, vraag maar," zei hij en samen bleven ze even stilstaan.

„Kun jij mijn voetballertjes zaterdagmorgen misschien een uurtje trainen? Dan neem ik maandagavond jouw ploegje wel voor mijn rekening. Ik ben zaterdagmorgen namelijk verhinderd vanwege een begrafenis en ik vind het erg jammer voor de jongens om het voetbaluurtje af te gelasten. Vanwege de feestdagen en de strenge vorstperiode die we hebben gehad zijn de trainingen al wekenlang niet doorgegaan. En de jongens staan te popelen van ongeduld, ze willen zich graag voorbereiden op de wedstrijd van volgende week."

„Zaterdagmorgen? Dat kan wel. Is het dat ploegje van tien uur?" Robin deed nooit erg moeilijk als de andere vrijwilligers met hem wilden ruilen. Het deed hem plezier eens wat andere voetballertjes te trainen, sommigen waren op zeer jeugdige leeftijd echt al talentvol. Hij kon daarvan genieten.

„Ja, dat klopt. Ze komen om tien uur. Neem naderhand in de kantine maar een pilsje op mijn rekening. Alvast bedankt, Robin, en tot ziens." Johan gaf Robin nog een vriendschappelijke por en liep daarna door. Robin bleef als aan de grond genageld staan.

Hij keek Johan na, wilde nog roepen dat hij geen gebruik zou maken van dat aangeboden pilsje, maar herinnerde zich plotsklaps die keer weer dat Johan over zijn schoenveters struikelde en de inhoud van een glas bier over zijn schone shirt en broek gooide. Wat een smerige alcohollucht had hij die avond toch om zich heen gehad. Robins adem stokte een moment in zijn keel. Het was alsof hij die zwoele zomeravond weer aan zijn oog voorbij zag trekken. De struikelende Johan, de vieze vloer, het gebroken glas, zijn natte stinkende shirt, en... het auto-ongeluk van meneer en mevrouw Graafsma waarvan hij later op die avond getuige was geweest. Ineens drong het tot hem door dat hij die avond inderdaad naar alcohol had geroken, de oude man had wat dat betreft volkomen gelijk! Het was eigenlijk heel vanzelfsprekend dat meneer Graafsma dacht dat hij te veel had gedronken, hoewel Robin zelf wel wist dat het niet zo was. En Johan... misschien kon hij zich dat voorval van die avond ook nog wel herinneren.

Robin floot zachtjes tussen zijn tanden toen hij zich realiseerde dat Johans opmerking hem alles van die bewuste avond weer in herinnering bracht. Het bracht eveneens een enorme opluchting in hem teweeg en het was net alsof er een loden last van zijn schouders gleed.

Hij nam zich voor om snel naar huis te rijden en onmiddellijk contact met Judith te zoeken. Ze had hem een week geleden, tijdens hun ontmoeting in de stad, beloofd om terug te bellen en hem te vertellen wat haar bezoekje bij meneer Graafsma had opgeleverd.

Maar hij had niets meer van haar gehoord. Elke avond had hij naast zijn telefoon gezeten en gehoopt dat ze hem zou bellen. Maar nu had hij een goed excuus om zelf te bellen. Hij moest zijn verhaal aan haar kwijt. Ze moest weten hoe de vork in de steel zat en dat die alcohollucht wel degelijk om hem heen hing. Zijn verhaal zou alles duidelijk maken en het misverstand zou vervolgens uit de weg geruimd kunnen worden.

Zelfs de politieagent had het de avond van de twintigste augustus niet nodig geacht om hem een alcoholproef af te nemen. Dat moesten Judiths opa en moeder ook weten. Ze hadden een verkeerd beeld van hem en daar wilde hij zo spoedig mogelijk verandering in brengen.

Thuisgekomen drukte hij onmiddellijk Judiths telefoonnummer in, hij wilde geen minuut meer verspillen. Haar familie moest zo snel mogelijk op de hoogte worden gebracht van de juiste toedracht tijdens die rampzalige avond. En Johan Mans zou hem daar vast bij willen helpen, hij zou zich dat voorval ook nog wel herinneren. Aan de andere kant van de lijn hoorde hij de zachte stem van Judith Lankhaar en het leek wel alsof zijn hart een slag oversloeg toen hij haar uitnodigde om zo snel mogelijk naar zijn huis te komen. „Het heeft te maken met het auto-ongeluk, je móet komen," zei hij, en gaf haar zijn adres.

Na een periode van strenge vorst trad de dooi uiteindelijk in, maar Judith had het nauwelijks in de gaten. De brief die ze van het modellenbureau had ontvangen, zette heel haar leven op zijn kop. Ze zat dagenlang in een diepe put en voelde zich vreselijk ongelukkig en depressief. Had het leven nog wel zin nu haar toekomstverwachtingen in de grond waren geboord? vroeg ze zich af. Ze zou nooit meer over de catwalk flaneren en mooie kleding demonstreren aan een enthousiast publiek. Ze zou ook nooit meer kans maken om Nederlands beste model te worden en vervolgens naar het buitenland te gaan. Niet naar Parijs en niet naar Londen en New York. Alles was voorbij! Zou ze deze tegenslag ooit kunnen verwerken?

Agnes zag het allemaal met gemengde gevoelens aan. Ze had al die tijd gehoopt op Judiths nuchtere kijk op het leven. Dat ze op een dag zelf zover zou komen om afstand te nemen van dat grillige modegedoe. Maar Judith had allang geen reële kijk meer op haar leven. Haar werk in de modewereld was een droomvlucht geweest waarbij ze zichzelf bijna had uitgehongerd en waaruit ze een week geleden pijnlijk was ontwaakt toen ze die nare brief kreeg. Agnes had vreselijk veel medelijden met haar kind, maar aan de andere kant voelde ze zich ook enorm opgelucht. De brief had Judith weer met beide benen op de grond gezet, misschien dat ze nu eindelijk eens tot de ontdekking kwam dat ze véél te hoog had willen grijpen. Ze hoopte er nu maar op dat Judith zich de komende tijd alsnog zou bedenken en na de zomervakantie terug zou gaan naar school en een opleiding tot onderwijzeres zou volgen. Agnes koesterde sinds lang geleden die stille hoop weer. Haar dochter... een onderwijzeres... Tja, als moeder zou ze vast geweldig trots op haar zijn. Net zo trots als op Fred.

Tijdens haar controle bij de specialist in het ziekenhuis was Judith precies datgene in gewicht aangekomen wat haar was voorgeschreven, en geen grammetje meer. Judith reageerde onverschillig, maar bij dokters volgende mededeling hield ze geschrokken haar adem in.

„Over twee weken kom je hier opnieuw wegen en dan verwacht ik er weer een pondje bij," zei hij. Ze kon haar oren nauwelijks geloven. „Nog een pondje?" echode ze en haar stem klonk ontsteld.

Ze had als model geen kans meer op een baan in de modewereld, maar haar eetpatroon en gewicht had ze nog steeds volledig onder controle. En ze was niet van plan om dát zomaar uit handen te geven.

„Ja, nog een pondje! Het duurt nog wel even voordat je uit de gevarenzone bent, Judith. Je gewicht is nog steeds veel te laag. Maar je mag altijd een beroep doen op onze maatschappelijk werker, die wil je daarin graag ondersteunen."

Judith wimpelde dokter's voorstel af. „Het lukt me zelf wel," mompelde ze voordat ze zijn spreekkamer verliet. Op weg naar huis werd ze heen en weer geslingerd door twijfel.

Moest ze hier nu mee doorgaan of niet? Elke dag opnieuw maar weer proberen om af te vallen en haar gewicht te beheersen had nu toch geen enkele zin meer! Ze wist het niet, het was net alsof ze in een diep water moest springen terwijl ze niet eens kon zwemmen. De controle die ze over haar gewicht had gaf haar ook wel een beetje een kick, moest ze toegeven. Als ze vanaf vandaag nergens meer op hoefde te letten en alles weer zou gaan eten, dan... het klamme zweet brak haar uit bij de gedachte dat ze zichzelf bij elke maaltijd vol moest proppen met dikmakend voedsel. Het joeg haar angst aan.

„Was de dokter tevreden?" vroeg Agnes onmiddellijk bij binnenkomst. Judith knikte haar moeder bevestigend toe en liep meteen door naar de telefoon die rinkelde.

Er verscheen een mager glimlachje op haar ingevallen gezichtje. Niet lang daarna legde ze de hoorn neer. „Dat was voor mij. Ik ben even weg, mam."

Agnes keek haar na en zuchtte diep. Ze had een potje thee gezet en gehoopt op een gezellig onderonsje met haar dochter. Ze had heel subtiel willen informeren of Judith misschien nog belangstelling had voor een opleiding aan de pabo. Maar Judith was alweer weg. Agnes schonk zichzelf een kop thee in en even later nestelden Wolletje en Pluis zich op haar schoot.

Judith draaide de Trompetstraat in en zocht naar Robins huisnummer. Wat een vriendelijke buurt, dacht ze toen ze haar auto parkeerde en om zich heen keek. Het was de eerste keer dat hij haar in zijn huis uitnodigde. Zijn stem had enthousiast, maar ook gejaagd geklonken toen hij haar een halfuur geleden had gebeld met de mededeling dat hij belangrijk nieuws had over het auto-ongeluk. Judiths nieuwsgierigheid was meteen geprikkeld geweest, want toen ze Robin zo-even aan de lijn had realiseerde ze zich dat opa tijdens de afgelopen week nog helemaal niets van zich had laten horen. En zelf was ze de afgelopen dagen te veel bezig geweest met het verwerken van haar eigen teleurstellingen.

Robins huisdeur zwaaide al open voordat ze had aangebeld. Een behaaglijke warmte omving haar toen hij haar jas aannam. „Kom binnen, lust je koffie of thee?" bood hij haar meteen aan. Zijn stem klonk ietsje gehaast. Terwijl ze Robin met kopjes en schoteltjes hoorde rammelen keek ze nieuwsgierig om zich heen. Hij woonde in een smaakvol ingericht huis, vond ze. Het was niet al te groot, maar het ademde vertrouwelijkheid en huiselijkheid. Een plek om je helemaal thuis te voelen.

„Hoe gaat het met je gezondheid, Judith?" informeerde hij belangstellend toen hij twee dampende koppen op de salontafel zette. Ze schokschouderde. „Ach, het gaat wel..." antwoordde ze en meer wilde ze voorlopig niet aan hem kwijt. Ze was zo benieuwd naar wat hij haar te vertellen had over het auto-ongeluk. „Er zijn nieuwe ontwikkelingen, vertelde je?"

„Jazeker, ik heb een hele belangrijke mededeling. Luister..." Robin ging op het puntje van zijn stoel tegenover haar zitten en vertelde vol vuur waaraan hij al die tijd niet meer had gedacht. „En ik heb zelfs een getuige..." eindigde hij zijn betoog. „Johan Mans wéét dat ik die avond niets heb gedronken en dat hij een glas bier over me heen heeft gegooid zodat ik een uur in de wind stonk naar alcohol."

Judiths ogen klaarden op toen hij haar alles had verteld. „Gunst, Robin. Hoe kon je zóiets nu vergeten?" zei ze, en hij glimlachte opgelucht. „Ja, dom hè! Toen ik me dit alles weer herinnerde kon ik het niet voor me houden, ik móest het je meteen vertellen. Je opa en je moeder moeten dit ook weten, Judith!"

„Ja, dat moeten we ze zo snel mogelijk vertellen. Ik ben blij dat ik het nu ook weet, maar..." Judith keek naar Robin wiens aandacht halverwege haar zin werd afgeleid door een luxe auto die voor zijn woonhuis parkeerde. „Nee hè!" hoorde ze hem zachtjes mompelen terwijl hij meteen opstond. „Een ogenblikje, Judith!"

Langs het raam zag Judith een keurig geklede jonge vrouw lopen met lang zwart krulhaar tot halverwege haar rug. Blijkbaar kwam ze voor Robin, want ze stevende meteen op zijn voordeur af. Robin wachtte niet tot ze aanbelde, hij liep naar de gang en opende meteen zijn deur. In de gang hoorde Judith het geroezemoes van stemmen. Daarna zwaaide de kamerdeur open en liep de jonge vrouw op haar toe.

„Ach, u bent waarschijnlijk een collega van Robin, neem ik aan…"

„Nee, Denise. Judith is geen collega, ze is een kennis. Ik heb haar nog niet zo lang geleden ziek naar huis gebracht," corrigeerde Robin de donkerharige vrouw. Hij wendde zich nu tot Judith. „Mag ik je even voorstellen. Dit is Denise van Oosterbeek. En Denise, dit is Judith Lankhaar."

Judith kwam omhoog uit haar stoel. Twee donkerbruine ogen keken haar enigszins vijandig aan. Ze gaven elkaar een hand. „Tja, ik ben niet zomaar een toevallige kennis van Robin, hoor. Ik ben zijn vriendin, we zijn verloofd. Of wist je dat al?" Denises gezicht straalde triomfantelijk bij die woorden. „Vijftien juni trouwen we. Je mag van Robin vast wel op onze receptie komen."

Judith slikte en voelde zich klein worden bij deze zelfbewuste vrouw die haar minzaam en uit de hoogte benaderde. Ze keek vervolgens naar Robin die er niet zo heel erg gelukkig uitzag, want zijn ogen staarden furieus naar Denise.

„Kom, lieverd. Kijk nu niet zo boos," pruilde Denise. „Weet je dat ze vanmorgen de bouw van ons huis hebben hervat? Het vriest niet meer en papa heeft de aannemer meteen benaderd, ze sturen de komende maanden nog enkele bouwlieden extra zodat ons huis op tijd klaar komt. Ik wilde je dat even vertellen, Robbie. Dat is toch belangrijk nieuws, vind je niet? En nu had ik gedacht om dat zometeen samen met jou te gaan vieren. Ik trakteer op een lekker etentje bij ons favoriete restaurantje in de stad… lijkt je dat wat?" Judith zag de zelfgenoegzame glimlach op Denises gezicht en besefte ineens dat haar aanwezigheid op dit moment te veel werd. Robin reageerde nauwelijks, de spanning die in de kamer hing vanaf het moment dat Denise binnenstapte, was om te snijden.

„Sorry, Robin. Ik stap weer eens op, we spreken een andere keer wel iets af," zei Judith schor.

„O nee, Judith. Blijf nog even hier. We gaan niet meteen weg, want het is nog lang geen etenstijd. Denise drinkt vast nog wel een kopje koffie met ons mee." Robin keek Denise enigszins dwingend aan en een kort moment aarzelde Judith nog. Maar Denise viel hem niet bij en Robin voelde zich erg verlegen met de ontstane situatie, dat was duidelijk merkbaar.

Hij had blijkbaar niet verwacht dat zijn vriendin zo onverwacht voor zijn neus zou staan. Maar Denises vijandige blik maakte Judith duidelijk dat ze helemaal niet blij was met haar aanwezigheid.

„Nee, ik ga nu liever naar huis," zei Judith vastbesloten terwijl ze meteen de gang inliep en haar jas van de kapstok nam. Robin liet haar uit, hij keek haar enigszins verslagen aan. „Ik eh… ik bel je snel… Jammer, dat zo'n etentje er nu onverwacht tussen komt." Judith las de teleurstelling in zijn ogen en knikte. Ze liep naar haar auto, zwaaide nog een keer en reed weg.

Robin draaide zich om en deed de deur pas dicht toen Judiths auto uit zijn gezichtsveld was verdwenen. Het speet hem dat haar bezoekje zo abrupt was afgebroken. Maar dat was nog niet alles. Denise had zich daarbij onuitstaanbaar gedragen en Judith het gevoel gegeven dat ze niet welkom was in zijn huis. Dat had hij duidelijk aangevoeld.

Gelukkig had hij wel kans gehad om haar alles te vertellen over die avond van het ongeluk. Het had haar blij gemaakt, dat had hij duidelijk gezien. Jammer, dat hij nu niet de gelegenheid had om verder met haar te praten. Het was een sympathiek meisje, die Judith Lankhaar. Hij had op de een of andere manier bewondering voor haar. Met haar kon hij een serieus gesprek voeren en voelde hij zich op z'n gemak, ze luisterde tenminste naar hem.

„Wat een mager scharminkel!" hoorde hij Denise tot zijn grote ergernis op laatdunkende toon zeggen toen hij de kamer inliep. „Hoe kom jij aan zo'n kennis, schatje? Dat schepsel loopt volgens mij met de dood in haar schoenen."

„Denise! Láát dat…" Er lag een trilling van ingehouden woede in Robins stem. „Judith is een verdraaid aardig meisje. Ze is onlangs ernstig ziek geweest en heeft wekenlang in het ziekenhuis gelegen, daarom ziet ze er nog niet al te best uit."

„Pfffft, maak je niet zo druk! Ik wil alleen maar weten waar je haar hebt ontmoet." Denise keek verveeld naar haar vingers en beet vervolgens op een gelakte nagel.

Robin ging weer zitten en zag meteen dat Judith haar kopje thee niet eens had uitgedronken. Haar vertrek was een vlucht geweest, besefte hij ineens. En dat kwam alleen maar door Denises afwijzende houding. Was ze maar wat hartelijker en vriendelijker voor Judith geweest! Hij dronk zijn eigen kopje leeg en vertelde aan Denise waar hij Judith voor het eerst had ontmoet. Maar wat hij vertelde scheen haar te irriteren.

„Tja, mij maak je niets wijs, Robin. Volgens mij heeft zij gewoon last van een eetprobleem. Hoe noemen ze dat ook alweer? Anorexia, of zoiets dergelijks… Nou ja, als je die stakerige armen en benen en dat bleke ingevallen gezichtje ziet, dan verdwijnen bij mij alle vragen over een mogelijk ziektebeeld. Wat een griezelig mager kind… geen wonder dat ze onwel is geworden tijdens het hardlopen. Welke idioot doet nu zoiets!"

Robin voelde zich verstijven bij Denises harde woorden, soms leek het wel alsof hij Frank door haar heen hoorde praten. Die vertelde ook altijd alles op zo'n kwetsend denigrerend toontje.

„Judith is trouwens een kleindochter van meneer Graafsma. Je weet wel, de oude man die tegen een boom reed op twintig augustus," vertelde hij verder, omdat hij niet op Denises kritiek wilde reageren.

„Nee toch!" Denises stem klonk schel en hoogst verontwaardigd, ze keek hem verongelijkt aan. „En nu haal jij die meid hier in huis. Ik vind je reactie wel erg onbegrijpelijk, hoor. Die vervelende mensen schuiven jou nota bene alle schuld in je schoenen, of ben je dat inmiddels alweer vergeten? Ik had je veel wijzer gedacht, Robin. Ik hoop niet dat we in de komende tijd problemen krijgen met die lui, dat zou een vervelende schaduw werpen over onze aanstaande trouwdag."

„Ach Denise, zeur niet zo! Ik krijg geen problemen met die mensen, want ik weet inmiddels waarom die oude baas dacht dat ik dronken was."

„Vertel op!" sommeerde Denise hem ongeduldig. Robin was blij dat hij de gelegenheid kreeg om haar de juiste versie van het gebeuren toe te lichten. Misschien dat ze na zoveel maanden eindelijk eens wat meer begrip op kon brengen voor zijn positie in deze zaak. „Ik kan dit belangrijke feit natuurlijk niet verzwijgen voor Judiths familie," eindigde hij zijn verhaal.

Maar Denise was het alweer niet met hem eens. „Waarom laat je die zaak nu niet gewoon met rust? Je hebt de politie zelfs op je hand, ze vonden het die avond niet eens nodig om een alcoholcontrole bij je te doen. Ik heb liever níet dat je contact zoekt met die familie, Robin."

„Hadden ze maar wél een alcoholproef bij me gedaan," bromde Robin, duidelijk in zijn wiek geschoten omdat het ongeluk opnieuw een strijdpunt tussen hen beiden dreigde te worden. „Ik had die avond helemaal niets te verbergen en zo'n proef had alleen maar mijn onschuld kunnen bewijzen. Het vreet aan me als mensen me onrechtvaardig behandelen, temeer omdat er een vrouw aan de gevolgen van dat ongeluk is overleden! Maar dat snap jij toch niet!" Denise snoof hooghartig en trommelde onrustig met haar vingers op de stoelleuning. Robin vroeg zich voor het eerst af wat er allemaal voor bedenksels door haar hoofd speelden. Waarom konden ze het samen nooit eens worden? Hij werd er soms zo moedeloos van. Hij zag sinds kort zijn aanstaande huwelijksdag in juni ook met gemengde gevoelens naderen.

Zou zijn liefde voor Denise wel in staat zijn om alle moeilijkheden van de toekomst te overbruggen? Robin wist dat hij deze vraag op dit moment niet met een volmondig 'ja' kon beantwoorden. Hij was nog steeds boos op haar omdat ze Judith in pakweg vijf minuten tijd de deur had uitgejaagd. Hij schaamde zich voor Denises onuitstaanbare gedrag. Ze deed zelfs alsof híj tot haar materiële bezittingen behoorde, wat hij voelde en dacht vond ze niet eens belangrijk. In dat opzicht leek ze precies op haar vader, op Frank! Robin balde zijn handen tot vuisten toen hij bedacht dat zijn inboedel nog niet zo lang geleden op advies van Frank bijna aan een opkoper was verpatst. Gelukkig had hij dat net op tijd weten te verhinderen. Maar ook in de zaak van het auto-ongeluk zou hij zijn eigen weg gaan, dat stond als een paal boven water en haar advies en bemoeizucht kon hij missen als kiespijn. Hij wilde eens en voor altijd alle misverstanden rondom dat ongeluk uit de weg ruimen, Denise zou hem niet kunnen stoppen.

„Kom, het is nog wel vroeg, maar we rijden alvast naar de stad voor een aperitiefje, dan smaakt het eten straks beter," stelde Denise voor. Het onderwerp waarover ze samen hadden gekibbeld liet ze voor wat het was, ze stond meteen op. Dat deed ze altijd als ze zich in het nauw gedreven voelde, flitste het door Robins hoofd. „Trouwens..." babbelde Denise verder, „ik ben met de auto van pa. Die van mij staat in de garage voor een controlebeurt."

Robin knikte ongeïnteresseerd, het kon hem ineens allemaal niets meer schelen. „We gaan niet met de auto van jouw pa, we gaan met die van mij," antwoordde hij nors, omdat hij zich niets meer door haar wilde laten gezeggen. Hij was niet van plan om zich in Franks luxe auto te laten vervoeren en hij was evenmin van plan om een alcoholhoudend aperitiefje te drinken voor het eten. Denise zei niets, maar haar boze ogen spraken boekdelen en haar lippen perste ze samen tot een smalle streep. Robin voelde zich ellendig en bitter gestemd en besefte dat er snel iets moest gebeuren. Hij zocht wanhopig naar een weg die hen nader tot elkaar zou brengen, maar hij vond er geen. De gebeurtenissen in zijn leven dreven hen uit elkaar.

Agnes keek op van het boek dat ze zat te lezen. Daar kwam Judith alweer aan! „Wat ben jij snel terug. Lust je nog thee?" vroeg ze en kwam al omhoog om nog een kopje in te schenken. Judith was nog geen uur geleden weggegaan, ze had haar nog lang niet thuis verwacht. Ze was met zo'n gelukkige blik op haar gezicht vertrokken, en nu stonden haar ogen weer ernstig.

„Ja, graag. Is er nog?" Judith nam de moeite niet om haar jas uit te trekken en liet zich zo in een stoel zakken. Agnes zette het kopje op de salontafel. „Trek je je jas niet uit? Of moet je zometeen nog weg?"

Judith haalde aarzelend haar schouders op. „Tja, misschien dat ik dadelijk nog even naar opa ga. Ik heb hem belangrijk nieuws te melden."

„Nieuws?" Agnes' nieuwsgierigheid was gewekt. „Wat voor nieuws dan?"

Judith zuchtte en dronk voorzichtig van de warme thee. Toen ze het kopje terugzette op de salontafel keek ze Agnes aan. Agnes huiverde, wat deed Judith toch geheimzinnig.

„Het gaat over de man die opa na zijn verkeersongeluk heeft geholpen..." begon Judith en Agnes zag dat ze met een gefronst voorhoofd naar de juiste woorden zocht. Haar smalle gezichtje stond tobberig. „O, je bedoelt zeker die dronken man?" viel ze Judith onmiddellijk in de rede.

Maar Judith schudde haar hoofd. „Die man wás helemaal niet dronken, mam. Hoe is dat misverstand in vredesnaam ontstaan? Kunt u me daar iets over vertellen?"

„O ja, daar kan ik je genoeg over vertellen. Volgens opa rook die man vreselijk naar alcohol, dan is het toch zo klaar als een klontje dat hij dronken was! En daarbij mogen we vooral niet vergeten dat opa schrok van zijn auto die het kruispunt naderde. Maar... maar... hoe kom jij erbij om te zeggen dat die man niet dronken was, Judith? Het was echt geen misverstand, hoor. Opa heeft dit verhaal niet verzonnen!"

Even gleed er een glimlach langs Judiths mond. „U heeft gelijk," antwoordde ze. „Opa heeft het ook niet verzonnen. Robin rook inderdaad naar alcohol, dat ontkent hij ook niet."

Agnes' ogen versomberden, het spannende boek dat ze in haar handen hield legde ze diep in gedachten op de salontafel. „Robin...

heet die man Robin?" In haar voorhoofd verscheen een bedenkelijke rimpel. De politieman had eertijds wel de naam 'Arendonk' genoemd toen ze om opheldering van zaken naar het politiebureau was gegaan.

„Ja, die man heet Robin Arendonk," antwoordde Judith zachtjes. „Het is namelijk dezelfde man die mij alweer een hele tijd geleden ziek heeft thuisgebracht en me een boeket bloemen stuurde. Kunt u zich dat nog herinneren?"

„Ach, je bedoelt…" begon Agnes, maar bijna onmiddellijk daarna lichtten haar beide ogen op. „Nú snap ik het! Die jongeman… Robin Arendonk… keek die avond met zoveel belangstelling naar onze familiefoto aan de muur, dat het leek alsof hij iemand herkende. En blijkbaar was dat ook zo, want opa staat erop!" Agnes herinnerde zich de aardige jongeman weer, die met een strakke blik naar het familieportret had gekeken.

Judith keek over haar schouder heen naar de foto aan de muur waarop opa en oma samen stonden afgebeeld met alle kinderen en kleinkinderen eromheen. Dat Robin met zoveel belangstelling naar de foto aan de muur had gekeken kon ze zich niet meer herinneren, daar was ze toen te ziek voor geweest. „Dat klopt, mam," fluisterde ze, en draaide haar hoofd weer om. Ze aarzelde nog even, maar sprak daarna toch de woorden uit die in haar op kwamen. „U beschuldigt Robin ervan dat hij medeplichtig is aan het auto-ongeluk van opa en oma, én u beschuldigt hem er ook van dat hij dronken was. Nu moet ik u vertellen dat u het in beide gevallen bij 't verkeerde eind heeft. Robin reed die avond op een voorrangsweg en was nog niet eens bij het kruispunt aangekomen, dus opa heeft zijn stuur echt niet alleen maar naar rechts gedraaid omdat hij Robin wilde ontwijken. En die alcohollucht… nou, dat is ook makkelijk te verklaren, want even tevoren had Robin in de kantine van de voetbalvereniging per ongeluk een glas bier over zijn shirt gekregen. Vandaar die dranklucht. Maar Robin had zelf geen druppel alcohol gedronken, hij heeft het me net verteld."

Agnes ging met een gevoel van onbehagen op het puntje van haar stoel zitten. Judiths verhaal joeg het bloed versneld door haar aderen, haar wangen kleurden donkerrood en haar mond viel open van verbazing. „Maar… maar… ik dacht toch echt dat de politie… de politie heeft niet correct gehandeld, Judith. Robins verklaring…" hakkelde ze nerveus.

„Robins verklaring klopt van a tot z, mam. Dat heeft hij me met de hand op zijn hart verteld," viel Judith haar moeder in de rede.

„Hij heeft er heus niets bij verzonnen, hij heeft alleen maar vreselijk zijn best gedaan en opa uit de auto geholpen. Opa rook op dat moment de alcohollucht die rondom Robin hing, dat klopt allemaal. Maar ú bent er meteen van uitgegaan dat Robin dronken was. U hebt hem willens en wetens ook geen enkele gelegenheid meer gegeven om zijn verhaal te vertellen, terwijl hij dat heel graag wilde doen. Via de politie kreeg hij te horen dat u geen enkel contact met hem wenste te hebben, en dat heeft hem erg aangegrepen. Het ongeluk is een hele schokkende gebeurtenis voor hem geweest, maar de afwijzende houding van de familie kon hij niet begrijpen. U had hem een kans moeten geven, mam! Robin is inmiddels een goede vriend van me..." Judiths stem stokte een ogenblik. Robin was immers de vriend van Denise van Oosterbeek. „...Ik bedoel een goede kennis," verbeterde ze zichzelf. „Ik zou het dan ook fijn vinden als u hem alsnog de gelegenheid gaf om zijn verhaal te vertellen, en opa moet het ook weten."

Agnes haalde diep adem, haar hart bonsde in haar keel. Had ze het dan al die tijd zo verkeerd begrepen? Natuurlijk was ze er meteen van uitgegaan dat die jongeman te veel had gedronken, dat was toch logisch! Kon ze die Robin Arendonk eigenlijk wel vertrouwen?

Misschien had hij het verhaal over dat ongelukje met een glas bier wel verzonnen om zijn geweten te ontlasten. Judith was natuurlijk bij uitstek een meisje dat je alles wijs kon maken, die geloofde zoiets meteen.

„Weet je zeker dat zijn verhaal wel klopt, Judith? Ik bedoel... Robin zal zich best schuldig voelen in deze situatie. Dat er een glas bier over zijn shirt is gevallen lijkt me een heel goed smoesje om onder de waarheid uit te komen."

„U gelooft het niet?" Judith ging rechtop in haar stoel zitten, haar ogen schitterden gekwetst.

Agnes slikte moeilijk. Ze had zich al die maanden ingeprent dat het een dronken man betrof die betrokken was geweest bij het ongeluk waarbij haar moeder om het leven kwam. Wat zou er straks in vaders hoofd omgaan als hij te horen kreeg dat het ongeluk gebeurde door zijn eigen schuld. Dat er helemaal geen sprake was van betrokkenheid en schuld van een dronkaard?

„Mam, Robin heeft een getuige in deze zaak. De man die het glas bier tijdens die avond per ongeluk over zijn shirt gooide kan ook getuigen dat Robin geen druppel alcohol heeft gedronken."

Agnes sloeg haar ogen neer, ze realiseerde zich dat ze hier niets meer tegenin te brengen had. De persoon die Robins verhaal kon bevestigen was een sterke getuige.

„Je moet Robin maar eens uitnodigen," antwoordde ze uiteindelijk met een door tranen verstikte stem. „Want je hebt gelijk, Judith. Dit misverstand moet de wereld uit geholpen worden. Het is beslist niet mijn bedoeling om iemand valselijk te beschuldigen, hoe moeilijk ik het er op dit moment ook mee heb. Ik geloofde vanaf het begin écht dat... dat... hij dronken was. Daar leek het toch ook op? Opa's versie van het ongeluk was zo duidelijk."

Er drupte een traan op haar hand, Judiths pleidooi voor deze jongeman greep haar aan, maar ook de angst en de zorg om vader benauwde haar.

Judith boog zich voorover en legde haar armen rondom Agnes' schouders. „Mam, niet huilen! Ik weet dat het allemaal heel aangrijpend is voor u."

Agnes schokschouderde en haalde eens diep adem. „Ja, dat is het, Judith. Maar het betekent ook dat opa dat ongeluk zelf heeft veroorzaakt. Hoe moet ik hem dat duidelijk maken?"

„U hoeft opa niets duidelijk te maken. Als Robin de gelegenheid krijgt om ook een keer met opa te praten zien we daarna wel weer verder. Opa heeft een sterk karakter, dat weet u toch?" Ze liet Agnes weer los die door haar tranen heen glimlachte. „Ja, dat vindt papa ook. Laten we er maar het beste van hopen."

„Dat doen we," antwoordde Judith en stond op. „Wat eten we vanavond, mam? Ik heb honger!"

Agnes keek haar verbaasd aan. „Honger? Jij?"

„Ja. Een beetje maar, hoor! Over twee weken moet er weer een pondje bij zijn van de specialist," haastte Judith zich te zeggen.

„We eten je lievelingskostje," beloofde Agnes. Er gloorde plotseling iets van dankbaarheid in haar hart, ze wreef de tranen van haar wangen. Verdriet om het één en blijdschap over iets anders gingen vaak hand in hand, zoals nu. Judith, die zomaar zei dat ze honger had. Het klonk haar als muziek in de oren.

16

Enkele weken later kwamen ze bij elkaar. Er volgde een openhartig gesprek tussen Robin en Agnes. Judith en Ruud waren daar getuigen van. In Robins binnenste ontstond er een intens gevoel van opluchting en dankbaarheid. „Een kennis kan nog bevestigen dat ik volkomen nuchter achter het stuur zat, mevrouw Lankhaar," had hij ten overvloede nog geopperd, maar Agnes had dat glimlachend weggewuifd.

„Niet nodig, Robin. Ik geloof je nu op je woord. Het spijt me, dat ik er zomaar van uit ben gegaan dat je die avond dronken was. En dat ik je zo lang in het onzekere heb gelaten door elk contact met je te weigeren, was ook fout. Dit gesprek heeft me goed gedaan en alle twijfel weggenomen. Je hebt gelijk, we hadden dit veel eerder moeten doen. Het had veel misverstanden kunnen voorkomen."

Samen met Judith was Robin ook nog naar opa Graafsma gegaan. „Laten we maar niet meer praten over het ongeluk, jongeman. Dat brengt alleen maar verdrietige herinneringen naar boven, ik wil je bedanken voor je hulp op dat moment. God heeft er namelijk voor gezorgd dat jij die avond op de juiste plek was, zó wil ik het graag zien!"

Mooi was dat van opa. Hij had een sterk Godsvertrouwen. Daar konden ze met z'n allen iets van leren. Nadat opa een album met foto's van zijn jubileumfeest had laten zien waarop oma die dag stralend en gelukkig stond afgebeeld, hadden ze nog over van alles en nog wat gebabbeld.

Met een gevoel van spijt nam Judith na het bezoek aan opa ook afscheid van Robin. „Bedankt voor je bemiddelende rol, Judith. Ik zal dit nooit vergeten."

„Graag gedaan. Ik was je toch nog iets schuldig!"

Robins ogen lichtten vragend op. „ Hoezo dat?"

„Jij bracht me naar huis toen ik die keer zo ziek was, weet je nog?" grapte Judith. Haar wangen kleurden verlegen bij de herinnering aan die avond en dat hij haar toen in zijn armen droeg omdat ze zelfs niet meer kon lopen. Ze had al meteen spijt van haar woorden. Ze wilde hem immers niet het gevoel geven dat ze hem alleen maar had geholpen uit plichtsbesef, of om iets terug te doen.

„Ja, ja! Jammer, dat je verder niet meer bij me in het krijt staat," lachte hij spontaan. Die opmerking stelde Judith direct gerust. „Nu, dan ga ik maar weer! Tot ziens, Judith..."

Ze groette hem en zag hem met weemoed in haar hart wegrijden. Nu alles uitgesproken en in orde was met haar familie zou ze hem vast nooit meer ontmoeten, zelfs niet meer zien.

Ze kwam thuis in een warme behaaglijke kamer. Wolletje en Pluis lagen te slapen op hun favoriete plekje en Agnes kwam meteen uit de keuken gelopen. Ze informeerde belangstellend naar het gesprek met opa. Judith bracht gedetailleerd verslag uit van Robins gesprek met hem.

„Ja, opa wil het liefst niet herinnerd worden aan die avond," zuchtte Agnes toen Judith uitgesproken was. „Dat is overigens heel begrijpelijk. Het komt er eigenlijk op neer dat hij zelf om een of andere reden het stuur naar rechts heeft gedraaid. Robin heeft nu duidelijk uiteengezet dat hij niet onder invloed van alcohol reed. En hij heeft ook uitgelegd dat hij helemaal niet betrokken was bij het ongeluk. Ik ben benieuwd of opa dat wel kan verwerken."

Ze keken beiden verstoord naar de telefoon die onverwachts rinkelde. „Ach, ja! Ogenblikje Juut, ik verwacht een telefoontje van Fred," zei Agnes en drukte de hoorn tegen haar oor. „Met mevrouw Lankhaar," meldde ze zich. Er verscheen onmiddellijk een frons in haar voorhoofd.

„Het is voor jou!" Agnes reikte Judith de hoorn aan, ze haalde tevens haar schouders op. Het was niet duidelijk wie ze aan de lijn had. De persoon die belde had namelijk geen naam genoemd.

„Hallo, met Judith..." Judith hield haar adem in toen ze de stem van Denise van Oosterbeek in haar oor hoorde tetteren. „Jij en jouw familie laten Robin vanaf vandaag wel met rust, hoor. Alle achterbakse praatjes en absurde beschuldigingen die na het auto-ongeluk van twintig augustus de ronde deden, kunnen we missen als kiespijn. Robin en ik willen ons nu ongestoord gaan voorbereiden op onze trouwdag. Aju..."

Judith slikte, ze wilde antwoorden maar hoorde dat de verbinding aan de andere kant prompt werd verbroken. Ze legde de hoorn neer.

„Wie was dat?" informeerde Agnes nieuwsgierig.

„O, verkeerd verbonden, geloof ik!" antwoordde Judith ad rem, terwijl ze de woorden nog na hoorde klinken in haar hoofd. Wat een naar mens was dat toch, die Denise van Oosterbeek. Het drong nu pas goed tot haar door hoe bazig en dominant Robins aanstaande vrouw zich opstelde. Ze herinnerde zich Robins ongelukkige gezicht nog toen Denise hem die middag onverwacht kwam halen om iets te vieren. Erg verliefd zag hij er op dat moment niet uit. Dat was toch wel heel merkwaardig! Ze hoopte er maar op dat ze samen gelukkig zouden worden, hoewel ze daar diep in haar hart plotseling aan twijfelde. Zoals zij het zag pasten die twee volstrekt niet bij elkaar. Robin was veel te aardig en veel te toegeeflijk. En Denise precies het tegenovergestelde, die was kattig, verwaand en bemoeizuchtig. Ze overschaduwde Robin voortdurend. Judith zuchtte, als zíj nu eens zo'n man als Robin tegen het lijf zou lopen, dan zou ze alles doen wat in haar vermogen lag om hem gelukkig te maken. Als...

Nou ja, ze was nog geen andere man tegengekomen, het was Robin zélf geweest die haar zo liefdevol had geholpen en naar huis had gebracht. Met spijt in haar hart moest ze toegeven dat ze het jammer vond dat hij serieuze toekomstplannen had met Denise. Ze had hem graag wat beter willen leren kennen. Maar die mogelijkheid kreeg ze nu niet meer. Hij had zijn keuze al gemaakt en de bazige Denise van Oosterbeek eiste hem volledig op voor zichzelf.

Die avond weigerde Judith voor het eerst sinds weken opnieuw haar warme maaltijd. „Ik voel me niet fit," verontschuldigde ze zich, en op haar kamer zocht ze haar weegschaal weer op. De schrik sloeg haar om het hart toen ze de wijzer alweer een pondje meer zag aanwijzen. De specialist zou vast en zeker blij zijn met dit resultaat, wist ze. Maar zelf voelde ze zich voor het eerst sinds weken weer dik en vadsig en diep ongelukkig. Het ging haar ineens veel te snel, al die pondjes erbij! Maar dat kwam waarschijnlijk ook omdat ze de laatste weken zonder weegschaal had geleefd, want ze was steeds op een prettige manier in beslag genomen geweest door de diverse afspraken met Robin. Ze was tijdens die momenten niet meer zo geobsedeerd geweest door haar mislukte carrière als model en haar dagelijkse strijd om af te vallen.

Ze was met haar gedachten steeds bij Robin geweest, ze vond hem een joviale, aardige kerel. Ze mocht hem graag, ze zou hun gezamenlijke afspraken en gesprekken zeker missen.

Enkele dagen later meldde Judith zich weer beter bij de bedrijfsleider van de supermarkt. Ze voelde zich alweer sterk genoeg om haar werk achter de kassa te hervatten. Hoewel ze elke dag net na het middaguur helemaal afgebrand thuiskwam en een uur bedrust nodig had om bij te komen. De vaste klanten hadden haar meteen herkend en gedacht dat ze nog steeds ernstig ziek was.

„Meisje, meisje toch... ga jij maar weer naar huis. Je bent zo verschrikkelijk mager geworden! Je moet eerst maar eens wat extra kilootjes bijkomen," opperde een bezorgde oudere dame die dagelijks haar boodschappen om negen uur 's morgens kwam doen.

Maar Judith was blij met de afleiding die ze in de winkel had, zo kon ze haar gedachten tenminste wat verzetten en haar gewicht ook beter onder controle houden. Want dát was uiteindelijk nog het enige wat ze momenteel overhad, haar gedisciplineerde gewichtsbeheersing. Dáár was ze goed in! Al het andere wat ze belangrijk vond was ze in enkele maanden tijd kwijtgeraakt: haar lieve oma en haar droombeeld om in de toekomst een bekend topmodel te worden. Om dat te bereiken had ze zelfs een gedeelte van haar baan opgegeven en van Robin hoorde ze vanzelfsprekend ook niets meer. Die had het druk met de bouw van een huis en zijn aanstaande huwelijk met Denise.

Judith zag de toekomst somber in. Niemand had haar nodig en het ontbrak haar aan een doel om voor te leven.

Toen Agnes op de deurbel van Pieter Graafsma's aanleunwoning drukte werd er vrijwel meteen opengedaan door Klazien. „Dag Agnes, kom maar snel binnen. Het is zo nat!" Buiten regende het pijpenstelen, dreigende wolken gleden door de wind voortgestuwd laag over het land. Van de lente was nog maar bar weinig te merken. Koude en nattigheid waren aan de orde van de dag.

Agnes schudde haar paraplu uit en hing haar lange regenjas aan de kapstok. De druppels regenwater vielen daarbij op de grond. Ze voelde gelijk haar weerstand tegen deze oude vrouw, die eens moeders vriendin was, groeien. Ze had er zo op gehoopt om even een uurtje alleen met haar vader te kunnen praten. Maar nee hoor, dat nieuwsgierige mens was alwéér van de partij.

Ze kon niet op visite komen of Klazien zat bij vader, en als dat niet het geval was, zat hij bij haar. Het stoorde Agnes. Was dát nu de vriendschap waar vader tijdens de kerstdagen over had gesproken? Sinds Klaziens verhuizing naar een aanleunwoning aan de overkant van de straat had ze nog nauwelijks een gezellig onderonsje met vader gehad. Agnes miste dat, maar vader had helemaal niets in de gaten. Hij leek blij met Klaziens gezelschap en haar warme belangstelling. In de kamer kwam de geur van een pasgebakken cake haar tegemoet. Ze zag vader in zijn gemakkelijke stoel zitten. Hij zag er wat pips uit, maar zijn ogen keken blij toen ze hem op zijn wang kuste. „Is er iets, vader? U ziet er niet goed uit."

Hij knikte. „Ach, wat grieperig, denk ik."

„De dokter is al geweest, hoor," viel Klazien hem bij. „Die aardige man heeft hem wat tabletjes voorgeschreven. Ik ga zometeen wel even naar de apotheek om ze te halen."

„O nee, laat mij dat maar doen," stelde Agnes onmiddellijk voor. Alhoewel ze heel graag even alleen was geweest met haar vader kon ze het niet over haar hart verkrijgen om Klazien door dit barre weer te laten gaan. „Dan ga ik nu meteen." Ze trok in de gang haar regenjas weer aan. Het gebouw van de apotheek was slechts vijf minuten lopen van het bejaardenhuis vandaan. Klazien gaf haar het doktersrecept en beloofde onderwijl alvast een lekker kopje thee te zetten. „Met een sneetje versgebakken cake erbij, lust je dat ook?"

Het was de eerste keer geweest dat Agnes in het bijzijn van Klazien glimlachte. „Ja, nou en of! Moeder bakte ook altijd..." Ze zweeg en slikte even iets weg. Altijd en overal stak de herinnering aan moeder de kop op. Moeder had ook altijd cake of iets lekkers bij de thee gehad als ze op visite kwam.

„Je hebt gelijk, ik herinner me dat Anke inderdaad een kei was in het bakken van taarten en cakes. Maar ik hoop toch dat je die van mij ook lekker vindt, de cake is namelijk gebakken volgens haar recept."

Een beetje verlegen en in de war gebracht door zoveel vriendelijkheid wilde Agnes naar buiten lopen. Maar Klazien hield haar tegen. „Je plu," zei ze zorgzaam en reikte haar het natte ding aan.

Toen Agnes een kwartier later met een doosje tabletten binnenkwam zag ze dat de thee en de cake al klaarstonden. Ze ontdeed zich opnieuw van haar natte jas, maar zag dat Klazien daarentegen haar jas aantrok. „Ik ga maar weer eens," kondigde ze aan.

„Drinkt u geen thee met ons?" vroeg Agnes verbaasd. Maar Klazien schudde haar hoofd. „Een andere keer graag. Tot vanavond, Pieter."

Pieter zwaaide haar na met een zwak handje. „Ja, tot vanavond," hoorde Agnes hem zeggen, waarna hij meteen begon te hoesten.

Agnes haalde een extra glas water en bood vader een tabletje aan. „Hier, neem maar in. Misschien werken ze snel."

Pieter gehoorzaamde als een kind en nam zijn tabletje in. Agnes merkte dat hij niet erg spraakzaam was. Kwam dat nu omdat hij niet in orde was en zich niet fit voelde? Dat Klazien meteen weg zou gaan had ze ook niet direct verwacht, misschien zat dat vader ook wel dwars. Hij was erg op haar gezelschap gesteld.

„Voelt u zich allang niet fit?" vroeg Agnes nieuwsgierig. Hij had haar deze keer niet eens ingelicht. Dat deed hij doorgaans toch wel.

„Die grieperigheid, daar had ik gisteren ook al last van," antwoordde hij. „Maar die duizeligheid speelt me al langer parten, dat

is misschien ook de oorzaak… de oorzaak van…"
„Waarvan?" drong Agnes aan. Wat wilde vader haar eigenlijk vertellen? Er verscheen een bezorgde rimpel in haar voorhoofd.
„Het ongeluk!" fluisterde hij. „Volgens mij verloor ik die avond de controle over het stuur toen het zo duizelde in mijn hoofd. Tijdens de receptie die middag had ik er ook al zo'n hinder van. Ik herinner me alleen nog een auto met felle koplampen. Dat moet de auto van Judiths vriend zijn geweest. Hij zag het voor zijn ogen gebeuren, vertelde hij me, toen ze samen hier waren. Maar de échte oorzaak… ik geloof werkelijk dat die duizeligheid me toen opnieuw overviel." Agnes dacht terug aan de woorden van de politieagent. Een black-out of iets dergelijks, had hij geopperd. En dat was achteraf gezien ook de waarheid geweest.
Ze knikte, de tranen prikten onverwachts in haar ogen. Dat er een moment zou komen dat vader weer bij haar aan zou kloppen over zijn schuld met betrekking tot het ongeluk, had ze verwacht. Maar dat het nog zo'n pijn zou doen, had ze duidelijk onderschat.
„Vader," antwoordde ze met tranen in haar stem. „Het is een hele tijd geleden gebeurd, we kunnen er niets meer aan veranderen."
Hij knikte gelaten en kwam op het puntje van zijn stoel zitten. „Je hebt gelijk, we kunnen de tijd niet terugdraaien, Agnes. Dat besef ik heus wel, maar jij en de anderen… Kunnen jullie het me vergeven? Mijn Anke… ach, ze was toch ook jullie moeder. Die domme fout van mij is haar wel noodlottig geworden."
Agnes streek langs haar vochtige wangen en kon slechts knikken. Even later had ze zichzelf weer onder controle. „Natuurlijk vergeef ik het u. Maar ik besef heus wel dat u het stuur niet expres naar rechts heeft gedraaid en ik zie het ook niet als een domme fout. Vader, het was gewoon overmacht! U kon er ook niets aan doen dat het zo duizelde in uw hoofd." Ze legde haar hand op de zijne en zag dat hij het moeilijk had.
„Weet je, Agnes. Ik heb al jaren last van een hoge bloeddruk, daarom ben ik ook zo vaak duizelig. Dat was op de twintigste augustus het geval en ook vandaag speelt me dat weer parten."
„Het is goed, vader. U moet er niet langer over blijven piekeren."
„Ja, maar vandaag heeft de dokter me daar pas tabletjes voor gegeven. Dat had hij toch ook veel eerder kunnen doen? Het tabletje dat je me zojuist hebt gegeven was niet voor de grieperigheid, hoor. Maar voor die hoge bloeddruk."
Ze las de verontwaardiging in zijn ogen en haalde dan haar schouders op. „Het heeft geen zin om daarover in discussie te gaan,

u moet gewoon accepteren dat het ongeluk gebeurd is. Het is verleden tijd, vader."

„Ik zal het proberen, met Gods hulp móet me dat lukken. Ik weet dat Hij Daarboven alle dingen in Zijn hand heeft. Dat geloof jij toch ook, hè Agnes?"

Er gleed een glimlach over het gelaat van Agnes. „Ja, dat geloof ik ook, hoewel zoiets heel moeilijk te begrijpen is," antwoordde ze aarzelend. Daarna blies ze op haar thee en nam voorzichtig een slokje. „Moeder zou vast en zeker hetzelfde hebben gezegd. Wat dat betreft zat u altijd op dezelfde lijn, fijn is dat," haastte ze zich daarna nog om te zeggen, en zijn gezicht klaarde onmiddellijk op. „Je bent een lieve dochter voor me en Klazien vindt dat ook. Zij vond het vanmiddag gepast om zich even terug te trekken in haar eigen huisje, zodat wij saampjes ook eens wat dingetjes konden bepraten. Want, wat we zojuist besproken hebben, zat me al enige tijd erg dwars. Met jou kan ik daarover praten, met de anderen lukt dat niet zo. Klazien heeft er bij mij op aangedrongen dit met jou te bespreken." Agnes keek hem verwonderd aan, dat Klazien zóiets aanvoelde stelde ze heel erg op prijs.

Pieter informeerde daarna nog naar Ruud, de studie van Fred en de gezondheid van Judith. Met gemengde gevoelens vertelde Agnes dat Judith een tijdelijke terugval had, dat ze maar met veel moeite wilde eten en dat ze soms erg bezorgd was over de toekomst van haar dochter.

„Misschien moet Judith eens een keer contact opnemen met Klazien, die twee voelen elkaar goed aan op het gebied van de mode. Heus, Klazien weet dat Judith het op dit ogenblik erg moeilijk heeft."

Agnes twijfelde eraan of ze Judith inderdaad dit advies moest geven. Door de drukte van Klaziens verhuizing en Judiths sombere buien hadden die twee elkaar al enige tijd niet meer gezien of gesproken. Diep in haar hart was Agnes daar blij mee geweest, ze had nog steeds moeite met de vriendschap die Klazien met haar vader onderhield en vanzelfsprekend wilde ze het contact tussen Klazien en Judith ook niet stimuleren. Maar misschien werd het vanaf vandaag tijd om haar mening wat bij te stellen. Klaziens zorgzaamheid voor vader, het kopje thee en de lekkere plak cake hadden haar vanmiddag goedgedaan, evenals de tactvolle wijze waarop Klazien zich een tijdje in haar eigen woning terugtrok zodat zij – Agnes – eens alleen met haar vader kon praten.

Toen Agnes na een uurtje de woning van Pieter verliet tuurde ze in de richting van Klaziens voordeur en raam. Achter het raam zag ze plotseling de gordijnen bewegen en een hand zwaaien. Klaziens gezicht verscheen meteen lachend voor het raam.

Aarzelend stak Agnes haar hand ook op en al haar weerstand voelde ze ineens wegbrokkelen. Ze liep spontaan naar de overkant waar Klazien onmiddellijk de deur opendeed en in haar eigen deuropening verscheen. Gelukkig was het inmiddels gestopt met regenen, alleen de wind waaide steviger dan voorheen. Zometeen zou ze weer op haar fiets stappen, weer en wind trotseren en naar huis gaan. Maar voordat ze naar huis ging wilde ze Klazien nog even begroeten, haar bedanken voor elke vorm van hulp en zorg die ze aan vader gaf. Dat was wel het minste wat ze kon doen.

„Kom even binnen, ik zie dat je op het punt staat om naar huis te gaan, maar ik vind het zo leuk dat je even bij me aankomt." Klazien trok haar bijna naar binnen.

Ademloos keek Agnes even later de kleine woonkamer rond. Het was al net zo gezellig en netjes ingericht als vaders huisje. Alleen op een groot dressoir zag ze talloze fotolijstjes staan. Grote schemerlampen sierden decoratief elke hoek van de kamer op. „U woont hier ook mooi!" zei Agnes als eerste en ze keek in Klaziens glunderende gezicht. „Ik kom u eigenlijk heel even bedanken voor uw goede zorgen. Vader is daar erg blij mee, en ik ook!"

„Ga toch zitten," sommeerde Klazien terwijl ze zelf plaatsnam op een stoel. „En wat die zorgzaamheid betreft, ach, dat is toch normaal! Je moet niet vergeten dat je ouders en ik elkaar al heel lang kennen. Anke was vroeger mijn beste vriendin, en Pieter... met hem ben ik zelfs verloofd geweest, maar dat weet je misschien allemaal wel."

Agnes knikte. „Dat moet al lang geleden zijn. Meer dan vijftig jaar. Judith heeft het me een poos geleden verteld, en voor die tijd wisten we dat niet eens. Vader heeft dat altijd verzwegen."

„Ja, Pieter is niet zo mededeelzaam, dat is hij nooit geweest. Maar hij en ik, we pasten toen niet bij elkaar. Anke wel, zij paste precies bij je vader, ze zijn daarom ook vijftig jaren gelukkig getrouwd geweest met elkaar. En als je het aan mij vraagt mist hij je moeder nog dag en nacht."

Agnes slikte en glimlachte. „Ja," antwoordde ze hees. „Ze zijn vijftig jaar lang onafscheidelijk van elkaar geweest, dat moet voor u toch ook moeilijk zijn? Ik bedoel... vader is nog niet zo lang weduwnaar. Dat ongeluk waarbij moeder het leven verloor, zit hem nog steeds danig dwars. Hij voelt zich erg schuldig."

Klazien lachte zachtjes. „Ach, dat weet ik wel, maar daar praten we ook regelmatig over. En zo moeilijk is dat niet voor me, want onze basis is vriendschap en dan moet je elkaar helpen en vertrouwen. Ik begrijp zijn verdriet en het gemis, maar ik geloof ook dat het wel goedkomt met Pieter. Het kost alleen wat tijd." Ze nam daarna een fotolijstje van het dressoir. „Kijk, op dit kiekje waren we lang geleden nog verloofd." Agnes keek naar het knappe stelletje, en er vlamde even iets op van jaloezie.

„Het is alweer bijna tweeënvijftig jaar geleden," vertelde Klazien verder. „Maar Pieter hield van Anke, hij heeft nooit écht van me gehouden."

„En u? Hield ú van mijn vader?"

Klazien keek haar even raadselachtig aan, maar schudde dan langzaam haar hoofd. „Nee, niet zoals het hoorde te zijn. Er was maar één grote liefde in mijn leven, en dat was mijn werk. Mijn carrière als model was in die periode een ware obsessie voor me. Daarom paste ik ook niet bij Pieter. Pieter wilde dolgraag een lieve vrouw en een leuk gezin. En ik koos uiteindelijk voor de mode. En nu... nu ben ik zo blij met onze vriendschap. Weet je, Agnes, Pieter en ik hebben zoveel herinneringen om samen op te halen. We delen elkaars eenzaamheid en houden elkaar gezelschap, daar geniet ik nu zo intens van, ondanks het gemis van Ankes aanwezigheid."

Agnes voelde de opluchting groeien, Klaziens eerlijke antwoord schiep ineens zoveel ruimte in haar binnenste. De angst, dat Klazien méér in haar vader zou zien dan alleen maar een goede vriend, had haar steeds beziggehouden. Maar dat ze elkaar vaak gezelschap hielden en elkaars eenzaamheid deelden was heel begrijpelijk. Vooral de eenzaamheid! Klazien had geen man, kinderen of directe familieleden, en oud worden zonder dierbaren om je heen bracht toch ook eenzaamheid met zich mee. In zekere zin was vader nu ook eenzaam zonder moeder. Hij stond er elke dag weer alleen voor, ondanks zijn kinderen, kleinkinderen en familie die hem toch regelmatig opzochten. Juist dáárom was het fijn dat vader en Klazien elkaar regelmatig gezelschap konden houden

„Ik ben blij met uw vriendschap voor vader," zei Agnes en gaf het kiekje aan Klazien.

„Vroeger, toen we nog jong waren, was Anke weleens jaloers op de relatie die ik met Pieter heb gehad. Maar ach, dat was immers vóór haar tijd! Ik ben dankbaar dat Pieter het zo goed getroffen heeft met een vrouw als Anke én met jullie erbij. Dát heb ik namelijk mijn leven lang moeten missen... een fijn gezin. Daarom warm ik me nu een beetje aan onze vriendschap, begrijp je?"

Agnes knikte, dat jaloerse gevoel had moeder wel eens onder woorden willen brengen in enkele onuitgesproken zinnen, ze wist het zich nog goed te herinneren. Maar het was niet nodig geweest. Klazien mocht zich dan ook met een gerust hart warmen aan haar vriendschap voor vader. Het was van haar kant ook puur en oprecht.

Agnes stond op om naar huis te gaan. „Natuurlijk begrijp ik dat. U moet beslist eens met vader bij mij thuis op visite komen."

„O, graag. Die uitnodiging neem ik met beide handen aan. En ik ben ook zo benieuwd naar Judith. Gaat het nu wat beter met haar? Ik heb haar al een hele poos niet meer gezien!" Klazien was oprecht belangstellend en meteen overbezorgd toen Agnes haar vertelde dat Judith nog steeds in een moeilijke periode zat. „Weet je wat?" zei ze daarna. „Stuur haar maar eens naar me toe, zeg maar dat ik haar wil spreken en dat het héél belangrijk is. Judith heeft namelijk een nieuwe uitdaging nodig."

„Ja, dat vinden Ruud en ik nu ook! Het onderwijs bijvoorbeeld, als ze wil mag ze meteen die opleiding gaan volgen. Wij betalen alle onkosten," viel Agnes haar meteen bij. Maar Klazien schudde aarzelend haar hoofd. „Daar moet je niet op rekenen, Agnes. Judith is juist héél erg ambitieus op het gebied van de mode. Met dat talent móet ze beslist verder gaan. Ze kan alleen op dit moment de weg niet goed vinden en ik ben van plan om haar daarbij te helpen."

„Maar… maar zoiets is toch niets voor de toekomst!" Agnes fronste geërgerd haar wenkbrauwen. Dat modegedoe had Judith tot op heden niet zo bijster veel geluk gebracht, hoewel ze er altijd verschrikkelijk veel belangstelling voor had gehad. Zelfs nu nog, na de ontgoochelende mededeling dat het modellenbureau geen prijs meer stelde op haar medewerking.

„Niets voor de toekomst? Maar Judith gaat juist een gouden toekomst tegemoet, Agnes. Ze heeft alleen een zetje in de goede richting nodig." Klazien keek verontwaardigd.

„Ach, als ze maar gelukkig wordt!" verzuchtte Agnes dan en besefte ineens dat ze Judith niet in een bepaalde richting kon sturen, al wilde ze dat als moeder nog zo graag. Judith zou haar eigen levensweg volgen. Het kwam er alleen maar op aan dat ze gelukkig zou worden. Dat wenste zij Judith boven alles toe en daarbij vielen haar eigen plannen en verwachtingen in het niet. Het zou alleen maar opnieuw op een enorme teleurstelling uitdraaien als zij Judith zou dwingen om alsnog een opleiding in het onderwijs te gaan volgen. Met een hoofd vol gedachten en goede voornemens liep Agnes naar de voordeur. Ze had ineens een grenzeloos vertrouwen in Klaziens invloed en overtuigingskracht. „Ik stuur haar zo snel mogelijk naar u toe," beloofde ze.

Judith had zo haar bedenkingen om Klazien Somers met een bezoekje te vereren. Ze was wel opgelucht geweest dat moeder de vriendschap tussen opa en Klazien uiteindelijk had geaccepteerd. Klazien was zelfs al twee keer met opa in hun huis op visite geweest en ze ging ook regelmatig met hem mee naar haar tantes en oom Rien. Maar zelf durfde ze Klazien nog niet onder ogen te komen. Ze zou de vernedering niet overleven. Klazien had haar als model steeds héél hoog geacht met een roemrijke toekomst voor ogen, daarom zou ze de woorden 'ik ben ontslagen door het modellenbureau' ook niet zomaar over haar lippen kunnen krijgen. Dát kon ze Klazien nu eenmaal niet vertellen, ze had het er toch al zo moeilijk mee.

Halverwege de maand mei zegevierde de lente plotseling in al zijn volheid. Bloeiende bloesembomen sierden de wereld feestelijk op. In de groene weilanden verschenen helgele boterbloemen en vrolijke madeliefjes.

Judith kondigde op een mooie zaterdagmiddag aan dat ze tijdens de zomermaanden weer in caravan 'De Koolmees' wilde gaan wonen. Haar ouders reageerden niet al te enthousiast.

„Ik ben er geen voorstander van, Judith. We maken ons nog steeds zorgen om je gezondheid," antwoordde Agnes met een angstige ondertoon in haar stem.

Maar Judiths plannetje ging door. Ze beloofde met klem om goed voor zichzelf te zorgen en op tijd te eten. „Ik laat het nóóit meer zover komen dat ik weer opgenomen moet worden in het ziekenhuis, dat beloof ik!" zei ze plechtig, en ze meende elk woord. Tot nu toe balanceerde ze op een gewicht waar ze zelf enigszins vrede mee had. Het was wel aan de lage kant en volgens de specialist moest het ook veel meer worden, maar ze nam zijn goedbedoelde adviezen steeds een heel klein beetje ter harte. Ze at gewoon minimale hoeveelheden. Verder wilde ze voorlopig niet gaan, ondanks de waarschuwingen van haar ouders. Maar ze kon niet anders, ze was te veel kwijtgeraakt. Het dagelijks tellen van de calorieën die ze tijdens een maaltijd nuttigde zorgde daarom ook voor de nodige afleiding.

Een week later had Judith zich weer gesetteld in 'De Koolmees'. Nadat ze zich bij Bertus Koks van de receptie had aangemeld voor permanente bewoning in de zomermaanden, verdween ze in haar caravan, waar ze zich als vanouds heerlijk thuisvoelde. Op een middag, toen ze na werktijd haar middagdutje had gedaan omdat ze dat uurtje rust nog steeds niet kon missen, klonk er een duidelijke klop op de caravandeur. Tot Judiths grote verbazing zag ze door het raampje Klazien staan met een kleurrijk pluizig hoofddeksel op haar hoofd. Even aarzelde ze. Ze kon doen alsof ze niet thuis was, maar dat was niet bepaald gastvrij. Klazien, die duidelijk de nodige moeite had genomen om haar hier op te zoeken, mocht ze niet zomaar voor een gesloten deur laten staan. En waarschijnlijk zou Klazien de moed ook niet meteen opgeven en morgen terugkomen.

Ze zwaaide het deurtje open. „Dag Klazien…"

„Nou, nou, jij bent me er eentje, hoor. Ik wacht al wéken op een bezoekje van je! Maar toen ik van Agnes hoorde dat je hier weer woonde, heb ik zelf mijn stoute schoenen eens aangetrokken," kwebbelde Klazien met hoge verontwaardigde stem en ze liep langs Judith heen naar binnen.

„Welkom!" antwoordde Judith kleintjes.

„Meen je dat, Judith?" vroeg Klazien terwijl ze zich achter de kleine tafel op een stoel liet zakken en haar hoed met een elegant gebaar van haar hoofd zwaaide. „Natuurlijk meen ik dat. Ik eh… ik durfde u eerder niet onder ogen te komen. Sorry!" fluisterde Judith. Ze sloeg haar ogen beschaamd neer. „Alles wat mis kon gaan is misgelopen. Ik ben ontslagen uit de modewereld, Klazien. Ik ben een mislukkeling, ik scháám me voor je. Want jij… jij had zúlke grote verwachtingen van me."

„Jazeker, en die heb ik nog steeds." Vastberaden klonken de woorden door de kleine woonruimte. „Je bent erg talentvol op het gebied van mode, Judith. Je laat je leven toch niet verzieken door zelfmedelijden en die hongerstaking van je?"

Judiths wangen kleurden felrood. Ze slikte nerveus toen ze Klaziens vastberaden gezicht voor zich zag. „Niemand heeft me nodig. Wie wil mij nu nog in de allernieuwste mode op de catwalk zien lopen? Ik voldoe niet langer aan de eisen."

„De catwalk en modeshows lopen horen bij het begrip mode. Maar er is meer, liefje, véél meer! Als ik op je medewerking mag rekenen zul je het waarschijnlijk in de toekomst nog ver schoppen."

Judith lachte zacht, ze kon Klaziens woorden nauwelijks geloven. Maar ze maakten haar wel nieuwsgierig. „Hoezo? Ik begrijp u niet."

Klazien straalde vergenoegd. „Onder het genot van een kopje

thee wil ik je iets over míjn carrière in de mode vertellen. Daarna rijden we in jouw auto naar de stad, want daar wil ik je graag iets vragen."

Niet veel later nam Judith plaats tegenover Klazien, de glazen thee stonden te dampen voor hun neus. „Luister meisje," begon Klazien meteen. „Mijn carrière als mannequin heeft precies twee jaar geduurd. Het was een hele drukke periode. Ik had nauwelijks tijd voor mezelf en in die periode verspeelde ik de liefde van je opa, Pieter. Ik droomde ervan om steeds hogerop te komen en te gaan werken voor de grootste en machtigste modellenbureaus van de wereld die gevestigd waren in Amsterdam, Londen, Parijs en New York. Jij zult waarschijnlijk diezelfde dromen hebben gekoesterd." Judith knikte en slikte het brok in haar keel door. Ze wist precies wat Klazien bedoelde. „Maar het mocht niet zo zijn," vertelde Klazien verder. „Er werden nieuwe mannequins aangenomen, meisjes die nog veel mooier en slanker waren dan ik was. En ook veel jonger. Mijn werkgevers investeerden al heel snel het allerbeste in mijn nieuwe collega's. En uiteindelijk moest ik het opgeven, een van hen bereikte zelfs in een half jaar tijd de absolute top in Parijs. Vanaf dat moment mocht ik alleen maar op minder belangrijke shows verschijnen, je begrijpt dat ik daar geen voldoening in kon vinden en tot overmaat van ramp brak ik door een ongelukkige val mijn been. Ik heb ruim twee maanden met dat been in het gips gezeten en kreeg toen volop tijd om eindelijk eens een keer tot mezelf te komen. Ik herinner me dat ik toen helemaal van streek was en zag de toekomst erg somber in. Uit verveling begon ik op een dag te tekenen. Hoedje voor hoedje verscheen gedetailleerd op papier. Na vele hoedjes op papier te hebben getekend groeide er in mijn hoofd een heel mooi plannetje. Mijn ideaal om topmodel te worden had ik op moeten geven, maar ik kon nog wel mijn best doen om als ontwerper iets te bereiken. Ik kende in het modewereldje de weg en de juiste personen. Om een lang verhaal kort te maken: uiteindelijk ontwierp ik – Klazien Somers – de mooiste en de meest exclusieve hoeden die door alle topmodellen in Parijs, Londen en New York werden geshowd. Mijn creaties werden in korte tijd wereldwijd bewonderd en verkocht. Grote opdrachten vanuit de hogere kringen stroomden binnen. Ik opende niet lang daarna mijn eerste zaakje in Amsterdam en dat werd ook direct een succes. Alhoewel die zaak al lang geleden met veel winst is verkocht, teken ik nu nog regelmatig het ontwerp van een hoed voor enkele prominente dames. Je moet maar eens naar de tv kijken op prinsjesdag, de openingsdag van de Kamers der Staten-Generaal op de derde dinsdag van september. De dames die daar zitten dragen exclusieve hoofddeksels en sommige daarvan worden door mij ontworpen. Ik vind het ook nog steeds leuk om af en toe een ontwerpje te tekenen, hoor. En ik draag mijn eigen ontwerpen zelf uiteraard ook graag!"

„Maar dat is geweldig!" Judith had rode wangen gekregen van opwinding. Wat een succesvol leven had Klazien achter de rug. Ze was niet bij de pakken neer gaan zitten toen ze moest stoppen met haar werk als mannequin. Ze was verder gegaan in de modewereld, ze had de moed gehad om haar talenten op een andere manier te gebruiken en dat was haar gelukt.

Als zij – Judith Lankhaar – nu ook eens begiftigd zou zijn met eenzelfde soort talent, zodat ze toch iets in de mode kon blijven doen. Dan zou dat werkelijk té gek zijn! Maar dat was jammer genoeg niet zo. Ze werkte voor halve dagen achter de kassa van de supermarkt. Veel toekomstperspectief had ze tot op heden nog niet.

„Zo, en dan rijden we nu naar de stad." Klazien dronk haar glas thee in een teug leeg, zette haar hoed weer op haar hoofd en kwam uit haar stoel omhoog. Judith keek haar verbaasd aan. Het levensverhaal dat ze zojuist had aangehoord vond ze geweldig, maar wat wilde Klazien haar nu in de stad laten zien? Ze begreep er geen snars van.

In het centrum van de stad troonde Klazien Judith haastig mee naar een leegstaand winkelpand en pal daarvoor bleef ze stilstaan. Op haar wangen waren rode blossen van opwinding verschenen. „Kijk, dit pandje heb ik twee weken geleden gekocht. Zoals je weet is mijn huis in Eindhoven verkocht en met een deel van het geld kon ik dit hier kopen. Wat vind je ervan, Judith?"

Judith lachte verlegen. „Tja, ik weet het niet! Wat bent u eigenlijk van plan met dit leegstaande pand?"

„Dat is een goede vraag, meisje. En het antwoord heeft alles met jou te maken. Toen ik hoorde dat het modellenbureau niet langer gebruik wilde maken van jouw talenten, groeide er opnieuw een plannetje in mijn hoofd. Dit pandje is uitermate geschikt om er een exclusieve damesboetiek van te maken, met de allernieuwste kleding van de allerbeste ontwerpers. Ik wil niet alleen dat de dames uit deze omgeving hier hun kleding komen kopen, maar ik wil ze vanuit heel Nederland hiernaartoe zien komen. En jij… jij gaat die boetiek beheren. Jij benadert de ontwerpers en adviseert je klanten. En de creaties die jij uitkiest worden twee keer per jaar gedemonstreerd tijdens een modeshow, daar ga ik hoogstpersoonlijk voor zorgen. En als je mij dan op de hoogte wilt houden van je succes, maak je mij op m'n oude dag nog heel erg gelukkig."

Judith voelde alle kleur uit haar gezicht wegtrekken. „Ik?"

„Ja, Judith. Jij! Ik heb er alle vertrouwen in dat het je gaat lukken. Je hebt een helder inzicht op het gebied van mode. Alleen... je moet wel die hongerstaking beëindigen want je hebt een goede gezondheid nodig, kind. Je zult vooral het eerste jaar hard moeten werken."

Judith keek gebiologeerd naar de lege winkelruimte. Ze voelde haar hart tegen haar ribben bonzen van opwinding. Dit zou háár modewinkel worden, ze zou hier alle ruimte krijgen om zich helemaal te ontplooien. Ze droomde nu al van een mooie etalage, en de klanten die ze straks zou mogen adviseren. Tranen sprongen in haar ogen toen ze haar hoofd naar Klazien draaide. Ook in haar ogen glinsterden tranen. „Fantastisch, Klazien! Ik neem deze kans met beide handen aan en ik ga ervoor zorgen dat het een gróót succes wordt. Weet opa het ook al?"

Klazien haalde aarzelend haar schouders op. „Nee, kind. Dat vertel ik hem nog wel. Pieter heeft zoveel andere dingen aan zijn hoofd. Mijn liefde voor de mode en mijn vriendschap met Pieter zijn altijd twee verschillende werelden geweest. Net als vroeger, toen we nog verloofd waren. Maar ondanks mijn succes in het leven heb ik ook veel moeten missen, Judith. Een lieve man, een warm gezin... ik heb dus geen kinderen en kleinkinderen. Maar ik ben wel heel dankbaar voor jou. Jij bent Ankes kleindochter en ook een beetje die van mij. Ik ben blij dat ik je nu mag helpen om een nieuwe start te maken."

Judith voelde haar zelfvertrouwen groeien en kuste Klazien van blijdschap op haar wang. „Ik heb er geen woorden voor," zei ze met verstikte stem. „Bedankt voor het vertrouwen."

In de verte hoorde Judith plotseling dat iemand haar naam riep, de stem klonk bekend in haar oren en ze draaiden zich allebei nieuwsgierig om. Robin Arendonk, die aan de overkant bij de parkeerplaats liep, stak groetend zijn hand op. Judith wuifde verrast terug, haar hart bonsde opnieuw tegen haar ribben.

Daar liep Robin, ze had hem al die weken niet meer gezien, ze realiseerde zich ineens dat ze hem had gemist. Daar kon Denises telefoontje, waarin ze haar kattig bevolen had om Robin voortaan met rust te laten, niets aan veranderen.

„Daar gaat die aardige jongeman, die Pieter heeft geholpen na zijn ongeluk. Vind jij hem ook zo aardig, Judith?" Klazien kneep zachtjes in haar arm en keek haar verwachtingsvol aan.

Judith knikte en slikte moeilijk. Ze kon zichzelf niet meer voor de gek houden, ze was hopeloos verliefd, besefte ze ineens. „Heel aardig," antwoordde ze dan kleintjes.

„Nog een extra reden om je hongerstaking te beëindigen, kind. Vécht voor die jongeman, er is méér in een mensenleven dan alleen maar kleding en mode. Je zult de steun van zo'n lieve man hard nodig hebben."

Judith veegde met de muis van haar hand een traan weg. „Het spijt me, Klazien. Die aardige jongeman stapt over een paar weken met een ander meisje in het huwelijksbootje. Maar eh... ik ga toch vreselijk mijn best doen om beter te eten. Ik stop... ik probéér te stoppen met lijnen. Desnoods volg ik vanaf vandaag alle adviezen van de specialist op, want onze modewinkel móet een succes worden! U kunt op me rekenen, hoor."

Klaziens ogen twinkelden van blijdschap. „Goed zo! Dáár moet op gedronken worden. Laten we even op een terrasje neerstrijken, Judith. Dan kunnen we meteen overleg plegen, want we moeten zo snel mogelijk informatie in handen zien te krijgen over de laatste modetrends van Chanel, Christian Dior en Versace, de winkel moet natuurlijk ook zo snel mogelijk opgeknapt en ingericht worden. En de modebladen... die moeten we ook niet vergeten, ik wil dat je regelmatig een advertentie plaatst in de *Marie-Claire* en *Elle* en...

Judith luisterde naar het vriendelijke gebabbel naast zich, ze warmde zich aan het enthousiasme van Klazien, ze zag haar toekomst nu heel duidelijk voor ogen en voelde zich gelukkig. Niet dat ze nu volmaakt gelukkig was, want zonder Robin voelde ze zich op een bepaalde manier toch nog leeg van binnen. Maar dat hoefde niemand te weten.

17

Het huis werd drie weken eerder dan verwacht door de aannemer opgeleverd. Robin wist inmiddels dat Frank er nog meer vaart achter had gezet, Denise was al enige tijd niet meer te genieten geweest vanwege alle drukte rondom de meubelen die op een bepaalde datum geleverd zouden worden en hun ophanden zijnde huwelijk. Daarom had Frank nog eens wat extra werklui door de aannemer laten charteren, zodat hij Denise daarin tegemoet kwam en haar humeur op slag verbeterde. De werklui hadden echter hun hielen nog niet gelicht of een schoonmaakploeg arriveerde en ging als een reinigende tornado door het prachtige huis heen. Robin hoorde elke dag via de telefoon en soms ook door een bezoekje van Denise, hoe alle werkzaamheden vorderden. Af en toe ging hij er zelf ook heen om het adembenemende luxe woonhuis te bezichtigen. Maar er viel voor hem nog altijd niets te regelen, hij voelde zich ook nog steeds niet betrokken. Alles gebeurde steeds heel snel, en buiten zijn medeweten om. Zelfs de huwelijksaankondigingen hadden Denise en Frank samen uitgezocht, laten drukken en direct verstuurd. Het grootste aantal kaarten was bestemd geweest voor alle klanten van Franks familiebedrijf, want Frank wilde op deze huwelijksdag natuurlijk pronken met zijn enige dochter. Vanaf die dag had Robin nog meer het gevoel gekregen dat hij definitief in een val terechtkwam als hij over enkele weken met Denise in het huwelijk zou treden. Zijn relatie met Denise was immers al maanden slecht, maar bereikte in deze laatste weken voor hun huwelijk een ongekend dieptepunt. Een weg die hen wat dichter tot elkaar zou brengen had hij nog steeds niet gevonden, en al zijn hoop daarop was inmiddels tot pure wanhoop geworden. Robin kreeg elke dag meer spijt van zijn beslissing om met haar te trouwen. Ze was niet langer het lieve meisje met haar mooie lange krullen waar hij een poosje geleden zo verliefd op was geweest. Zijn warme liefde voor haar was verdwenen omdat hij haar ware karakter had ontdekt. Het ongeluk met de auto van het echtpaar Graafsma en Denises reactie daarop hadden hem de ogen geopend. Maar ook de verstikkende bemoeizucht van Frank, haar vader, irriteerde hem mateloos. En in plaats daarvan betrapte Robin zichzelf er steeds vaker op dat hij met zijn gedachten bij Judith Lankhaar vertoefde. Bij dat zwakke ziekelijke meisje dat hij eens in zijn armen droeg en waarmee hij later enkele fijne gesprekken had gevoerd. Zelfs op school tijdens de gymlessen begon Robin steeds vaker te piekeren en te zoeken naar een oplossing om onder zijn huwelijk met Denise uit te komen. Hij nam het zichzelf kwalijk dat hij de situatie veel te lang had laten voortduren. Hij was de afgelopen maanden veel te laks geweest. En Denise? Die had helemaal niets in de gaten. Ze had het te druk met de inrichting van hun nieuwe woning en haar trouwjurk die deze week bezorgd zou worden.

Op een middag reed Robin 's middags naar de stad om bij de sportwinkel een nieuwe trainingsoutfit met bijpassende sportschoenen te kopen. Hij parkeerde zijn auto, wierp geld in de parkeermeter en wilde richting sportwinkel lopen. Maar tegenover het parkeerterrein zag hij plotseling het meisje staan waaraan hij de laatste weken dagelijks had gedacht.

Judith Lankhaar!

Ze stond met haar rug naar hem toe naast een goed geklede oudere vrouw met een bijzonder jofele hoed op haar hoofd. Vreemd, ze keken beiden naar de etalage van een leegstaand pand en waren in een druk gesprek verwikkeld. Robin twijfelde of hij haar nu moest groeten of niet. Maar hij kon het niet laten, hij wilde haar smalle gezichtje, haar lachende mond en vriendelijke ogen zien. „Judith, hallo...!" galmde zijn stem over de straat. Enkele passanten keken hem verstoord aan, maar dat kon hem niets schelen.

Judith draaide zich om, herkende hem en zwaaide met een brede lach om haar mond. De oudere vrouw naast haar keek eveneens naar hem en fluisterde haar iets toe alsof zij hem ook herkend had. Maar ach... nu zag hij het zelf ook. Die vrouw was niemand anders dan de overbuurvrouw van meneer Graafsma. Op de valreep had hij haar tijdens die bewuste middag, toen hij een gesprek had met Judiths opa, nog ontmoet. Ze kwam zelfgebakken koekjes brengen voor bij de koffie. Robin herinnerde zich dat weer en hij liep onderwijl langzaam verder, diep in gedachten verzonken. Ineens maakte hij een klein vreugdesprongetje. Het was fantastisch geweest dat Judith zo'n geweldige bemiddelende rol had gespeeld met betrekking tot het auto-ongeluk en de gesprekken met haar familie. De last die zo lang op zijn schouders had gedrukt vanwege de misverstanden die waren ontstaan, was nagenoeg helemaal verdwenen. Maar de positieve kant van deze zaak was, dat hij door de gebeurtenissen heen Judith veel beter had leren kennen. Diep in zijn hart wist hij, dat hij er alles wel voor over zou hebben om haar nóg beter te leren kennen. Tja, maar dat betekende dan wel dat hij vandaag nog een punt achter zijn relatie met Denise moest zetten. Hij moest eerlijk zijn ten opzichte van haar, dat was zijn plicht. Maar hij moest ook eerlijk zijn voor zichzelf. Daarom wilde hij vandáág nog zijn huwelijk met Denise afblazen, deze situatie kon zo geen dag langer blijven voortduren. Hij had geen andere keus. Want door wel met haar te trouwen tekende hij immers voor een huwelijk dat bij voorbaat al gedoemd was om te mislukken. Dat kon hij Denise, maar ook zichzelf niet aandoen. Eenmaal thuisgekomen hakte hij de knoop door en belde hij haar op. „Ik moet je even spreken, Denise," zei hij, lichtelijk nerveus. „Heb je tijd? Kan ik even bij je komen, of kom jij naar mijn huis?"

Maar Denise had geen tijd, haar huis werd gestoffeerd en vanavond moest ze met Frank naar een zakelijke receptie van het familiebedrijf en dát kon in geen geval worden geannuleerd.

„Jammer," zuchtte Robin teleurgesteld en verzamelde vervolgens alle moed bij elkaar. Hij had het haar veel liever persoonlijk onder vier ogen verteld, maar ze liet hem geen andere keus en hij wilde het ook niet opnieuw uitstellen. „Ik zet een punt achter onze verloving, Denise. Ik wil niet meer met je trouwen. Het is over... voorbij!"

Het bleef angstig stil aan de andere kant van de lijn, dan hoorde Robin dat Denise de verbinding verbrak, zonder een woord of een reactie van haar kant. Hij legde de hoorn eveneens op de haak en voelde zich voor het eerst sinds maanden weer opgelucht en vrij. Zijn blik gleed langs de meubeltjes en de inrichting van zijn woonkamer. Wat een geluk dat hij zijn boeltje nog steeds niet had verkocht. Dit was zijn huis, hier hing zijn sfeer en hier voelde hij zich thuis.

Judith was uitverteld, ze keek met een rode kleur van spanning en opwinding naar de gezichten van haar beide ouders en Fred. Ze had hen zojuist van Klaziens winkelpand in het centrum van de stad op de hoogte gebracht. En dat ze haar – Judith – het beheer ervan in handen had gegeven om er een goedlopende exclusieve damesmodezaak van te maken. Agnes slaakte een kreet van verwondering en blijdschap. Dat Klazien zulke grootse plannen had met haar dochter overtrof haar stoutste verwachtingen. Dit was duidelijk een zet in de goede richting, vooral omdat het Judith de kans gaf om te woekeren met haar talenten. En met een beetje begeleiding van Klaziens zijde zou het nooit een droomvlucht worden waarbij ze zichzelf opnieuw zou verliezen, maar een baan waar ze met plezier haar werk mocht doen. Gewoon, met de beide beentjes op de grond.

Geen onbereikbare fantasieën meer zoals Parijs, Londen of New York, maar heel eenvoudig, in Nederland. Judiths gezicht straalde, evenals haar ogen. Ruud wenste haar meteen alle geluk van de wereld toe en ook Fred stak zijn bewondering niet onder stoelen of banken.

Daarna schrok iedereen op van de deurbel die plotseling door het huis schalde. „Ik maak wel open," zei Judith haastig en ze liep meteen naar de gang. Toen ze de deur opendeed zag ze Robin staan. Haar mond viel open van oprechte verbazing. „Robin! Jij?"

„Ja, ik ben het. Ik móet je spreken, Judith. Het is erg belangrijk!" Ze keek in zijn vriendelijke ogen, zijn lachende gezicht, en voelde dat met de komst van Robin het geluk bij haar aanklopte.

„Kom maar binnen," nodigde ze hem uit, „want ik heb ook belangrijk nieuws te vertellen."